D1261052

Le Destin de la pensée et
"La Mort de Dieu" selon Heidegger

PHAENOMENOLOGICA

COLLECTION PUBLIÉE SOUS LE PATRONAGE DES CENTRES D'ARCHIVES-HUSSERL

24

ODETTE LAFFOUCRIÈRE

Le Destin de la Pensée et "La Mort de Dieu" selon Heidegger

ODETTE LAFFOUCRIÈRE

Le Destin de la Pensée et "La Mort de Dieu" selon Heidegger

MARTINUS NIJHOFF / LA HAYE / 1968

PRINTED IN THE NETHERLANDS

A Monsieur Paul Ricœur,
Professeur à la Faculté de Paris-Nanterre,
en hommage de gratitude, pour le soutien qu'il
n'a cessé d'accorder à ce travail.

Die Arbeit von Melle Laffoucrière «Le destin de la pensée et la mort de Dieu» zeichnet sich aus durch eine klare und treffende Auslegung meines Denkens. Sie beseitigt viele der verbreiteten Missdeutungen und gibt zugleich eine gute Einführung in das rechte Verständnis der Frage nach dem Wesen der Metaphysik.

Daher möchte ich die Veröffentlichung der Arbeit sehr empfehlen; sie kann in mancher Hinsicht als Kommentar zu den bisher in Frankreich erschienenen Übersetzungen meiner Arbeiten dienen.

9 November 1964 M. Heidegger.

Le travail de Mademoiselle Laffoucrière, «Le destin de la pensée et la mort de Dieu» se distingue par un exposé clair et pertinent de ma pensée, Il écarte des mal entendus nombreux et répandus. Du meme coup, il fournit une bonne introduction à la droite intelligence de l'interrogation sur l'essence de la métaphysique.

Je recommande donc vivement la publication de ce travail; à bien des égards, il peut servir de commentaire aux traductions de mon oeuvre jusqu'alors parues en France.

TABLE DES MATIERES

INTRODUCTION 1

I. L'AVENEMENT HISTORIQUE DE LA METAPHYSIQUE 2

La métaphysique 3
A travers la question qu'est-ce que l'étant? 4
Cherche l'être de l'étant 4
L'être de l'étant, qu'elle nomme étantité est pour la métaphysique présence du présent 5
La transcendance est la forme intérieure de la métaphysique 6
La métaphysique est devenue onto-théologie 7
Où la métaphysique se meut-elle? Dans la différence, mais elle l'ignore 9
La différence, source de la pensée métaphysique, n'est pas pensée comme différence 10

II. OUVERTURE DE LA DIFFERENCE DANS L'HOMME 11

Vocabulaire de Heidegger 13
Une nouvelle transcendance 14
L'existence de l'homme comme question 16
Analyse du Dasein 17
Liberté et souci 18

III. LE MONDE 18

Dimension originelle du séjour historique de l'homme 18
L'unification des extases du temps est l'avènement de la présence de l'étant 21
La restitution de l'étant 22
Présence et absence de la chose 23

IV. L'ABIME DU RIEN 24

Absence et transcendance 24
Le néantir, Nichten 26
Une difficile garde de l'être 27
La dispensation de présence 28
Les trois approches de la présence 28
Les trois degrés de lumière 28
Lichtung-Nichtung 29
Autour du double sens du mot être 29

V. L'AVENEMENT DE L'HOMME 30
Au-delà de la restitution de l'étant, l'avènement de l'homme 30
Transcendance et finitude. Le temps comme détermination de la transcendance finie 32
Le comment de notre finitude 33
La parole 35
Le chemin de l'herméneutique 36
Histoire et dispensation de présence 36

VI. LA REPRISE DE HEIDEGGER 37
Le destin de la pensée 37
La question de l'Histoire 39

CHAPITRE I. PARMENIDE 41

1. Etre et apparaître 43
2. L'Etre comme présence est à la fois être et dévoilement 45
3. Recueil du dévoilement 47
4. Comment l'être en tant qu'apparaître nous livre l'être en tant que pensée 49
5. Ce que la métaphysique appelle: pensée 52
6. La doxa est la patrie de l'homme 54
7. Le royaume de la doxa, c'est celui du parler du langage 57
8. La voie du non-être ou l'unité ontologique qui est à l'origine de l'alètheia et de la doxa 58
9. Parménide, père de la métaphysique 61

CHAPITRE II. PLATON 64

1. Le Visible et l'Invisible 64
2. Le mouvement de la vérité dans le jeu legein-noein 67
3. Deviendra contemplation des Idées 68

CHAPITRE III. ARISTOTE 74

I. ARISTOTE PENSE LA PRESENCE COMME «ENERGEIA» 76
1. La «phusis» comme «archè» 77
2. La «phusis» comme «hulè» 79
3. Phusis et Technè 80
4. L'«energeia» ou l'«entelecheia» 81
5. La «phusis» comme «morphè» 82

II. L'ENERGEIA D'ARISTOTE EST ATTEINTE A TRAVERS L'IDEA 87
1. Métamorphoses du logos. Séparation de logos et phusis 88
2. Rôle du legomenon 92

III. NAISSANCE DE L'ONTO-THEOLOGIE: «LOGOS», MOT QUI A LA FOIS CACHE ET REVELE 97
1. Le principe de contradiction 97
2. La temporalité originelle 99
3. C'est justement à travers «l'aiôn», qui chez Héraclite est l'autre nom du logos, que nous abordons maintenant la dernière étape, à savoir le couronnement onto-théologique de son œuvre par Aristote 102

CHAPITRE IV. PASSAGE AUX TEMPS MODERNES 106

I. L'ENERGEIA DEVIENT L'ACTUALITAS 107

II. LES TRANSCENDANTAUX 112

CHAPITRE V. DESCARTES 116

I. INTERPRETATION NOUVELLE DE LA SUBSTANTIALITE DE LA SUBSTANCE 118
1. La naissance du sujet au sens moderne 118
2. L'homme comme mesure des choses 120

II. LA VERITE DEVIENT CERTITUDE 122
1. L'humanisme 122
2. Le cogito 124
3. Le cogito sum 126

III. LE RENOUVEAU DE DESCARTES RESTE A L'INTERIEUR DE L'ONTO-THEOLOGIE 128
1. La toute-puissance de l'être comme acte pur est brisée 128
2. Deux ontologies 129
3. Ratione et non realiter 133

CHAPITRE VI. LEIBNIZ 136

La substance est caractèrisée comme unité 136

I. LA REALITE NOUVELLE DE LA SUBSTANCE ET SON UNITE 137
1. Prééminence nouvelle de l'ontologie 137
2. La notion de force 138
3. La représentation unificatrice 139
4. Ambiguité du concept d'unité 140

II. L'UNITE LOGIQUE DE LA MONADE 141
1. Inclusion du prédicat dans le sujet 141
2. Que devient la contingence? 142
3. Rien n'arrive sans raison 143
4. Unité des propositions identiques et des vérités contingentes 144
5. Principe de raison suffisante et principe de contradiction 145
6. Deux séries de manifestations, l'une «intérieure», l'autre «extérieure» 146

CHAPITRE VII. KANT 148

«La premier des phénomènologues» 148

I. L'HOMME INSTAURANT TOUTES CHOSES 150
1. De la constitution de l'objet par l'esprit 150
2. A sa position dans l'existence 152
3. Kant, prisonnier d'une philosophie de la représentation 153

II. L'HOMME INSTITUÉ 155
1. Il y a réceptivité de l'esprit 155
2. Les conditions de possibilité de l'expérience sont en même les conditions de possibilité des objets de l'expérience 156

III. L'UNITE DES SOUCHES FONDAMENTALES 158
1. Autour de la force d'imagination 158
2. L'enracinement du logos dans l'homme 159
3. Le temps 161
4. Oubli de la subjectivité du sujet 161
5. Retour à la notion traditionnelle de sujet 164
6. Kant a sous-défini le rapport entre ce qui est pensé et le moi 165

IV. LE MONDE 167
1. Le concept antérieur de monde 167
2. Tout étant n'apparaît que sur fond de monde 167
3. L'intuition pure du temps et le monde 169
4. La nouveauté de Kant: L'homme citoyen du monde 170
5. Kant, successeur de Leibniz 170

CHAPITRE VIII. DE KANT A SCHELLING 173
1. L'immédiateté s'efface au profit de la médiation 173
2. Après lui, la raison devient à soi-même son objet 177
3. Fichte refuse de partir de la connaissance naturelle 179
4. Schelling, la médiation de soi 180
5. Interprétation classique de Schelling 181
6. Un seul et même mouvement 182
7. Echec de la raison à rendre compte d'elle-même 185

CHAPITRE IX. HEGEL 188

I. L'ABSOLU QUI NOUS CHERCHE 192

II. HISTOIRE DE LA FORMATION DE LA CONSCIENCE 195
1. La conscience naturelle 196
2. Le savoir réel 197

III. LA DIALECTIQUE ET L'IDEALISME SPECULATIF 206
1. Dialectique et métaphysique 208
2. L'apport de l'idéalisme allemand 211
3. Prise de conscience du principe d'identité 212
4. Avènement de la pensée spéculative et onto-théologie 215

CHAPITRE X. NIETZSCHE 218
1. Nietzsche ne se comprend qu'au terme de la métaphysique 220
2. Le surhomme 223
3. «Dieu est mort» 225
4. La notion de valeur 227
5. Le concept de justification 230
6. La subjectivité et le temps 232
7. Le retour éternel du semblable 237

CONCLUSION 239

Problème de Dieu, problème de l'homme 239
Du Dieu de la métaphysique au Dieu divin 239

L'homme habite dans la proximité du Dieu 241
Perte du sens de l'être 242
Pour avoir oublié la dispensation de présence – Geschick –, il y a eu coupure métaphysique de l'esprit – logos – et des choses – phusis 245
Le logos exprime la dispensation de présence, unifiée et orientée 249
Le logos, manière d'être donnée de l'immédiateté 250
Le logos est dia-logos 253
Le logos est histoire 251
L'accès à Dieu 252

Liste des sigles utilisés 258

Table des auteurs cités 261

INTRODUCTION

Qu'après plus de deux mille ans, le destin de la pensée se soit signalé aux dires de l'un des plus grands philosophes par la «mort de Dieu», tel est le thème auquel nous nous sommes attachés. Ce livre s'efforce de retracer à grands traits les étapes d'une crise dont l'envergure nous a été révélée par Nietzsche, mais dont l'analyse la plus récente nous a été fournie par Martin Heidegger.

Heidegger rencontre Nietzsche dans son cri: «Dieu est mort», mais pour lui ce cri n'est pas d'un seul témoin, c'est celui des temps modernes. Pascal déjà avait réveillé le vieux mot de Plutarque: «Le Grand Pan est mort». Hegel notait en 1807: «Dieu lui-même est mort» et Hölderlin, qui avait si bien marqué que le tragique naît de l'affrontement gigantesque des hommes et des dieux, ne pouvait que relever l'insignifiance de son siècle.

Aujourd'hui, affirme Heidegger, Dieu n'est plus, le monde n'est plus, l'homme et les hommes ne sont plus. Le nuit tombe. La nuit du monde déploie ses ténèbres. Le temps de la nuit du monde est essentiellement un temps d'indigence, car il n'existe qu'en ignorant cette indigence et en l'accroissant.

A coup sûr il nous faut écouter Nietzsche lorsqu'il nous dit que c'est la foi au Dieu chrétien qui est devenue incroyable, mais nous avons à penser ce qu'il nous fait entendre. Heidegger prend à charge de montrer qu'il s'agit d'une crise d'abord «métaphysique» et par voie d'incidence seulement, chrétienne. «Dieu est mort» n'est pas une proposition athée, mais la formule de l'événement qui fonde l'histoire occidentale [1]. Ou plus précisément, si l'on admet que le mot *être* abrite le destin spirituel de l'Occident [2], la crise de Dieu est une crise de l'être.

[1] *N1*, p. 183.
[2] *EM*, trad. p. 51.

En s'écriant: «Dieu est mort, les hommes l'ont tué», Nietzsche n'a fait que révéler un fait: depuis le début, le dieu de la métaphysique, le dieu des arrière-mondes n'était pas «pensé» et n'était pas le Dieu divin [1]. D'ailleurs, quand on pense authentiquement Dieu, comment pourrait-on jamais le tuer [2]?

I. L'AVENEMENT HISTORIQUE DE LA METAPHYSIQUE [3]

Mais qu'est-ce que la métaphysique ou encore: qu'est-ce que la philosophie qui en est pour Heidegger un autre nom? Nous verrons qu'il s'agit là d'une forme particulière de la pensée – certes une phase privilégiée, la seule qui se soit jusqu'ici laissée embrasser du regard – mais elle apparaît aujourd'hui caduque. L'âge en est passé du seul fait que nous voyons ce qui la constitue.

Sans doute Heidegger parle-t-il lui-même de métaphysique et de philosophie. Il a écrit une *Introduction à la Métaphysique* et *Qu'est-ce que la philosophie* [4]? C'est que, pour l'auteur de *Sein und Zeit*, la métaphysique désigne entre Platon et Nietzsche, deux mille ans de philosophie occidentale [5]. Les Grecs l'ont créée ou plutôt elle s'est offerte à eux. En interrogeant *d'une certaine manière*, ils ont orienté la réflexion des siècles à venir. «Qu'en serait-il, si l'Antiquité grecque n'avait pas existé»?, dit un cours inédit donné à Fribourg-en-Brisgau en 1944. Mais tant que nous sommes subjugués par cette orientation, nous ne distinguons pas ce qu'elle a d'ambigu et de partiel. Vivant des richesses qu'elle nous a données, nous ne songeons pas à la mettre en question. Seule le peut la génération qui en est délivrée. A en croire Heidegger, cette génération est la nôtre. D'autres temps ont eu pour destin de révéler à l'homme ce qu'il pense. Le nôtre aurait ce privilège singulier de ressentir d'abord à quel point l'homme *manque sa propre pensée.* C'est la lumière à travers laquelle nous apparaîtrait toute l'histoire. C'est le fait qui entre tous donnerait à penser aujourd'hui.

Il y a *dépassement* de la métaphysique, bien que ce terme ne

[1] *ID*, p. 71.
[2] «Dieu est mort» dans *H.* trad. 173
[3] Afin de simplifier cette introduction, nous choisissons de traduire *Geschehnis* par avènement. Les pages qui suivent justifieront cette décision.
[4] *EM*, et *WP*.
[5] *HW*, p. 245.

soit utilisé qu'à titre d'expédient et pour se faire comprendre [1]. La pensée à laquelle nous sommes conviés, ne cherche pas à faire une philosophie plus haute; elle s'en tient, au contraire, à la proximité la plus proche de nous [2]. Le renouvellement n'est possible que par un retour à la terre où s'enracine l'arbre de la métaphysique [3]. Ce dépassement, pour historique qu'il soit, reste une expérience intérieure. Des siècles de métaphysique nous ont formés. Nous ne pensons qu'à travers eux, qu'à travers ce qui a été – *gewesen* – c'est-à-dire le rassemblement de ce qui dure encore [4].

La réflexion sur la métaphysique, si elle échappe à celle-ci et nous amène à la juger en nous mettant en dehors d'elle, doit inévitablement partir de la métaphysique. Nul ne peut accomplir le dépassement demandé, qui ne soit d'abord descendu au coeur de la métaphysique.

Heidegger précise ailleurs [5] que se remettre de la métaphysique – *Verwinden* – pour employer son expression, ce n'est pas s'en débarrasser comme d'un vieux vêtement ou comme d'une représentation usée qu'on laisserait tomber derrière soi pour saisir autre chose. C'est, au contraire, atteindre d'abord la vérité de l'essence de la métaphysique, vérité qu'ignore cette dernière car elle cesserait d'être elle-même si elle savait ce qui la constitue. Ainsi, ce qui semblait rejeté revient dans une dimension nouvelle.

La métaphysique

Comment donc se caractérise la métaphysique? Anticipons dès maintenant les conclusions des recherches que ce livre s'efforce de retracer. La philosophie occidentale se signale par deux traits. Le premier constitue ce qu'on peut appeler le *règne de l'étant;* le second, qui en demeure inséparable, est *l'évidence de l'être.*

Dès l'origine, cette philosophie a eu pour objectif d'interroger l'étant. Mais alors, c'était interroger la *phusis* à laquelle il appartient. Les Romains feront de cette *phusis* la *Nature.* Au premier âge de la pensée, elle se présente purement et simplement comme le jaillissement universel de ce qui prend expansion à

[1] *VA*, trad. p. 80.
[2] *HB* Francke, p. 37.
[3] *WM*, p. 8.
[4] *VA*, trad. p. 275
[5] *SF*, p. 35.

partir de soi par opposition à la *technè*, à ce qui est fabriqué par l'homme. Ainsi *phusis* est-il le mot grec premier et fondamental, celui qui dit l'être, au sens de cette présence qui surgit et règne par elle-même [1]. Mais cette question est peu à peu sortie de ce qu'elle avait, comme tout ce qui est originel, à la fois de plein et d'indéterminé [2].

L'évolution interne de la pensée hellénique, surtout à travers les Eléates, conduit à Platon et Aristote qui représentent déjà un stade tardif. «Puis donc que nous y avons échoué, dit le *Sophiste*, à vous de nous faire maintenant voir clairement ce que vous entendez signifier par ce vocable: *on*. Evidemment, ce sont là choses qui vous sont depuis longtemps familières. Nous-mêmes nous figurions les comprendre. A cette heure, nous voici dans l'embarras ...» [3]. «Qu'est-ce que l'étant, *ti to on*, reprend à son tour le Stagirite? Telle est la forme qu'a revêtue cette question, autrefois débattue, disputée maintenant et toujours et jamais résolue» [4].

A travers la question: qu'est-ce que l'étant?

Ces deux citations de Platon et Aristote, rappelées par Heidegger au début de *Sein und Zeit* et à la fin de *Kant et le Problème de la Métaphysique*, restent à l'horizon de son œuvre entière. A Cerisy-la-Salle, en 1955, lui-même confia à ses interlocuteurs que depuis cinquante ans il était inquiété par cette unique interrogation: *ti to on*? Qu'est-ce que l'étant?

En nous efforçant d'entendre cette question *comme question*, en-deçà des réponses qui lui furent données au cours de l'histoire [5], nous ferons un pas sur le chemin qui doit nous mener à l'essence de la métaphysique et à travers elle au problème qui nous occupe.

Chercher l'être de l'étant

Mais déjà nous nous apercevons que cette question qui dirige la métaphysique est ambiguë, car elle suppose une interrogation plus fondamentale, celle de *l'être de l'étant*. Chercher en effet ce

[1] *N1*, p. 211.
[2] *EM*, p. 200, trad., p. 278.
[3] *Sophiste*, 244 a.
[4] *Métaphysique*, Z 1, 1028 b, 2 ss
[5] *WM*.

qu'est l'étant, c'est chercher ce qui le rend tel et donc, implicitement ou non, s'enquérir de son être. La métaphysique a toujours su qu'elle cherchait l'être de l'étant. Suivant sa propre étymologie – *meta* – elle ne cesse de transcender l'étant vers son être. Elle va de l'étant à l'être [1]. Non certes qu'elle veuille laisser l'étant derrière soi, mais dans ce mouvement qui la caractérise, elle cherche à se représenter l'étant *comme* étant, l'étant *comme tel*, l'étant dans son être. En s'efforçant d'atteindre ce qu'est l'étant, en amenant au concept son «étantité» – *Seiendheit* – la métaphysique croit penser l'être [2]. Pour elle l'être signifie que l'étant est et n'est pas rien [3].

L'être de l'étant, qu'elle nomme étantité est pour la métaphysique présence du présent

C'est alors qu'en passant, elle effleure quelque chose qu'elle va par la suite oublier ou masquer, à savoir *l'apparition* de l'étant *à l'homme*. A coup sûr, la métaphysique ne cessera pas d'identifier l'étantité de l'étant, ce qui le constitue et qu'elle appelle son être, à sa présence. *Mais elle dissimulera l'événement-avènement de cette présence,* c'est-à-dire le fait que cette présence n'est pas de soi évidente, qu'elle ne se produit pas «en général», en tous temps et en tous lieux: elle est, pour l'homme, singulière et chaque fois orientée.

De Parménide à Aristote, la pensée fut éveillée et appelée avant tout à prendre garde au présent dans sa présence. C'est à ce titre que l'être de l'étant est devenu l'affaire de la pensée. Ce fait est le début de l'Occident, la source cachée de son destin [4]. La métaphysique a pensé l'être comme présence du présent, présence des choses présentes, *einai tôn ontôn*, devenu *esse entium* [5]. *Etait-ce assez pourtant pour exprimer en toute clarté cette présence du présent dont l'avènement demeure caché?* Non certes, car c'était ne décider en rien en quoi elle repose [6]. Heidegger discerne là un blocage et s'efforce de revenir à la position antérieure de la question.

[1] *WD*, p. 135.
[2] *WM*, p. 39
[3] *N2*, p. 399.
[4] *ID*, p. 34.
[5] *VA*, trad. p. 275.
[6] *WD*, p. 143.

Ainsi le combat de géants autour de l'être de l'étant a commencé dès l'aurore de la métaphysique [1]. Le *Chreôn* – la Nécessité – d'Anaximandre, l'*Hen* – l'un – et le *Logos* d'Héraclite, la *Moira* – le Destin – de Parménide, l'*Idea* de Platon, l'*Energeia* d'Aristote, la subjectivité moderne, l'objectivité qui en découle, la volonté de puissance de Nietzsche, l'essence de la technique contemporaine sont différentes réponses qui n'expriment jamais que divers aspects d'une même enquête.

De son origine à son accomplissement, les énoncés de la métaphysique se meuvent, d'une étrange façon, dans une confusion générale de l'étant et de l'être [2]. Partout où l'on se demande: qu'est-ce que l'étant?, qu'on l'interprète comme substance, comme matière, comme esprit, comme devenir, comme représentation ou comme volonté, chaque fois, il s'agit de l'étant et de l'être [3].

Cette forme de pensée qu'est la métaphysique envisage l'étant en soi, dans une certaine suffisance. Il est ce qui se montre et s'impose. Il règne et c'est à rendre compte de lui qu'elle s'emploie. Cela ne veut pas dire qu'elle ne pense pas l'être. Elle y songe et en parle sans cesse. Mais l'être auquel elle pense en disant ce qu'est l'étant, lui semble aller de soi. Il est continuellement représenté comme premier, ainsi qu'en témoigne l'expression ultérieure d'a priori [4]. Parce que l'être est pensé à partir de l'étant, la métaphysique pourra interpréter l'a priori ou comme fondement de la chose, ou comme premier dans l'ordre de la connaissance et des conditions de l'objet. L'être est alors fixé et hypostasié dans la «réalité» ou «l'idéalité». La chose «est» ou l'être «chosifie». Tous les dualismes naîtront de là, à commencer par celui de matière et de forme qui les fonde tous.

La transcendance est la forme intérieure de la métaphysique

Parce que cette différence entre l'être et l'étant se manifeste à la *méta*physique lorsqu'elle transporte son regard de l'étant sur l'être, elle apparaît dépassement, c'est-à-dire transcendance. La transcendance est ainsi la forme intérieure de la métaphysique. Mais c'est une forme qui s'est renouvelée sans cesse au cours de

[1] *KM*, p. 216, trad. p. 295
[2] *WM*, p. 11.
[3] *WM*, p. 7.
[4] *N2*, p. 346.

son histoire. Pour des raisons que nous reconnaîtrons plus tard comme essentielles, le mot a eu des sens multiples qui, de plus, ont souvent interféré. Il a tout d'abord marqué la relation entre l'être et l'étant, cette relation qui conduit au-delà de l'étant jusqu'à l'être, comme nous venons de le dire. Mais il signifie encore la relation entre l'étant qui se transforme et celui qui demeure immobile, celui qui repose en lui-même. Enfin, éminemment, le mot s'applique au plus haut Etant qui, alors, est aussi nommé l'Etre. L'équivoque est à son comble [1].

En un autre sens, on peut aussi dire que le domaine de la métaphysique occidentale est constitué par la participation de l'étant à l'être, cette *methexis* à travers laquelle on se demande comment l'étant ainsi participant est à définir par l'être.

C'est à partir du mouvement de cette transcendance que vient le Dieu de la métaphysique.

La métaphysique est devenue onto-théologie

D'une part, en posant devant soi l'étant, en s'attachant à ce qui le rend étant, à son étantité, – *Seiendheit* – la métaphysique appelle cette étantité *être*. Elle atteint l'être par une sorte de sondage de l'étant – *ergründen* –. Il devient comme étantité le fondement – *Grund* – [2], plus tard la raison de l'étant – *begründen*. En pensant l'être, la métaphysique atteint, en chaque étant, l'étant dans son ensemble et le ramène à ses traits les plus généraux: c'est l'*on katholou, Seiende im Ganzen*.

D'autre part, et c'est ainsi que le divin arrive dans l'ontologie, la métaphysique fait de l'étantité ainsi dégagée, le plus haut étant et donc l'étant divin, *on katholou, akrotaton, theion*. La philosophie première d'Aristote est aussi bien connaissance de l'étant comme tel, *on hè on*, que connaissance d'un domaine privilégié de l'étant, *timiotaton genos*. Ainsi la logique de la métaphysique la conduit-elle, pour fonder le monde des étants, à réaliser l'étantité de ceux-ci dans un plus haut étant [3].

Où en arrive-t-elle de la sorte? Parce que l'étant en grec s'appelle *on*, parce que le fait de l'aborder comme étant et de le concevoir arrive dans le *logos*, la science de l'étant comme tel en

[1] *SF*, p. 18.
[2] *ID*, p. 54.
[3] *WM*, p. 18; *KM*, p. 17, trad. p. 67.

général est *ontologie*. Il existe en principe une autre science, distincte par son objet, celle de nos représentations de Dieu, la *théologie*. Heidegger, en dévoilant l'ambiguité première du processus de transcendance dans la métaphysique, montre au contraire que celle-ci confond les deux sciences; elle les lie l'une à l'autre, mais cette unité demeure chez elle bel et bien impensée. C'est pourquoi la métaphysique mérite le qualificatif *d'onto-théologie*. Le caractère onto-théologique de la métaphysique constitue l'unité dernière de ses démarches. C'est dans cette perspective qu'il faut envisager le problème de «la mort de Dieu». Les noms d'ontologie et de théologie, précise Heidegger, ne coïncident pas avec ce que désignent ces titres dans la tradition scolastique. L'ontologie dont parle Heidegger est en fait une onto-logique. Théorie du *logos* de l'*on*, de l'étant, elle est théorie d'un *logos* déraciné. Elle est ontification, puisqu'elle oublie le rapport chaque fois nouveau du logos à l'homme [1]. Cette «ontologie» se retrouve dans la psychologie, la cosmologie et la théologie. Et par ailleurs, la «théologie» dont parle Heidegger règne aussi bien dans la cosmologie et la psychologie (anthropologie) que dans la *Metaphysica generalis*. L'onto-théologie exprime le drame de la métaphysique à partir de sa conception de l'étant.

Où la métaphysique se meut-elle? Dans la différence, mais elle l'ignore

En faisant l'expérience que l'étant est, la métaphysique constate une différence entre l'être et l'étant et se situe d'emblée au cœur de cette différence. Mais elle ne la pense pas pour elle-même. Elle s'attache seulement aux différents de la différence, à ce qu'elle appelle l'être et à ce qu'elle appelle l'étant, à la présence et au présent. Elle ne décide ainsi en rien en quoi repose la présence du présent [2]. C'est pourquoi la métaphysique ne se pense pas elle-même. Elle n'atteint pas la dimension de cette différence où elle se meut, car elle a trop vite donné sa réponse: elle sait déjà ce qu'est l'être.

Elle est cette pensée qui, partout et continuellement, croit

[1] *N2*, p. 348. Le mot: ontologie n'est pas grec. Il est apparu à la fin de Moyen-Age ou au début des temps modernes. On le trouve au XVIIème siècle chez un élève allemand de Descartes, Clauberg.

[2] *WD*, p. 143.

penser l'être, mais, sans qu'elle le sache, ce n'est qu'au sens de l'étant comme tel [1]. Ce qu'elle interroge partout et constamment, à travers les multiples transformations de concepts et d'appellations, c'est l'étant connu par expérience, en modes variés et auquel elle demande quel est son être [2].

Il nous sera difficile de sortir de cette situation, car depuis deux millénaires et demi, les deux mêmes constantes se retrouvent: l'étant règne et l'être est évident, sans qu'ils soient vraiment mis en question et, plus encore, sans que soit même pressenti *à partir d'où ils pourraient l'être.*

Les Présocratiques vivaient le *logos* de la *phusis*, c'est-à-dire sa manifestation à l'homme, sans en avoir encore une conscience explicite. Comment cet événement arrive-t-il dans la métaphysique? Celle-ci l'*oublie aussitôt* que survenu, car elle va aussitôt au-delà de l'apparition, à l'apparu et en s'attachant à ce qui de l'être est apparu, elle se barre la route vers l'être même [3]. Ainsi l'être est pensé à partir de *ce qu*'est l'étant. En posant la question *ti to on,* la métaphysique atteint ce qui répond à cette interrogation de l'étant comme tel. C'est ce qu'elle appelle l'essence, *to ti estin.* Ce ne sera pas une dénomination innocente, puisqu'elle va conditionner la dénomination de l'être.

Par ailleurs, la métaphysique constate, en un second sens, *que* l'étant est et elle s'interroge sur son existence, sur son *oti estin, exsistentia,* (*dass, that*). Ainsi l'être exprime le fait *que* l'étant soit, que son existence soit posée en face du rien [4]. Cette décision qui survient d'abord pour nous dans l'étant. jaillit de l'être, Il semble pourtant que ce soit l'étant qui renseigne sur l'être et qu'il n'y ait pas besoin de plus y réfléchir. Les définitions d'essence et d'existence ne sont qu'effleurées en passant. Elles ne sont pas pensées à partir de l'être même, ni chacune pour soi, ni les deux dans leur différence. Pourtant celle-ci, avec tout ce qu'elle a d'impensé, est tout à coup déterminante pour la métaphysique. On la dirait tombée d'un ciel clair [5].

[1] *N2*, p. 353.
[2] *SG*, p. 173.
[3] Int. à *WM*.
[4] *N2*, p. 399.
[5] *N2*, p. 349.

La métaphysique objective ou subjective la transcendance

Les deux directions dans lesquelles s'engage la métaphysique ne tiennnent paradoxalement que l'une par l'autre et c'est toujours leur unité qui demeure impensée. Nous voyons la théologie recevoir de l'ontologie toute essence, mais l'ontologie, qu'elle le sache ou non, rapporte l'existence de l'étant au premier principe dont lui parle la théologie [1].

Nous pouvons maintenant voir comment en métaphysique la transcendance est atteinte d'une double manière. Elle est conçue comme le dépassement vers ce qui rend l'étant étant, vers ce qu'il est dans sa qualification. Ici elle se dévoile comme le transcendantal. Kant, qui a délimité critiquement l'étant comme objet d'expérience, fait du transcendantal l'objectivité de l'objet, ce qui permet de connaître l'objet comme objet.

Mais sous un second aspect, la transcendance signifie le Transcendant, c'est-à-dire ce qui, dans la plénitude de l'essence, s'impose à l'étant comme le fondement de toute existence.

L'ontologie, en cherchant l'essence, pose la transcendance comme le transcendantal. La théologie, en cherchant l'existence, pose la transcendance comme le Transcendant.

La différence, source de la pensée métaphysique, n'est pas pensée comme différence

Ainsi la métaphysique, dans sa recherche, suit deux orientations et ne voit pas *le lien initial des deux*. Elle est aveugle, car persuadée de l'évidence de l'être, elle omet de voir qu'au contraire *l'être manque*. C'est là la vérité ultime que nous retrouverons. La métaphysique a mis son assurance et s'est installée dans la pensée de *ce qui* est et dans le fait *qu*'il est. Du même coup, après avoir cherché l'être *de* l'étant, elle en vient à situer à nouveau l'être *dans* l'étant. Il s'agit tantôt de l'étant le plus haut, au sens de la cause première, car l'être qui se dissimule laisse derrière lui des choses telles que *causes, principes, archai* [2], tantôt de l'étant qu'elle privilégie, l'homme pensant, sujet de la subjectivité, condition de possibilité de toute objectivité; tantôt de l'un et de l'autre, en leur confluence, ce qui arrive de façon géniale avec Hegel. Ce dernier accomplit la métaphysique en

[1] *N2*, p. 348.
[2] *WP*, SG 183.

faisant appel à la fois aux deux fondations différentes de l'être dans l'étant et en les unissant. Pour l'auteur de la *Science de la Logique* – ce qui s'appelait métaphysique est devenu chez lui Logique – l'étant le plus haut, le Dieu *causa sui*, est défini comme subjectivité absolue.

II. OUVERTURE DE LA DIFFERENCE DANS L'HOMME

Nous faire comprendre que l'être n'est *rien* de ce qui est et que Dieu n'apparaît «divinement» [1] qu'en se cachant, telle est la tâche qui s'est offerte à Heidegger, tel est le pas «en arrière» qu'il nous demande. C'est par là qu'il faut entendre la destruction de l'histoire de l'ontologie réclamée dès les premières pages de *Sein und Zeit* [2] et si mal comprise.

Cette destruction assume une double tâche: non seulement nous délivrer de telle représentation établie et devenue vide, mais nous permettre d'atteindre l'expérience originelle de l'être qui l'avait permise à la métaphysique, c'est-à-dire atteindre du même coup la grandeur de celle-ci. Cela n'est possible que pas à pas, car elle a constitué l'aventure humaine à laquelle pendant plus de deux mille ans s'est identifié le destin de l'être. Ses penseurs – n'est-ce pas une réminiscence du *Banquet*? – ont tous poursuivi dans une «lutte amoureuse» la recherche de l'être [3]. Dans ce champ de pensée essentielle, toute réfutation est un non-sens. Il est à peine besoin de souligner ce qu'elle aurait de «grotesque» [4].

Mais «revenir en arrière» n'équivaut pas non plus à une quelconque restauration plus ou moins artificielle du passé, car on ne reçoit jamais la tradition comme une pomme tombée de l'arbre. Il ne suffit pas de la trouver dans son champ. Il n'y a tradition que parce qu'*arrive* une reprise vivante [5]. Toute restauration ne peut être qu'interprétation *actuelle* de la métaphysique. La part que nous, hommes, pouvons prendre à ce travail, se limite aujourd'hui à nous demander: qu'est-ce que la métaphysique?

La difficulté de le faire provient de ce que nous sommes

[1] *ID*, p. 51.
[2] *SZ*, p. 22.
[3] *HB*, trad. p. 87.
[4] *SF*, p. 36.
[5] *id.* et *SZ*, p. 386.

prisonniers de la pensée métaphysique [1], de la pensée de l'étant comme tel, de l'Un réalisé, de la Totalité réalisée qu'elle a constitué, qu'elle s'appelle Nature, Esprit ou Dieu. La pensée de l'être ne peut frayer son chemin et le parcourir qu'avec les bâtons empruntés à la métaphysique. Les vocables manquent et même la *grammaire*, puisque notre grammaire, nous le verrons plus longuement dans un autre travail, est fondée sur la métaphysique.

Si nous nous efforçons non plus seulement de penser *dans* la différence, mais de penser *la* différence, nous nous apercevons que la question elle-même vacille sur ses bases. Demander: qu'est-ce que la métaphysique? c'est accomplir l'interrogation habituelle qui a trait au «ce que», à l'essence. Si une pensée plus originelle met en cause la métaphysique comme surpassement de l'étant par l'être, du même coup «l'être» qui dépasse et «l'étant» dépassé sont mis en jeu. Nous sommes ramenés de la sorte à tout ce en quoi se meuvent depuis l'origine les théories métaphysiques et dont elles reçoivent la délinéation de leur langage, à savoir la fameuse distinction d'essence et d'existence [2]. La question, à peine mise debout, s'ouvre elle-même le cœur, pour reprendre un mot de Heidegger, non pour que la pensée meure, mais pour qu'elle vive transformée.

La structure onto-théologique de la métaphysique sans jamais penser pour elles-mêmes ni son unité, ni sa différence, demeure pourtant prise en cette unité et cette différence et est constituée par elles. La pensée véritable, qui n'est celle ni de l'étant ni de l'être, est pensée du Pli – *Zwiefalt* – qu'ils constituent. La structure onto-théologique reste prise dans ce Pli qu'elle ignore. S'il nous est si difficile de nous apercevoir de cette ignorance, c'est que l'histoire de la philosophie nous est transmise et interprétée de points de vue multiples. Il en résulte une confusion presqu'inextricable des idées et des opinions qui la concernent. Hegel alors a bien raison de dire que l'entendement quotidien ne sait que tourner en tous sens au milieu de ces vues partielles: ainsi passe-t-il à côté de la chose. Il nous faut apercevoir un Simple et un Même [3].

[1] *N2*, p. 397.
[2] *SF*, p. 36.
[3] *SG*, trad. p. 174.

Aller à l'origine de la différence, à son ouverture dans l'homme

Ce Simple et Même vont trouver, en temps et lieu, un langage dans l'homme, car le dépliement du Pli, l'ouverture de la différence adviennent dans l'homme, constituent l'homme.

Il nous faut encore revenir aux premières pages de *Sein und Zeit* où Heidegger précise que ce à quoi il s'attache, c'est à l'*ouverture de l'être* dans l'homme. Mais parce que la définition si commune de celui-ci comme *animal rationale* a dissimulé le fondement phénoménologique qui le soutient [1], et n'a pas vu le lien entre une Raison devenue anonyme et l'homme de chaque fois, il faut éviter le nom d'homme. Pour atteindre en un mot et d'un seul coup le domaine essentiel – *da* – où se situe l'homme comme homme et qui est la relation à l'ouverture de l'être comme tel, Heidegger choisit le nom de *Dasein* [2].

C'est là où les différents de la différence surgissent comme être et étant: le mot *être* signifie alors l'être apparu dans l'étant – donc caché par lui – et non l'être lui-même *qui manque* toujours. L'homme ne peut penser l'être comme tel, mais il se tient nécessairement en lui. C'est pourquoi on peut dire équivalemment qu'il se tient dans la différence de l'être et de l'étant ou qu'il se tient dans l'ouverture de l'être comme tel.

Vocabulaire de Heidegger

Poser la question du *Dasein*, tel était un des buts de *Sein und Zeit*. En respectant les étapes de la pensée du philosophe de Fribourg, on peut en discerner la continuité. Primitivement, on a mal interprété le projet dont il était question dans cet ouvrage. Alors que l'exigence donnée par le destin, nous dit Heidegger, était tout autre [3] et que la pensée ici tentée s'efforçait d'abandonner la subjectivité [4], on a pris cette pensée comme l'œuvre propre d'un «sujet». Pourtant, dès alors, le *Da* était défini comme une ouverture [5], et l'énigme de l'être était clairement énoncée [6].

[1] *SZ*, p. 165 et WM 13

[2] Il est à peine nécessaire de souligner que ce mot est alors employé en un sens très différent de la tradition philosophique allemande pour lequel il signifie: existence. Cf. Kant.

[3] *WM*, p. 17.

[4] *HB*, p. 17, trad. p. 65.

[5] *SZ*, p. 132.

[6] *SZ*, p. 392.

On pouvait déjà lire [1] que: «le *Dasein* est l'être de l'entre ...» et Heidegger, s'en tenant au langage commun, ajoutait: «entre un sujet donné et un étant donné». Mais il précisait que ce *Zwischen* ne doit pas être saisi comme le résultat de la *convenientia* entre deux existants – *Vorhandene* –: ce dernier mot dans toute son œuvre traduit l'*existentia* classique. [2] Si ces deux existants étaient d'abord séparés, où trouver le ciment – *Kitt* – pour les recoller? Le Dasein n'est pas ici ou là ... Il est son ouverture ... Il est sa propre ouverture ....»

D'emblée, avant d'avoir trouvé le mot d'onto-théologie, Heidegger refuse l'ambiguité qui avait permis à l'ontologie et à la théologie de s'entre-définir. On n'a pas pris garde, écrit-il en 1947 [3] à ce qui était écrit dès 1929 dans *Vom Wesen des Grundes*. [4] Il y était précisé que l'interprétation du *Dasein* ne concluait ni pour, ni contre l'existence de Dieu, mais conduisait à un *concept* du *Dasein suffisant* pour qu'on puisse poser la question de sa relation à Dieu ....

Aujourd'hui, même si Heidegger continue d'appeler «ontologique» cette différence qui nous occupe et où se situe l'homme, ce n'est pas pour sauver l'ontologie car dès 1929, il signalait l'équivocité du terme [5]. C'est au contraire pour mettre en cause le fondement de l'ontologie, pour contester ce qui fût jusqu'ici *in*-contesté [6]. Si antérieurement *Sein und Zeit* désignait son investigation comme «ontologie fondamentale», ce n'était que pour remonter de ce qui est apparent dans la métaphysique en quête du *on e on*, à ce qui se trouve caché en elle. L'expression s'étant révélée ambiguë fut ensuite abandonnée. Aujourd'hui comme hier, il s'agit de la même démarche: la mise en cause de ce qui a été dit par le *non*-dit. Nous allons voir d'où elle provient [7].

Une nouvelle transcendance

Parce que c'est l'ouverture du *Dasein* qui constitue l'homme et parce que le *meta* de la métaphysique est ainsi aboli, la notion de transcendance se trouve renouvelée. Elle sera maintenant

[1] *SZ*, p. 132.
[2] *SZ*, p. 42.
[3] *HB* Francke, p. 36, trad. p. 129.
[4] *WG*, p. 36, note 56.
[5] *WG*, pp. 13 et 14, note 14.
[6] *N2*, p. 209.
[7] *SZ*, p. 280.

immédiateté. En d'autres termes, il n'y a pas à chercher de médiation en dehors de l'immédiateté prise rigoureusement. Les oppositions métaphysiques d'immanence et de transcendance, d'a priori et d'a posteriori disparaissent: elles viennent toujours trop tard. L'immédiateté omniprésente est médiatrice pour tout médiatisé, c'est-à-dire pour le médiat [1]. Comment l'immédiateté peut-elle être médiation? Hegel déjà avait soutenu une thèse analogue. En quoi Heidegger marque-t-il son originalité?

De ce que Heidegger met, nous l'avons vu, la transcendance *dans* le *Dasein*, certains se sont crus autorisés à conclure purement et simplement que le *Dasein* est son être. Parler ainsi serait retomber dans la métaphysique et peut-être assimiler le *Dasein* au Dieu de celle-ci. Ce n'est pas le sens de l'immédiateté dont nous venons de parler. Le *Dasein* qui nous est présenté est essentiellement ouverture. Il *n*'est donc *pas* son être. Il faut dire seulement qu'ouverture de l'être, il est en relation avec son être. C'est le *comment* de cette relation que nous allons tenter de décrire.

Parce qu'être pour le *Dasein*, c'est laisser apparaître en soi la différence de «l'être» et de «l'étant», parce que c'est «être» cette différence, le *Dasein* ne coïncide pas davantage avec les étants, pas même avec l'étant qu'il est lui-même.

De quelque côté qu'on se tourne, il y a toujours en lui *distance*. L'homme qui est l'être du présent est aussi celui des lointains [2]. Parce qu'il y a immédiateté, parce qu'il y a identité, il y a pensée chez l'homme. Parce qu'il y a différence, parce que l'étant que nous sommes nous-mêmes est ontologiquement le plus loin [3], cette pensée est toujours interrogative. C'est ainsi qu'on peut dire tout à la fois que le *Dasein* est le lieu de la *vérité* et que toute pensée est *question*. L'homme est question de la vérité. Comprendre l'être comme cette question, c'est le mode d'être du *Dasein*. La question de la vérité de l'être, de son auto-accomplissement dans le Pli – *Zwiefalt* – que forme l'être en se différenciant en «être» et en «étant», est à poser d'abord comme question du *Dasein*. C'est dans ces nouvelles perspectives que se définit notre condition.

[1] *HB*, trad. p. 80.
[2] *WG*, p. 50.
[3] *SZ*, p. 311.

Découvrir notre mode d'être, c'est-à-dire développer cette question, c'est ce qu'avaient entrepris les analyses que *Sein und Zeit* appelait en 1927 existentiales, puisque ce mode d'être, qui est une *tâche*, était nommé lui-même l'*exister*. Ce mot sera souvent remplacé dans les ouvrages de la dernière période par celui de *penser*. Mais ces deux termes ont le même sens avec une nuance toutefois que nous marquerons plus loin. Ce qui était analyse existentiale devient appel à la pensée. Que trop d'interprètes aient confondu l'existence de *Sein und Zeit*, – orthographiée plus tard ek-sistence –, avec l'*exsistentia* classique est une des causes majeures de l'incompréhension qui a accueilli cette œuvre pendant au moins trente ans [1]. Dans l'introduction à *Qu'est-ce que la métaphysique?*, en 1949, Heidegger parle de l'assurance somnambulique avec laquelle il fut passé à côté de la seule et unique question de *Sein und Zeit* [2].

L'existence de l'homme comme question

Ce n'est pas autrement qu'en revendiquant son existence comme question que le *Dasein* sort de la métaphysique. Cette dernière en pensant l'être comme ce qui «est», «réalité» ou «idéalité», a dans l'identité supprimé la question, celle de l'homme comme les autres.

Assumer son existence comme question, n'a rien à voir avec on ne sait quelle méthodologie critique. Ce n'est pas à l'homme de décider d'exister interrogativement.

L'homme questionne parce qu'il «ex-siste.» C'est l'être lui-même qui destine l'homme à l'«ex-sistence» propre au *Dasein* [3]. De cette détermination de l'humanité de l'homme comme ex-sistence, il ressort que ce qui est essentiel, dans l'homme, c'est l'être en tant que *dimension de la réalité extatique de l'ex-sistence* [4]. C'est l'entre ..., le *Zwischen*.

Dans le *Da*, le *Sein* manifeste sa proximité comme éclairement, *Lichtung*. C'est avec cet éclairement qu'arrive notre destin. Bien plus, cet éclairement est notre destin [5]. L'être ne se transmet à l'homme que dans la mesure où se produit l'éclairement de

[1] *PW*, p. 72.
[2] *WM*, p. 17.
[3] *HB*, trad. p. 93.
[4] *id.* p. 81.
[5] *id.* p. 93.

l'être. Mais, ajoute *La Lettre sur l'Humanisme*, que le *Da*, c'est-à-dire l'éclairement, le dévoilement, *la vérité de l'être* se produise, c'est le décret de l'être lui-même. L'être est le destin de ce dévoilement [1]. Ces citations sont empruntées à la *Lettre* qui a le ton d'une correspondance. Nous aurons à en préciser les termes. Il nous faut retenir que du *Dasein*, c'était trop peu dire qu'il est ouverture. Nous ajouterons: cette ouverture est orientée, Cette orientation se confond en nous avec le *sens de l'être*.

Mais notre existence n'est pas qu'identité. Elle est aussi différence. Nous avons *à être* l'ouverture qui nous constitue. Nous devons savoir interroger et nous tenir à l'écoute. Il nous faut d'abord apprendre à exister dans ce qui n'a pas de nom [2], nous abandonner, nous laisser revendiquer par l'être pour dire *sa* vérité [3]. Comme ex-sistant, l'homme ne parvient à se tenir dans ce rapport où l'être lui-même se destine qu'en le soutenant extatiquement c'est-à-dire en l'*assumant* dans le souci [4].

Il ne s'agit point là d'un appel «mystique». C'est très concrètement que nous avons à devenir ce que nous sommes, comme nous l'apprenait la très concrète élaboration de la question du *sens de l'être* qu'est *Sein und Zeit* [5]. Son but *provisoire* était d'interpréter le temps comme horizon possible de toute compréhension de l'être. L'ek-stase du souci ouvrait cette dimension du temps.

Analyse du Dasein

Comment le souci rassemble-t-il ainsi l'homme pour faire face à la tâche de son existence, c'est ce que visait précisément l'analyse des structures existentiales du *Dasein*. Elles explicitaient, de manière incomplète et provisoire [6], et avec une indéniable apparence d'artifice pour qui oublie les premières pages du livre, les relations à l'être du *Dasein*, son ouverture et sa temporalité. En elles apparaissent le passé, le présent et l'avenir. Ainsi se trouvent dégagées tout d'abord la disposition à ... – *Befindlichkeit* – qui inclut le déjà et l'irremplaçable *je*, de tout temps, sans lequel *Sein und Zeit* est incompréhensible [7]: nous nous trouvons

[1] *id.* p. 89.
[2] *HB*, trad. p. 41
[3] *id.* p. 27.
[4] *id.* p. 77.
[5] *WM*, p. 17.
[6] *SZ*, pp. 7, 17, 334.
[7] Nous le retrouverons dans un travail sur *Mythos-Logos*.

toujours déjà là ... accordés à ... ou désaccordés à ..., près de ... et prêts à ... ou trop souvent prêts à éluder ce que nous savons devoir faire [1].

En même temps surgit le comprendre – *Verstehen* – qui exprime la possibilité, l'attente, l'être-en-avant, le projet, l'à-venir. Enfin survient le discours – *Rede* – qui rend présentes, articule et unifie les deux précédentes structures. Alors s'accomplit le présent lui-même, *Gegenwart, Augenblick,* de la vérité, dont il serait vain de prétendre qu'elle est «éternelle» puisqu'elle n'arrive chaque fois que comme question, dans l'ouverture singulière du *Dasein,* à travers la rencontre de l'étant, à la lumière de l'être. Une fois de plus se trouve confirmée la grande intuition d'aujourd'hui à quoi répond une expérience millénaire: que la vérité ne peut être reconnue que par celui qui peut articuler la question à quoi elle répond. Ainsi la vérité n'est pas à séparer du chemin qui mène jusqu'à elle.

Liberté et souci

C'est aussi notre souci qui fait notre liberté [2]. Ex-statique, il veille sur l'ouverture en nous de la vérité. Cette ouverture est notre liberté mais elle n'*arrive,* ainsi que l'être dont elle est un autre nom, que comme l'*unification qui se dissimule* et constitue notre monde. La correspondance de l'homme ne s'accomplit que dans l'unification des trois ex-stases du temps: la liberté tout à la fois s'enracine dans le passé, institue l'avenir et laisse rencontrer le présent. Elle non plus n'est jamais toute faite. Comme la vérité, elle n'est qu'en délivrant.

III. LE MONDE

Dimension originelle du séjour historique de l'homme

La situation originelle de l'homme est le *Da* où s'ouvre la différence entre l'être et l'étant. L'ex-sistence nous advient immédiatement comme question. Cette question n'est perçue qu'à travers le souci et celui-ci est liberté et vérité à faire. Il faut préciser maintenant: parce que la compréhension de l'être dans le *Dasein* projette spontanément l'être vers le temps [3] la ques-

[1] *SZ*, p. 136.
[2] *WW*, p. 14; *WG*, p. 49.
[3] *KM* trad. 298.

tion de notre existence ne nous est donnée que dans un monde. Bien plus : la dimension originelle du séjour de l'homme, c'est le monde.

Peut-être s'étonnera-t-on, après les pages qui précèdent, de cette réponse. Peut-être se serait-on plutôt attendu par habitude métaphysique à ce que nous disions que cette dimension, c'est l'être. Ce serait aller trop vite.

Ce n'est pas par reniement de son inspiration première, mais par respect pour son développement que Heidegger prescrit en 1966, dans la *Question de l'Etre* [1] ce geste quasi inconcevable à nos réflexes habituels d'écrire le mot être en le barrant d'une croix. Cet effacement doit nous aider à rompre avec le penchant presque indéracinable de nous représenter «l'être» comme un vis-à-vis, se tenant pour soi et survenant occasionnellement. La représentation habituelle engendre notamment l'illusion que l'homme pourrait un seul instant se trouver au dehors de «l'être». C'est un tout autre accès à l'être qu'il nous faut avoir, parce que c'est d'un tout autre sens de l'être qu'il s'agit. S'il faut écrire l'être en le barrant, les quatre branches de la croix qui le rayent nous renvoient à la terre et au ciel, aux dieux et aux hommes.

Ainsi s'éclaire l'affirmation que l'être-au-monde constitue la dimension originelle du séjour historique de l'homme [2]: le monde naît dans le *da* du *dasein.* Du même coup, il ne peut être que cet *entre.* Il constitue lui-même la différence entre l'être et l'étant. Il mesure l'étendue de l'entre-deux qui conduit l'un vers l'autre le ciel et la terre, l'*entre-deux de la demeure humaine* [2]. Telle est l'originalité de la conception heideggérienne qui permet d'échapper au dilemme réalisme-idéalisme où se perdait l'ontologie.

Nous comprenons alors ce qu'est, dans le *dasein,* cet être-au-monde et comment le monde en surgit.

Parler de l'être-au-monde du *Dasein,* c'est simplement dire : il appartient au *Dasein* de susciter un monde. Nous nommons de la sorte un pouvoir constituant du *Dasein.* Non certes que l'origine en soit l'homme. Nous nous trouvons toujours jetés dans un monde. Nous sommes là en face d'un événement que nous ne pouvons que constater et que nous vivons toujours déjà sans pouvoir rattraper un commencement. Nous avons dit que le

[1] *SF*, p. 34.
[2] *VA*, trad. p. 234.

dasein en l'homme est l'ouverture dans laquelle la transcendance devient l'immédiateté et qu'il n'y a pas à chercher de médiation en dehors de cette immédiateté prise rigoureusement. L'être-au-monde du *dasein* exprime cette immédiateté médiatrice grâce à laquelle dans le *Dasein* se constitue le monde. Elle s'accomplit dans l'homme et par l'homme, mais elle n'est pas de l'homme. Au contraire, elle le fait être.

Cet être-au-monde est vécu par nous essentiellement comme unification, comme sens du Tout. La trace en est patente à travers les aventures même de la métaphysique. Celle-ci a toujours visé l'étant dans son ensemble – *katholou* –. Mais elle en a vite fait l'Un réalisé ou le général et l'Absolu, préparant tous les systèmes logiques du monde, car tout au long de la métaphysique, cette Unité qui dépend de la conception de la vérité a été pensée à partir de l'intelligible et du jugement. C'est à une toute autre compréhension que nous introduit Heidegger, dans la trouée ouverte par Kant et par le premier Husserl [1]. Bornons-nous à indiquer ici qu'en posant la question de la relation entre l'être comme présence et l'Un comme unifiant, Heidegger ouvre une perspective inconnue jusqu'alors. Nous sommes renvoyés à l'origine de la métaphysique qui a pensé l'être comme présence du présent, mais aussi au doute exprimé plus haut [2]: était-ce assez pour formuler en toute clarté cette présence du présent dont l'avènement demeure caché? Etait-ce assez pour décider en quoi repose cette présence?

La notion de «monde» permet un pas en avant dans la direction d'une réponse à cette question. Un horizon est fourni à l'étant, un monde lui est conféré par le *dasein* du seul fait que celui-ci le comprend. Le comprendre, c'est lui donner un monde avec ses multiples correspondances et son unité. C'est ce que marquaient dans *Sein und Zeit* les analyses de l'ustensilité de l'outil: le marteau «n'est» que dans le marteler, dans ce «renvoi à ...» qui le constitue. C'est ce qu'a aussi cherché à exprimer Husserl avec son monde de la vie, son *Lebenswelt.* Toutefois il est bien évident que les perspectives de Husserl restent alors fondamentalement différentes de celles de Heidegger.

Par quelles démarches le *Dasein* heideggerien suscite-t-il à

[1] Nous essaierons de suivre cette évolution dans un autre travail.

[2] Cf. plus haut, p. 5.

l'étant ce monde dont nous venons de parler? C'est à partir de sa propre existence: celle-ci le pousse irrésistiblement à l'unification des extases du temps, d'où naît la présence du présent. Le mot-clef est unification.

L'unification des extases du temps est l'avènement de la présence de l'étant

Celle-ci marque chez nous tout à la fois une exigence de totalité et le sens du présent. C'est d'ailleurs ce sens du présent qui pousse à la totalisation de telle sorte que l'homme ne soit plus tiraillé entre son passé et son avenir, mais qu'il tienne tout entier dans l'instant. Or, le ne-plus-être et le ne-pas-être-encore tiennent sans cesse en échec ce désir. Le non-être travaille du dedans la démarche même de l'homme, pour qui son présent n'est toujours que ce qu'il arrive à sauver aussi bien d'un avenir dont le terme lui échappe, que d'un passé dont l'origine demeure inaccessible.

Si au lieu de reconnaître dans cette condition le destin même de l'homme on s'acharne à la contredire, on aboutit au ressentiment de Nietzsche qui symbolise l'affectivité de toute la métaphysique. Il faut au contraire déceler dans cette expérience même du temps et à travers elle, la finitude de l'homme. On pourrait même croire, de sa part, à un sautillement d'instant en instant, si, de sa naissance à sa mort, ce n'était toujours le même souci, c'est-à-dire la même temporalisation du temps, la même résolution et, ajouterons-nous, la même mondanisation du monde.

C'est dans le *présent* des trois extases du temps que s'exerce l'être-au-monde du *Dasein.* Il suscite la *présence* de l'étant. C'est qu'à cet étant, un monde a été donné.

Issu de l'immédiateté médiatrice, le monde n'est jamais cristallisé. Il mondanise. Tout comme le *Dasein* s'efforce en vain de totaliser dans l'instant sa propre existence et de boucler la boucle, aucun étant ne totalise jamais le monde. Jamais il ne rejoint la compréhension dans laquelle il apparaît. Jamais il ne s'identifie à elle. Il y a toujours identité et distance entre le monde et l'étant; c'est que ce dernier est pris à son tour entre le ne-plus-être et le ne-pas-être-encore de l'homme.

Ce fut la prétention de la métaphysique d'enfermer l'homme

dans le présent et dans la présence du présent. L'utopie dure encore. Rien ne l'atteste mieux que la mentalité du savant d'aujourd'hui. Il croit accomplir l'attente de siècles antérieurs en étendant l'univers devant ses yeux comme un tout perpétuellement donné sur lequel n'auraient plus qu'à s'exercer toutes les planifications. Rien autant qu'une démarche aussi limitée ne justifie l'effort d'un Heidegger pour découvrir, transformée, la pensée de l'homme à partir de son propre destin et, du même coup, nous rendre un monde à la présence renouvelée.

La restitution de l'étant

Ce n'est point en effet la moindre singularité de cette démarche que d'attribuer à l'effort du *Dasein* pour répondre à sa propre existence la *restitution* de l'étant. L'homme découvre l'étant comme ce par quoi il est porté et à quoi il est ordonné et qu'au fond, ni sa culture, ni sa technique ne lui permettent jamais d'asservir [1]. Il s'en tient toujours et d'abord seulement à l'étant [2]. Sans doute, lorsque la pensée le représente, se réfère-t-elle à l'être. Mais en vérité, il n'y a jamais pour l'homme de compréhension de l'être comme tel, seulement de l'étant comme tel. C'est ce qu'a oublié Hegel qui pensant l'identité, le *als*, a perdu de vue la différence. Malgré ce qu'ont pu avoir de déroutant certains textes de Heidegger – Sartre ne lui a-t-il pas reproché, d'ailleurs dans un langage vieilli, de toujours rester dans l'ontologique et de ne pouvoir jamais revenir à l'ontique? – il faut nettement marquer que l'œuvre du philosophe de Fribourg ne cesse de viser l'investissement dans l'étant. La *Lettre sur l'Humanisme* le précise sans ambages: «La question de l'être – on sait la portée du mot *question* – demeure toujours une question qui porte sur l'étant» [3]. C'est ce que précisait la confidence autobiographique déjà rappelée: Heidegger est parti du *ti to on* aristotélicien. On pourrait dire qu'en face d'une métaphysique de l'Absolu, c'est ici l'authentique retour aux choses-mêmes qui a été si fortement prôné sans être suffisamment pensé [4]. Mais quelles sont ces choses?

[1] *KM*, trad. p. 284.
[2] *HB*, trad. p. 75.
[3] *HB*, trad. p. 75.
[4] *KM*, trad. p. 131.

Présence et absence de la chose

Il ne suffit pas en effet de poser l'interrogation: *ti to on* pour démasquer en quoi consiste le problème de la métaphysique [1]. La formule à elle seule ne révèle pas à quel point l'étant tient à l'homme. Kant, non sans garder les présupposés métaphysiques, avait mis en cause, le premier, la relation entre la présence de l'homme et celle des choses. C'est en renouvelant profondément son: Qu'est-ce que l'homme?, que Heidegger a pu reprendre – *retractare* – la vieille question de l'étant. De l'homme, l'étant dont s'occupe la connaissance ontologique, c'est-à-dire toujours l'étant apparu [2], tient bien plus qu'on n'imagine: il lui doit en effet non seulement sa présence, mais ce qui est bien plus mystérieux, son absence.

Impossible de parler de l'authentique présence de la chose, sans faire intervenir l'ouverture dans laquelle elle nous fut donnée. L'entre-deux de l'homme et de la chose, son horizon, est toujours différence entre l'être et l'étant. Car l'homme *habite* le *da* où arrive l'éclairement de l'être, *Lichtung*. Non certes que cet entre-deux existe en soi: il «n'est» que rencontre. L'homme suscite l'apparition de la chose mais il est aussi révélé à lui-même par elle. L'homme la regarde, et voici qu'en se disant elle-même, elle lui dit ce regard. Comment est-il donc possible qu'elle reflète son absence?

Partons d'un exemple [3]. Le porche de l'église romane revêt au même moment une tout autre présence pour l'archéologue qui l'examine au cours d'un voyage d'études, pour les enfants qui jouent sur ses marches au soleil ou pour l'Abbé qui le gravit processionnellement à la tête de sa Communauté. Pourtant, c'est le même porche. Quelles présences innombrables a-t-il reçues de la sorte depuis qu'il fut conçu par le maître d'œuvre du douzième siècle? Et combien d'autres n'est-il pas susceptible de recevoir? On pourrait dire déjà que toutes les présences qui manquent rendent à chaque instant et chacune pour soi l'étant absent. Toutefois, ce langage n'est qu'approchant. L'absence n'a rien à voir avec l'évocation d'un étant absent. Ce que nous appelons ainsi

[1] *id.* p. 277.
[2] *SZ*, p. 6.
[3] *EM*, trad. p. 43.

ne résulte pas d'ailleurs d'une réflexion de ce genre. Elle n'exige pas la médiation d'une enquête de l'esprit.

C'est tout simplement la chose elle-même qui crée son absence. En apparaissant, elle absorbe sa présence et s'abolit dans son présent. Elle s'immobilise, se clôt sur soi et insiste. Elle fait en soi la nuit la plus impénétrable.

Mais l'homme qui la pense telle que la voilà – et c'est le métaphysicien – se contente d'une abstraction d'elle-même, d'une évidence-résumé, dirait Husserl. Il ne retient que le présent de sa présence, qu'une présence sans absence. Il l'expose en plein domaine du Jour.

Seul peut dévoiler la Nuit ainsi survenue, le penseur qui n'élude en rien la tenue extatique de sa propre existence. La question: qu'est-ce que la chose? revient toujours à celle-ci: qu'est-ce que l'homme? Comment devient-il donc le penseur de l'absence?

IV. L'ABIME DU RIEN

Absence et transcendance

Tandis que la présence de la chose est à l'origine de l'émerveillement que quelque chose soit, l'absence est vécue fondamentalement à travers l'expérience de l'angoisse. La même immédiateté qui a fait apparaître la chose, a ouvert le champ de l'angoisse. Celle-ci, dans sa démesure, n'a rien de commun avec un comportement dépressif. Son surgissement tient au dévoilement de l'être: ce dévoilement ouvre en l'homme un abîme. L'angoisse est la voix sans bruit qui nous accorde à l'effroi de l'abîme. Mais quel est cet abîme? Ce qu'il y a pour certains de déconcertant dans la réponse à cette question met en péril l'intelligence de l'œuvre de Heidegger. C'est ici où cette dernière peut être prise dans un absolu contresens. L'abîme d'où naît l'angoisse est celui du Rien.

Comme Heidegger l'a fait lui-même dans sa conférence de rentrée de 1929 en s'adressant à ses confrères de l'université de Fribourg [1], prenons ces mots sur les lèvres des scientifiques. A quoi l'appliquent-ils? Pour eux, ce qui les intéresse partout et toujours, quoique de manières diverses, c'est l'étant et ses dif-

[1] Fin de *FD*.
[2] *WM*.

férents domaines. Le cercle de leurs recherches et de leurs questions est déterminé par cette représentation de l'étant en dehors de laquelle, disent-ils, il n'y a *rien*.

En appelant de la sorte ce que la métaphysique nommait l'*être* de l'étant, ils confirment l'échec de celle-ci, le nihilisme auquel elle a abouti. Pour elle, l'être était l'autre de l'étant, vers quoi elle ne cessait d'accomplir le dépassement qui la constitue et se résume dans son *meta*. Du même coup, elle en faisait un non-étant. Quoi de plus logique pour les scientifique d'aujourd'hui que d'identifier ce non-étant au rien?

C'est ce que Heidegger retient. Il garde le vocable. Il faut bien que celui-ci corresponde à quelque événement puisqu'il est né. La métaphysique, dans son effort pour rendre compte de tout, est incapable de l'inclure car ce qui lui échappe, c'est sa propre démarche. Aux termes de l'histoire deux fois millénaire que nous avons vécue, au lieu de dire *être* comme la métaphysique, disons donc *rien*. Ce n'est que dans l'effort pour ressaisir le surgissement du rien dans la pensée moderne que nous pourrons savoir ce à quoi il correspond. Parmi les grandes choses qui sont à trouver parmi nous, l'être du Rien est la plus grande, écrivait déjà Léonard de Vinci [1].

Ce que nous révèle cet effort d'interprétation, c'est qu'effectivement, dans sa révélation de l'étant, *l'être se fait rien*. Il est caché par ce qu'il fait apparaître. La pente est donc facile de tomber dans l'oubli de l'être et, mieux encore, d'oublier cet oubli. Nous nous rallions alors à un monde où règne l'étant et dont la présence est enfermée dans le présent. L'être va de soi. On dit même qu'il est évident.

Quelle peut donc être la tâche de l'homme qui a pris conscience de ce destin de la pensée? Celle de se vouloir «le gardien de la place du rien» [2]. C'est un tout autre rien à coup sûr que celui des savants. On l'a compris: ce n'est qu'un autre nom de l'être. *L'être peut avoir d'autres manières que la présence.* Le rien et l'être sont donnés ensemble à l'instant même où, dans le *da* du *dasein*, l'être s'essencie – *west* – c'est-à-dire se manifeste en permettant l'apparition de l'étant.

Quand nous avons dit que l'effort de l'homme pour répondre

[1] *SF*, p. 38.
[2] *id.*

à la question de sa propre existence aboutissait à la restitution de l'étant, la formule était donc incomplète. Elle ne comptait pas avec le retrait de l'être, l'oubli qui constitue le fond de notre vie et la méconnaissance du rien. Dès lors, il faut ajouter: le *dasein* ne peut se rapporter à l'étant que s'il se tient dans le rien [1].

Nous pouvons du même coup préciser notre définition antérieure du monde. De celui-ci, nous disions qu'il conférait un être à l'étant. Il nous faut maintenant le situer aux frontières du rien. C'est à ce titre qu'il lui est propre de constituer à chaque instant la mesure de l'habitation de l'homme, dans la rencontre du ciel et de la terre.

Le néantir, Nichten

Dans le rien du savant, nous avons reconnu l'être de la métaphysique, mais plus profondément nous avons pris conscience de l'événement qui les explique l'un et l'autre. Cet événement a été formulé ainsi: dans sa révélation de l'étant, l'être se fait rien. Nous tenons là un point essentiel, ce que Heidegger appelle le néantir, *nichten*.

A quoi doit-on l'attribuer? Non pas au rien puisque le rien n'est pas réalisé et que, tout comme l'être, il faudrait l'écrire en le barrant. Le néantir, c'est le rien. Le rien tient tout entier dans le néantir.

De ce néantir, il faut éviter toute interprétation nihiliste au sens habituel puisqu'il ne rassemble rien moins que ce qu'on peut appeler les promesses de l'être. Comment donc le définir en lui-même? C'est un néantir *à l'intérieur* de l'être même. Il répond à notre constatation d'un retrait de l'être, d'une dissimulation de celui-ci, d'une sorte d'évanouissement sous nos yeux. L'étant que nous avons entre les mains paraît se suffire. C'est donc à un *mouvement dans* l'être que nous aboutissons, à une nouvelle différence en lui, à un non-être au cœur de l'être. L'être se donne à penser, mais la différence reste toujours ouverte et plus originelle que l'homme est la finitude du dasein en lui [2].

[1] *WM*, p. 37.
[2] *KM*, trad. p. 285.

Une difficile garde de l'être

La grande tentation pour l'homme est d'*oublier ce mouvement d'être qu'est son mouvement de pensée.* Elle revêt deux formes: la première consiste à se laisser prendre, dans l'extase du présent, à l'apparition de ce qui est. La seconde, plus subtile et plus dangereuse, est celle de la pensée même. Elle commence avec l'emploi identique d'être et de rien. La Raison se croit alors source de la négation. La contradiction devient l'élément moteur de la métaphysique. Avec Hegel, dans l'identité de l'identité et de la non-identité, la différence entre l'être et l'étant finira par être entièrement close en Savoir Absolu. Cette tentation est d'autant plus forte que nous répondons à la question de notre propre existence en semblant conférer à chaque instant un monde à l'étant, c'est-à-dire constituer autour de lui un réseau de relations, l'exprimer dans des signes qui durent, bref, lui construire une demeure sur cette terre.

On pourrait pour raconter ce drame de l'être et de l'homme songer au récit de la tentation et de la chute dans la Genèse. Les réminiscences bibliques sont dans notre civilisation à peu près irrépressibles. Certains termes de *Sein und Zeit* ont à ce sujet donné lieu à de profonds malentendus. Les traducteurs ont parlé de «chute» et de «déréliction». Sans doute faut-il penser aux mythes anciens, quand on lit dans la *Lettre sur l'Humanisme* qu'il faut situer l'essence du méchant dans la «malignité du courroux de l'être» et non dans la «pure malice de l'agir humain» [1].

Il a fallu que Heidegger proteste contre la plupart des interprètes et précise qu'il convient d'ôter à ces expressions toute qualification morale. Pour qui connaît d'ailleurs sa pensée, un drame purement «éthique» au sens moderne demeure comme tel impensable, fût-ce pour expliquer la condition humaine.

Toute cette œuvre tient dans une saisie du «combat» qui se situe dans l'être même et qui ne cesse de le faire échapper à sa propre manifestation dans l'étant – d'ailleurs autrement serait-il encore l'être? – et corrélativement, dans une pensée de la pensée humaine qui ne peut susciter la chose sans que le *Dasein* ne projette son ombre sur l'être qui l'a fait apparaître. Alors nous est restitué la dimension du *Polemos* d'Héraclite.

[1] *HB*, trad. p. 151.

La dispensation de présence

C'est à partir de cet éclairement et de cet obscurcissement de l'être dans l'homme que les choses autour de nous apparaissent et disparaissent. Ainsi arrive à chaque instant la dispensation de présence. Elle tient ensemble au mouvement originel, à l'*Urbewegung* qui est le néantir de l'être et à la vigilance extatique du souci de l'homme.

Les trois approches de la présence

A ce stade de notre travail, nous pouvons ainsi résumer le chemin parcouru. Il y a trois niveaux de manifestation de présence et donc de vérité, pour l'homme qui, plus ou moins consciemment, vit son existence. Le premier qu'on peut appeler *ontique* est la manifestation de l'étant par lui-même. L'étant est purement et simplement *présent.* Le second niveau dit *ontologique,* est celui de la *présence* de l'étant. L'étant apparaît alors *comme tel,* il est compris dans son être. La métaphysique en reste là dans ses interprétations immobilisantes. Il y a enfin un troisième degré: c'est celui qui nous révèle non seulement la présence de l'étant, mais son avènement dans la dispensation de présence, c'est-à-dire à travers l'abîme du Rien.

Les trois degrés de lumière

Pour illustrer ce schème, nous pouvons essayer d'en circonscrire les jeux de lumière. Au stade ontique, la chose apparaît là éclairée et on ne s'étonne pas qu'elle le soit, bien qu'elle n'ait par elle-même qu'opacité. – Au stade ontologique, on parle de lumière de l'être, *Licht des Seins.* Celle-ci apparaît comme toujours acquise par l'esprit et n'ayant qu'à s'exercer. La métaphysique, sous de multiples formes, est toujours plus ou moins cette doctrine de la lumière. – Au troisième degré, c'est le *surgissement* de la lumière qui est en cause, ce que Heidegger appelle la *Lichtung des Seins,* la clairière à chaque instant nouvelle où l'être s'illumine à la fois comme être de la pensée et être des choses, – *Wesen* – essence, comme manifestation de la vérité qui est vérité de l'essence. En lui alors, les deux mystères que l'étant soit et qu'il soit pensé ne font qu'un. Ce surgissement mesure l'entre-deux assigné chaque fois à l'habitation de l'homme [1]. Toutes les théories de l'illumination augustinienne ou médiévale le présupposent et le mettent en œuvre [2].

Lichtung-Nichtung

Mais de cette *Lichtung* est inséparable la *Nichtung*, la néantisation, le *Nichten* du Nichts, le néantiser du rien. Elles sont dans la même relation que l'être et le rien. Nous ne devons pas les entendre au sens nominal comme leur traduction pourrait le laisser croire – mais verbalement. Elles ne désignent pas l'effet d'un événement mais cet événement même. On dit pareillement: la temporalisation du temps, la mondanisation du monde. On pourrait reprocher à ces expressions leur redoublement s'il n'avait pour but de dégager le verbe, dont Aristote nous a appris le surcroît de signification. Toutefois, le verbe même n'offre encore ici qu'une béquille, tant qu'il demeure lié au «sujet» tel que l'a conçu la métaphysique.

Autour du double sens du mot être

Nous pouvons aussi donner des précisions nouvelles sur la situation de l'homme par rapport à l'être et à l'étant.

Nous avons dit que dans l'homme s'ouvre la *différence entre l'être et l'étant.* Cette différence est rapport, le rapport impliqué d'abord par le fait très simple que l'être ne s'essencie – *west* – jamais sans l'étant [3], qu'il s'appelle partout et continuellement être de l'étant (génitif objectif) tandis que l'étant est pareillement étant de l'être (génitif subjectif) [4]. Mais à ce stade la différence n'était pas pensée suffisamment. *Identité et différence* qui poursuit l'explication avec Hegel marque nettement que la *différence appartient essentiellement à l'être.* Elle vient de l'être. La chose de la pensée est l'être sous l'angle de *sa* différence avec l'étant, ou de manière équivalente, la différence comme différence [5]. L'être est donc la différence. La différence est l'être.

[1] *VA*, trad. p. 233.
[2] *id.* p. 305.
[3] Après avoir écrit: l'être peut bien être sans l'étant, Heidegger a corrigé la formule à partir de la 5ème édition de *WM*.
[4] *ID.* p. 59.
[5] *ID*, p. 43.

Nous sommes obligés ici de nous poser la question: comment de l'être peut-on dire à la fois qu'il est l'être et qu'il est la différence entre l'être et l'étant? C'est évidemment que le mot être est employé par Heidegger en deux sens. La note ajoutée en 1949 à *l'Essence de la vérité* préconise même une double orthographe – *Sein* et *Seyn*. Affirmer que l'être – ici *Seyn* – s'identifie à la différence entre l'être – *Sein* – et l'étant ne constitue un imbroglio que pour avoir encore recours an vocabulaire métaphysique dans l'expression d'une pensée nouvelle.

De la différence en question, la métaphysique peut dire en effet qu'elle est l'être – puisqu'elle se confond avec la présence de l'étant et que cet être *apparu* est le seul qu'elle retienne. Ce qui lui échappe, c'est l'absence de l'être, c'est-à-dire *l'être qui manque*, celui qui se retire en apparaissant. L'être apparu, c'est celui qui dans l'ouverture du *Da* et à travers celui-ci s'essencie – *west* –, se donne à penser et donne à penser. C'est la présence de la chose. La manifestation prend immédiatement la forme d'une différenciation avec l'étant. Elle s'auto-interprète spontanément en deux pôles, celui d'être et celui d'étant, qui constituent les différents de la différence. Nous retrouvons le mouvement dont nous avons déjà parlé. L'être a une histoire. Il est lui-même cette histoire de son auto-interprétation. La différence est l'origine la plus originelle. Elle est la mobilité historique de l'être: *exinanitio*, anéantissement de l'être à travers l'esprit fini. L'historicité de l'homme n'est rien d'autre. [1]

V. L'AVENEMENT DE L'HOMME

Au-delà de la restitution de l'étant, l'avènement de l'homme

Si tel est tout ce qu'enveloppe la restitution de l'étant, que n'implique donc pas l'avènement de l'homme? On a beaucoup reproché à Heidegger une philosophie désespérée, pour ne pas dire suicidaire. Puisque nous savons maintenant que le rien n'est qu'un autre nom de l'être, nous n'avons pas à nous étonner que tous les existentiaux dégagés par l'analyse de *Sein und Zeit*, depuis l'oubli primordial jusqu'à l'être-pour-la-mort, soient finalement de forme négative. S'ils étaient positifs, c'est que l'homme non seulement s'arrêterait à l'étant, mais se considérerait

[1] *WM* 36.

comme un étant semblable aux autres. Or il est le *Da-Sein.* Il ne l'est que comme question, ne coincidant jamais avec soi, ayant toujours distance en soi. C'est pourquoi il est essentiellement livré à l'être qui se cache derrière toute apparition et d'abord humaine, à ce rien, où, nous dit magnifiquement Heidegger, l'être demeure promesse de lui-même [1], jusqu'à devenir accès au divin, jusqu'à être le chemin du divin.

L'existence humaine est illustrée à ce titre par le fameux renversement – *Kehre* – ou par le saut – *Sprung* – qui est au cœur de notre condition.

Sein und Zeit retrace une première tentative où le *Dasein* est considéré comme une totalité bouclée sur soi. Il s'agirait en partant de la compréhension commune et en interrogeant celle-ci de dégager l'horizon *positif* et le fondement d'où ce monde intérieur qu'est l'homme tire son sens, horizon et fondement n'étant que des noms de l'être.

Mais l'entreprise échoue. A aucun moment n'est rejointe la réalité vécue et ne s'explique la situation de l'homme. Toute définition, à peine posée, doit être contestée et dépassée: le penseur ne peut s'abstraire de sa pensée. Il n'y a pas d'attitude ontique qui à travers le criblage et le tamisage de tous les niveaux d'intelligence aboutisse à autre chose qu'à mettre en cause le chercheur lui-même. Il s'aperçoit que c'est lui qui est horizon. Il ne cesse d'arriver en se dépassant. Il est lui-même transcendance. Non certes qu'il soit «son» être. A partir de son être, vient-il de constater, il est incapable de se comprendre. Il se heurte à l'avènement déconcertant de sa question. C'est cet avènement dont il ne parvient pas à rendre compte. Il apprend qu'il ne dispose pas de soi. Il fait appel au sens de l'être, c'est-à-dire à l'apparition de l'être dans l'étant concret, pour en recevoir celui de sa propre existence.

Ici survient une nouvelle étape [2]. Tout craque dans l'homme. Mis en cause, il voit comme *s'envoler les hauts murs du bastion* dans lequel il s'enfermait dès l'abord en considérant son Moi comme clos. Il en arrive à penser que s'il y a une définition de lui-même, elle est tout autre, il est la *brèche* [3]. Loin d'être englobant, il voit

[1] *N2*, p. 369.
[2] *SZ*, p. 385.
[3] *EM*, p. 124.

de toutes parts s'enfuir l'horizon. Mais de cette fuite de l'horizon, il expérimente qu'elle n'est autre chose que la merveilleuse ouverture de lui-même.

Après ce que nous avons dit de la *Lichtung* et de la *Nichtung* – de l'éclairement et de la néantisation – nous pourrions nous dispenser de commenter cette description. Il faut toutefois rappeler que si, pour la commodité de l'exposé, elle a retracé une sorte d'itinéraire, en fait, le renversement ou le saut arrive dans l'instant, dans l'ouverture de la différence. C'est ici qu'est radicale la séparation avec Hegel, pour qui le commencement est à rattraper et la différence à clore en Savoir absolu. Pour nous, le saut a *toujours déjà eu lieu*. C'est que nous n'allons pas de l'étant à nous et de nous à l'être. L'être est sans cesse venu le premier. Il nous appelle à travers l'étant – tellement la chose renvoie à l'homme. Cette voix, dans l'existence quotidienne, est celle de la conscience – *Gewissen*. C'est pourquoi on doit dire qu'en fait, c'est le rien qui est toujours premier, puisque l'être ne nous appelle qu'il ne soit dissimulé sous le *Gewissen* et littéralement anéanti.

Transcendance et finitude. Le temps comme détermination de la trancendance finie [1]

A coup sûr, il ne suffit pas de raconter la présence et l'absence dans l'homme, apparition de l'être et anéantissement comme une belle histoire [2]. Elles ne s'imposent au penseur que par ce qu'elles donnent à comprendre de l'homme.

A propos de l'homme comme de tout étant, il faut renverser nos perspectives. Celles-ci, empruntées à un décalque de la détermination logique, impliquent que le possible précède le réel et que celui-ci ne soit pas toujours nécessaire. Depuis Platon, aucun philosophe n'a pareillement dit que le sensible est nécessaire. Le fait tient à ce que Heidegger ne va pas de l'Idée à son effectuation. Il y a chez lui précession ontologique du donné. Tel était le «sens de l'être» de *Sein und Zeit*. Heidegger appelle inéluctable – incontournable [3] – *das Unumgängliche* – ce qui est, parce que tout étant, même sensible, n'apparaît comme tel que par l'éclairement jaillissant de l'être dans le *Da*. Il n'y a pas pour nous de

[1] *KM*, trad. p. 298.
[2] *HB*, trad. p. 109.
[3] *VA*, trad. p. 70.

réalité en dehors de ce nécessaire, car seul il est compris. Seul enfin il ouvre le possible, la force tranquille du possible [1], parce qu'il se rattache au mouvement même de l'être.

Cette simple notation suffit à rappeler que ce n'est pas l'homme qui établit sa relation aux autres hommes et aux choses. Ils ne font pas nombre avec lui. La découverture de l'étant et l'ouverture du *Da* ne font qu'un. Nous ne sommes plus dans une relation de connaissance, mais d'expérience. La *compréhension* de l'homme et la *présence* d'autrui et du monde jaillissent ensemble immédiatement dans la transcendance du *dasein* tenu dans le Rien.

Du même coup, de cette ouverture du *Da,* il faut reconnaître qu'elle est toujours *orientée*. S'il en était autrement, *d'où* la présence de l'étant, qui est pensée de l'homme, tirerait-elle son sens? C'est cette orientation que décrit *Sein und Zeit.* Ce livre est l'élaboration concrète de la question du sens de «l'être» [2]. Faute de ce développement, la pensée de Heidegger se ramènerait à un court-circuitage de la question de notre existence. On la réduirait à cette affirmation dogmatique: la transcendance devient en nous finitude. Mais le *comment* nous échapperait.

Le comment de notre finitude

Ce *comment* est notre problème. Kant a formulé une question que, pendant deux mille ans, personne n'avait posée: retrouvant le lien entre la présence de l'homme et celle des choses, il se demande quels sont les concepts intuitifs, quelle est la manière qui fait que l'*exhibitio* est a priori. Il répond en considérant l'unité de l'homme et de la chose comme le fait de notre pensée. C'était certes conférer une dignité extraordinaire à celle-ci. Mais le maître des Critiques reste inconsciemment dans l'univers de la métaphysique et au risque, contre sa volonté, de mettre tout simplement l'homme à la place de Dieu, en demeure à la présence du présent, conçue maintenant comme *position* et attribuée à la Raison [3].

Ainsi Kant a-t-il manqué le Rien, c'est-à-dire l'absence qui est au cœur de notre monde, et avec elle l'*avènement* de la pré-

[1] *HB*, trad. p. 35.
[2] *WM*, p. 17.
[3] Cf. chap. VII: Kant.

sence. Inventeur génial du temps, il n'a pas retenu le lien entre le temps et le «je pense» qui lui était fugitivement apparu. (cf. dans la *Critique de la Raison Pure* la possibilité de la vérité transcendantale par l'unité du «je pense», de la force d'imagination et du temps [1].) C'est ce qui l'a finalement conduit à faire du rien un *ens rationis*, le rien de l'objet.

Parce que Heidegger, en liant de manière décisive le «je pense» et le temps, a dégagé l'expérience de l'*apparition* de l'étant, toute la perspective a été renouvelée. Dès lors, en effet, qu'intervient la *dispensation* de présence, il n'est plus possible d'attribuer à la Raison seule la constitution de l'univers. Notre existence est extatique. C'est de l'éclairement de l'être dans le *Da* que dépend non seulement l'apparition mais son *comment*. L'homme ne se connaît lui-même et l'étant que comme toujours déjà accordés. L'intelligence de l'un et de l'autre est toujours seconde par rapport à leur unité vécue, à leur expérience qui est toujours expérience de non-savoir. Le dualisme kantien avait manqué le travail qu'opèrent l'une sur l'autre «raison pratique» et «raison théorique». Il n'avait point vu le sol sur lequel se réalisait ce travail. Non seulement l'object mais l'esprit aussi est constitué chaque fois.

Les catégories qui sont depuis toujours la croix de la réflexion philosophique ne viennent ni de l'homme, ni de la chose mais du monde, c'est-à-dire à chaque instant de l'éclairement de l'être dans lequel ils sont suscités l'un pour l'autre: le monde du physicien n'est point celui du biologiste, celui du poète n'est point celui du politique ou du théologien.

Le dualisme est donc dépassé, que ce soit celui de l'âme et du corps, de l'entendement et du sentiment, du pour soi et de l'en-soi, de l'intention et de l'intuition. Il n'y a pas deux fixités antagonistes, mais un incessant parcours. C'est en se référant explicitement à l'intentionnalité husserlienne que Heidegger a précisé sa propre tentative: si l'on caractérise comme intentionnel tout rapport à l'étant, l'intentionnalité n'est possible que sur le fondement de la transcendance [2]. L'intentionnalité de la «conscience» repose dans la temporalité extatique du *Dasein* [3]. C'est elle qui ouvre l'espace et constitue l'horizon du monde.

[1] *WG*, p. 16.
[2] *WG*, p. 15.
[3] *SZ*, p. 363 note 1.

Comment l'homme et la chose ainsi surgis se diversifient-ils et manifestent-ils leur vérité? Autrement dit, comment naît la parole de l'homme?

La parole

A propos de la parole, on pourrait reprendre les degrés auxquels nous avons fait allusion. La parole existe d'abord en elle-même. C'est à ce point de vue que se tiennent habituellement les savants lorsqu'ils envisagent ce qu'ils appellent les *monumenta*. Documents et collections archéologiques parleraient par eux-mêmes, croient-ils, et il n'y aurait qu'à les écouter. Ils seraient capables à eux seuls de représenter et de livrer une époque. C'est le stade ontique.

Ceci semble une caricature et un philosophe dépassera spontanément cette foi naïve. Ce qu'il recherche, c'est la *présence* de cette parole, à quelque point qu'on la situe. Il essaiera de l'interpréter de telle sorte qu'apparaisse en elle ce que l'homme a cru y enfermer de durable et d'universel. Elle nous manifestera l'étant *comme tel*, c'est-à-dire dans sa qualification ou essence, dans son *ce que*. Elle deviendra énoncé. Ainsi naît l'apophantique qui correspond exactement à une conception métaphysique de la parole.

Mais cette parole apophantique n'est possible qu'à partir d'une parole plus originelle. De celle-ci nous dirons qu'elle est *hermeneia* [3], c'est-à-dire qu'elle exprime par elle-même le sens de l'être auquel nous venons de faire allusion. Immédiateté médiatrice, elle met en œuvre une structure *Vor* – *Vorgriff, Vorhabe, Vorsicht* et correspond à ce qu'on pourrait appeler des précatégories. C'est par ces dernières que les catégories ultérieurement dégagées ne seront ni de «l'objet», ni du «sujet». Cette parole surgit dans le *Dasein* tenu dans le Rien, c'est-à-dire lorsqu'il expérimente immédiatement que sa parole dépasse l'étant présent et ne peut en demeurer captive. La parole qui dit le portail roman fait surgir, au-delà de ce qu'il montre, sa dimension d'absence. En la proférant, nous la savons silence. Elle nous renvoie à son tour à l'abîme du Rien, nous découvrant qu'elle est mot de l'être. C'est Apollon, dit Pindare, qui envoie les flèches.

[3] *SZ*, p. 158.

Le chemin de l'herméneutique

Penser c'est interpréter. Toute pensée est herméneutique. Celle-ci est le fait de tout homme, mais par excellence, s'identifie à la démarche du penseur. C'est son cheminement que nous allons essayer de retracer. L'herméneutique répond à la question que pose à l'homme sa propre existence. Elle est donc essentiellement herméneutique du *Dasein*.

La première constatation que nous faisons, c'est que l'homme est toujours jeté dans un monde de *paroles déjà dites*. Comme ici parole signifie aussi bien action, suivant la vieille étymologie hébraïque du *Dabar*, nous pouvons dire qu'elles sont inscrites tant dans la pierre ou le langage de la tribu que dans la constitution de la cité. Nous ne pensons pas le moindre caillou sans qu'interviennent Homère, Platon, Aristote ou saint Augustin. Toute profération nouvelle insère le rassemblement habituellement spontané des paroles déjà dites. L'appel à ce qui a été et dont les vestiges demeurent autour de nous n'est pas plus affaire de curiosité, qu'il est recours facultatif ou monopole d'historien. Ce que n'oublie pas l'homme qui prend résolument en charge son propre destin, c'est que ces paroles ne sont pas des choses. Elles correspondent toujours à des sens institués. Il n'est pas de parole dans laquelle n'ait pris corps un être-au-monde. C'est cet être-au-monde qu'il s'agit de rejoindre.

Mais il ne s'agit pas seulement de reconstituer le dit. Dans l'histoire du monde, comme dans l'étant et dans la pensée, l'être s'est toujours déjà aliéné, en se voilant et en s'abandonnant [1]. C'est donc son destin – *Geschick* – qui crée la *distance* entre chacun de nous et ce qu'il a hérité. Bon gré, mal gré, nous aurons à susciter des paroles nouvelles.

Histoire et dispensation de présence

La dispensation de présence décide de l'aventure proposée à chacune de nos existences et de la genèse du monde qui y correspond. Tout ce que nous appelons histoire politique, économique, sociale, culturelle, des mœurs et des idées s'enracine dans l'histoire de la pensée. Toutefois l'histoire n'est pas composée d'une succession de réponses individuelles. Elle est avant tout et dans son ensemble, destin de l'être. C'est toujours le Même qui de

[1] *VA*, p. 132, trad. p. 156.

génération en génération se montre et se cache, appelle et se tait. C'est comme compréhension que passe en nous la transcendance jaillie des profondeurs de la Nuit. Il n'existe à ce titre qu'une seule et continuelle histoire aux innombrables et incessantes reprises humaines.

VI. LA REPRISE DE HEIDEGGER

On comprend pourquoi une grande partie de l'œuvre de Heidegger, loin d'être un solipsisme, est un dialogue avec les penseurs du passé. C'est qu'il n'y a pas une pensée systématique à laquelle s'adjoindrait à titre d'illustration une chronique des opinions passées. L'être a accédé au langage dans la parole des penseurs essentiels [1]. Le dialogue n'est donc ni érudition ni polémique mais nécessité. Du dit, seul, peut sortir le non-dit. Paradoxalement c'est parce que cette œuvre s'en tient à ce point de vue qu'on l'a accusée de se vouloir prophétique. Heidegger répond en disant qu'il suffit de regarder ce qui a été. C'est sur des paroles déjà dites et sur leurs traces durables qu'il prend appui. Son effort consiste seulement à laisser leur herméneutique s'accomplir en lui. C'est par elle qu'il est conduit à la compréhension de l'être qu'elles instituaient. Cette entreprise ne fait pas seulement apparaître la présence de ce qui a été écrit, c'est-à-dire elle ne se contente pas d'en fournir une interprétation conceptuelle. Elle nous mène à ce que *cachait cette manifestation*. Elle révèle *comment* cette présence fut donnée. En un mot, elle la réfère au destin de la pensée.

Le destin de la pensée

Ce destin de la pensée, Heidegger l'appelle souvent d'un autre nom: la *vérité de l'être*. Que ce simple terme évoque des perspectives inconnues à la métaphysique, il n'est besoin pour s'en rendre compte que de voir ce qu'écrit à ce propos un maître aussi autorisé que M. Etienne Gilson. Dans un récent article de la *Revue Thomiste* [2], l'auteur de l'*Etre et l'Essence* s'interroge avec une sincérité et une vigueur bouleversantes au sujet de l'*Etre et Dieu*. Il cherche quel est ici l'apport de Heidegger et en quoi consiste

[1] *HB*, trad. p. 85.
[2] avril-juillet 1962.

son prétendu dépassement de la métaphysique. Il juge que dans cette poursuite de «l'être», Heidegger n'a pas mieux réussi que les autres. Que voudrait-il donc, demande-t-il de ses prédécesseurs, qu'ils eussent fait et qu'ils n'ont point fait ? Et il poursuit : la misère de la recherche philosophique ne demeure-t-elle pas toujours que nous sommes séparés de la pensée dont nous cherchons le contact ?

Il nous semble justement que ce contact est redécouvert par Heidegger comme il ne l'a jamais été et que par là nous pouvons trouver Dieu en nous-mêmes, dans une expérience infiniment plus rigoureuse que jadis en raison précisément des apports de la subjectivité moderne. Il ne s'agit pas, comme le croit M. Gilson, de poursuivre la quête de l'être à partir de ce qu'il définit les *creaturae mundi*, déjà constituées. Il s'agit encore moins de se trouver «avec l'être de Parménide, dans l'ontique pur, avant toute divinité et de préserver ainsi l'objet de l'ontologie de toute contamination théologique».

Ce en quoi vivaient les Présocratiques sans y penser, ce qui n'était ni «ontologie», ni «théologie», ce qui constitue l'unité impensée de l'onto-théologie ultérieure, nous avons à le penser en un sens nouveau.

C'est ici que s'offre à nous la *vérité de l'être*, formule dont l'incessant retour a frappé M. Gilson. «Combien Heidegger a raison, dit-il, s'il faut entendre par là l'effort d'une réflexion qui porte sur l'être même, c'est-à-dire qui ne s'arrête pas au double conceptuel grâce auquel nous le transformons en étant pour n'en laisser subsister que le concept vide du *genus generalissimum*, général au point de n'être même plus un genre. Bref l'*ens inquantum ens* dont se repaît la métaphysique». Mais, poursuit M. Gilson, la difficulté avec Heidegger provient «de ce que l'on ignore dans quelle mesure une telle ligne de pensée se tient pour solidaire de l'histoire ou au contraire se pose dans l'absolu du pur spéculatif. Depuis la confiscation hégélienne de l'historique par le dialectique, on ne sait plus au juste à quoi s'en tenir. On le sait d'autant moins que cette ambiguité fondamentale autorise le philosophe à passer d'une terrain sur l'autre, selon ses besons, les confirmations historiques donnant à la doctrine une apparence de réalité, tandis que la doctrine confère à l'histoire une apparence d'intelligibilité. Il est malheureusement impossible d'introduire de l'historique dans le philosophique sans rupture de continuité» [1].

Tout l'intérêt de Heidegger nous semble justement en développant comme il le fait la question de l'être et de l'étant, de montrer *que* l'histoire y est impliquée et *comment* elle y est impliquée.

La question de l'Histoire

La question de l'histoire est impliquée dans la question de l'être et de l'étant puisque cette dernière ne s'ouvre que dans l'homme. Il *n'y a* d'être qu'autant qu'*est* la vérité [2], c'est-à-dire qu'autant qu'il y a pensée. Nous savons qu'il n'y a pensée que dans le *Da*. Ce qu'il faut marquer, c'est que la vérité *arrive*. Pour nous, le débat se circonscrit autour de l'unification de pensée et d'être dans le *Da*.

La pensée arrive parce que l'être arrive. Mais l'être n'est pas à percevoir comme un X fantastique. Nous avons vu qu'il *manque*, qu'il *n'est pas*. L'être n'arrive donc pas comme être ou du moins n'apparaît pas comme tel. Il n'arrive que comme mouvement de pensée, comme le mouvement par lequel «l'étant» et son «être» sont portés l'un vers l'autre, assignés l'un à l'autre, c'est-à-dire chaque fois comme surgissement d'un monde, car la pensée n'arrive que comme compréhension et du même coup comme apparition de l'étant. Ce que nous appelons vérité se manifeste donc chaque fois comme avènement parce que c'est la manifestation d'un monde à l'homme, à condition toutefois qu'on voie bien qu'il ne s'agit pas d'immobiliser notre regard sur le monde apparu mais de le référer à son apparition. C'est l'absence qui explique la présence et l'œil lui-même arrive et renaît à chaque instant avec le monde.

Il ne s'agit pas, comme on pourrait le craindre, d'un instantanéisme, ni pour l'homme d'une discontinuité d'expériences évanescentes. Ce mouvement d'être est un destin. Ce destin – *Geschick* – est notre histoire, *Geschichte*. Toutes les autres histoires culturelles, économiques, politiques et sociales s'enracinent disions-nous, dans l'histoire de la pensée.

Il y a une véritable histoire, parce que le Même aux inépuisables métamorphoses ne cesse jamais d'arriver. L'être ne laisse

[1] op. cité p. 405.
[2] *SZ*, p. 316.

apparu à chaque instant que l'étant qu'il a révélé et que l'homme pense. Mais là ne se limite point l'événement. La vérité est inséparable de la non-vérité, *Nichtung*. L'être s'anéantit dans l'étant en donnant à penser et du même coup, s'ouvre toujours dans l'homme l'abîme du Rien. Ce Rien, que nous appellerons l'identité vivante de l'anéantissement, est le Même qui ne cesse d'arriver.

A qui a vécu ce que Heidegger appelle tantôt le *Kehre*, renversement, tantôt le *Sprung*, saut, qui fait passer du mouvement de l'être au rien – celui qu'illustre le début de *Sein und Zeit* – au mouvement du rien à l'être, autrement dit à qui a compris que c'est l'anéantissement qui est premier, il ne reste plus qu'une seule ressource. Impossible de rattraper le commencement de la pensée, de revenir derrière ce mouvement d'être qu'est le mouvement de pensée. On ne peut parler que de ce qui a été, – *Gewesen* –, le passé vivant qui dure encore. On comprend dès lors pourquoi Heidegger, comme penseur, ne peut être qu'historien de la pensée. Le destin de l'être ne peut s'atteindre que dans la reprise de ce qui a été en un sens très large. La tâche est de rejoindre, à travers l'événement que constitue la doctrine d'un penseur, le destin qui s'y exprime. Celui-ci ne se révèle qu'au penseur qui, en répondant à la question de sa propre existence, rassemble en lui le passé, dans l'ouverture toujours verticale de son *Da*.

C'est pourquoi Heidegger reconstruit toujours, non certes à partir de soi, mais de la question que lui pose sa propre existence. De cette question, il n'a pas à nous rendre compte. C'est elle qui nous rend compte de lui.

Il convient maintenant de présenter en quelques mots notre travail. Nous n'avons pas à dissimuler qu'il répond d'abord à notre propre souci. Il traite d'une «mort de Dieu» dont les témoignages se manifestent chaque jour, de laquelle on ne peut pas ne pas s'inquiéter et où Heidegger voit, tout le premier, l'événement majeur de ce temps. Si nous avons choisi d'interroger le philosophe de Fribourg, c'est parce qu'il y a eu rencontre entre sa pensée et notre recherche. En face des études historiques que nous présentons, la question à poser est la suivante: Est-ce là un écho fidèle, une reprise vivante du destin de la pensée tel que Heidegger le ressaisit à travers les principaux penseurs? Assistons-nous, si modeste soit-elle, à une sorte de restitution de présence? Nous espérons seulement laisser parler un grand témoin.

CHAPITRE I

PARMENIDE

Certains ont cru que l'hommage rendu par Heidegger à Parménide et son étude des Présocratiques coincident pour lui avec la découverte d'un point de départ où la pensée humaine d'aujourd'hui retrouverait sa liberté. Il est tout à fait contraire à l'esprit de l'auteur de *L'être et le temps* de chercher un quelconque retour au passé au mépris de l'histoire et de son propre destin. Une lecture plus attentive montre même que, quel que soit le mérite attribué par Heidegger à ce premier des maîtres, Parménide n'en inaugure pas moins à ses yeux la métaphysique.

L'histoire s'ouvre quand l'homme se met à penser, comme en ce début du monde où Tête d'Or s'aperçoit qu'il y a des choses, qu'il les nomme et qu'il les comprend. «L'étant est» s'écrie un jour Parménide en un saisissant raccourci. Le sol dès lors se creuse sous ses pas; le mortel comprend qu'il comprend et se demande comment cela se peut. L'évident devient énigmatique. Ce qui est intelligible, c'est que le monde soit intelligible. La réflexion de l'Occident s'est alors mise en branle, à travers l'atteinte d'un rapport entre ce qu'elle nommera «l'être» et ce qu'elle nommera «la pensée».

Le poème de Parménide est le monument historique qui en témoigne. Sur la route où se révèle généreusement la divinité, les cavales emportent l'homme qui sait déjà ou plutôt qui s'interroge. Au-delà des cités, elles le mènent aux portes qui s'ouvrent sur les chemins du jour et de la nuit. La déesse l'y attend, pour l'instruire davantage et lui enseigner les voies de son destin.

Que signifient donc ces mots mystérieux du fragment VI, «Nécessaire est ceci, dire et penser de l'étant l'être», *chrè to legein te noein t'eon emmenai;* – ou cette phrase du fragment III, «Le même lui est à la fois penser et être», *to gar auto noein estin te kai einai;* – ou l'apophtègme du fragment VIII, 34, «Le même est la pensée et ce à dessein de quoi il y a pensée», *tauton d'esti noein te kai ouneken esti noèma.* Ces paroles, Heidegger nous les épèle, les traduit et même les rabâche afin de nous faire entrer en elles pour qu'elles nous arrachent au tout-fait et à l'habituel.

Le système métaphysique et son histoire sont comme accrochés à ces mots qui nous parlent d'une appartenance de la pensée et de l'être. Ils valent des bibliothèques de littérature philosophique, mais il nous est extraordinairement difficile de saisir ce qu'ils signifient, car nous croyons trop le savoir. Nous sommes déjà enfermés dans une problématique qui croit connaître ce qui est en cause. La pensée? L'atteinte connaissante de l'être. L'être? L'étant multiple qui s'offre à la connaissance, tout ce que nous appelons la réalité, l'étant individuel et le Tout, ce que Parménide le premier a nommé d'un neutre, *ta eonta.*

Pourtant, c'était bien une question et non pas une évidence qui un jour avait surgi en quelque coin d'Asie Mineure, une irrécusable question que les hommes vont indéfiniment moduler. Cette interrogation est toute la pensée. Platon et Aristote l'ont formulée de façon précise: qu'est ce que l'étant? Qu'est l'étant dans son être? La philosophie est née, qui sans cesse va contester l'immédiateté de cette atteinte de l'étant dans son être, sans pour autant cesser d'y habiter. «L'étant est»: mettre en cause ce dogme de Parménide et ne pouvoir que le maintenir, telle sera la condition de la métaphysique. Explication laborieuse, elle ne cessera d'aller de la sentence à la réflexion que celle-ci suscite, de revenir à la première et de courir de l'une à l'autre: fondamentalement, l'explication est réflexion. Tant et si bien qu'après tant de réflexion de la réflexion, le Faust de Goethe peut un soir se révolter contre un homme qui n'est plus que «fabrique d'idées» et «maître-tisserand de grisaille conceptuelle». Qu'est donc devenu, comme il le demande, «l'arbre d'or de la vie»?

L'étant est: tel est le début de la pensée spéculative. «La spéculation proprement dite a commencé avec Parménide» écrit Hegel dans son *Cours d'histoire de la philosophie,* (XIII, pp. 274 ss). «Sans doute, poursuit-il, ce commencement est-il encore trouble et indéterminé et l'on ne peut expliquer davantage ce qui s'y trouve. «L'expliquer, croit-il, constituera ni plus ni moins que le développement de la philosophie elle-même, mais chez les «Présocratiques» rien n'en est encore arrivé».

A la fin de la philosophie inaugurée par les Grecs, le maître du XIXème siècle pense pour la première fois celle-ci comme un tout et il pense ce tout philosophiquement. A ce titre, la spéculation de Hegel n'est pas celle de Parménide. Et pourtant, c'est la spéculation de Parménide qui a amené celle de Hegel. Telle est la situation. Comment s'est-elle produite? Pour le découvrir, abandonnons l'interprétation de l'idéalisme allemand et essayons d'entendre en Parménide un chant sans doute bien différent de celui qui retentit après deux millénaires et demi de métaphysique. Que Clio nous ramène un instant à Homère et aux tragiques grecs.

On parle de «Présocratiques» comme si tous et chacun ne pouvaient être jugés qu'en référence à Socrate. N'est-ce pas faire trop peu de cas de ce siècle fulgurant où, pour reprendre le mot de Platon, le Logos nous est né? Loin d'imaginer l'homme tout armé de Raison, il faut pour déchiffrer Parménide nous souvenir que la Raison est affaire de philosophie [1]. Ce que Parménide a été le premier à savoir, c'est que l'homme se tient sans cesse au carrefour où se noue toute pensée. Le miracle grec, bien loin de se situer dans la naissance d'une certaine raison, résiderait tout entière dans la saisie vivante de la rencontre des trois chemins de l'être, du non-être et de l'apparaître. Nous manifester leur unité, mais permettre ce qui sera leur opposition ultérieure, tel fut le rôle de Parménide.

1. Etre et apparaître

Arrêtons-nous un instant et écoutons Pindare ou Sophocle, Anaximandre ou Héraclite. Partout règne une même passion: celle du dévoilement de l'être. Alors même qu'il n'est pas nommé, l'être est toujours là. Un savant comme Burnet ne peut que constater que ce serait un anachronisme de distinguer à cette époque la réalité et les apparences. C'est là une opposition platonicienne et Platon lui-même ne la formule pas dans ses premiers écrits. Aussi bien l'être se confond-il chez Pindare tant avec la *phusis* qui est jaillissement, qu'avec le *phainesthai*, l'apparaître. N'étant pas faites une fois pour toutes, mais surgissant

[1] *WP.*

à tout instant dans leur noblesse primitive, les choses sortent du fleuve, de la *Lèthè*.

L'éclat premier et indiscutable des choses correspond alors à la *doxa*. Celle-ci est perception des *dokounta,* de la multiplicité de ce qui est *dokimos,* de ce qui s'offre à la vue. Est *dokimos,* tout ce qui a rang et nom, ce qui apparaît brillamment et réclame la reconnaissance, l'estime ou le mépris de tous. C'est dans le cas du héros, la renommée qui ne s'ajoute pas du dehors au personnage, mais traduit la surabondance qui lui est départie. La théologie hellénistique parle encore en ce sens de la *doxa Theou* qui est Dieu.

Le destin de nos vies humaines est ainsi fait que le mouvement de l'être est à l'origine du bouleversement des apparences. Oedipe, chez Sophocle, est au début le sauveur et le seigneur de l'Etat. Le voilà revêtu de prestige par la grâce des Dieux. Ce n'est pas chez lui une vanité. Cet éclat correspond à ce qu'il est. Mais voici qu'il tue son père et outrage sa mère. Ce qu'il *paraît* ne correspond plus dès lors à ce qu'il *est:* son être authentique est voilé. Sa chute effroyable n'a pas d'abord le sens moral d'un aveu, mais celui d'une révélation. Il cherche à paraître tel qu'il est. Pas à pas, il se défait de la renommée dont il était éblouissant, il s'enfonce dans l'obscurité et se crève les yeux. Cette cécité dénonce au peuple entier la nuit où il avait déjà sombré. Mais cette tragédie serait insoutenable sans un admirable et extraordinaire tourment créateur qui est celui de la manifestation de l'être.

La difficulté que nous avons, modernes, à entendre ces mots provient d'une équivocité et d'un malentendu qui concernent les apparences et l'être. Ne sommes-nous pas tentés d'opérer une division bien ajustée entre deux domaines hétérogènes, de distinguer massivement l'essence des choses et leur apparence, ou encore selon une formule commode, le dedans et le dehors des choses? L'essence immobile atteinte par le *nous* constituerait le royaume de la vérité, tandis que la perception de l'individuel, du sensible, *aisthèsis*, concernerait ce qui change. Ce schème commande la science moderne, même lorsqu'elle ne le sait pas. Sans doute, concède-t-on que le phénomène dépend de l'essence, qu'il est fondé en elle et qu'il faut sortir de cette dichotomie dans laquelle l'unité du fait de comprendre se dissout et la raison humaine éclate. On oscille alors entre deux explications opposées.

Ou bien on demande à l'esprit de l'homme de saisir au-delà des apparences instables, dans l'essence de la chose, l'apparaître authentique de l'apparition même. On fait appel à l'évidence de l'être. Ou bien on privilégie le règne de l'étant, en attendant des apparences qu'elles nous en manifestent l'essence. Celle-ci serait près de nous et hors de nous, toujours et en tout temps. Cette façon de penser représente une des formes multiples du réalisme. Entre ces deux directions se brise l'élan encore unifié chez Parménide.

A cette lumière de l'esprit grec se trouve bouleversée l'opposition traditionnelle entre être et apparaître, être et devenir, être et devoir, comme celle entre être et pensée qui les résume toutes. La *phusis* comme perpétuelle émergence, ainsi que le *logos* et l'*ethos* ne peuvent être saisis qu'ensemble. En nous ouvrant le monde où l'homme habite, c'est-à-dire où lui apparaît ce qui s'offre à faire, où il le comprend et se comprend en l'accomplissant, les tragédies de Sophocle abritent plus originellement l'*ethos* dans leur dire que les leçons d'Aristote sur l'Ethique [1]. Ce n'est que plus tard qu'il y aura une Logique, une Physique et une Ethique.

2. *L'Etre comme présence est à la fois être et dévoilement*

Ici s'estompe l'antinomie entre Parménide et Héraclite. Bien que différemment, les deux Grands se dressent au même point. Tout coule, pense l'un, même si la formule ne fût point de lui, mais il nous dit la permanence du fleuve tout autant que l'écoulement des eaux. Le soleil se lève nouveau chaque matin, mais il se lève chaque matin et si le logos est un feu vivant qui devient toutes choses, il n'en est pas moins logos, c'est-à-dire ordre et harmonie. Héraclite nous dit surtout que tout est, sans cesse, jeté d'un contraire à l'autre [2] et que l'être est la récollection de cette agitation antagoniste .

«Il ne reste qu'une seule voie, dit Parménide, à savoir qu'il est. Et sur cette voie, il y a des signes en grand nombre indiquant qu'inengendré, il est aussi impérissable: il est en effet de membrure intacte, inébranlable et sans fin; jamais il n'était ni ne sera puisqu'il est maintenant, tout entier à la fois, un, d'un seul

[1] *HB*, trad. p. 139.
[2] *EM*, trad. p. 147.

tenant ... Quelle génération peut-on rechercher pour lui? Comment, d'où serait-il venu à croître? ... Ainsi est-il nécessaire qu'il soit absolument ou pas du tout ...» (fragment VIII, 1ss).

Pareil texte ne constitue en rien cette négation pure et simple des apparences qui opposerait Parménide à l'Obscur. Ce qu'on appelle l'impasse parménidienne, c'est-à-dire l'impossibilité de revenir du monde mobile des sens, résulte d'une définition anachronique. En refusant aux apparences un être propre qui les aurait isolées en un domaine distinct et en les rattachant immédiatement à l'être, bien loin de nous en ôter toute intelligence, Parménide les saisit dans leur *jaillissement*. L'apparence est celle *de* l'être (génitif objectif et génitif subjectif). L'être appartient à l'apparence et l'apparence appartient à l'être. Qu'inclut-on dans ces mots? La production des apparences selon une nécessité et un ordre qui nous échappent et qui révèlent à nos yeux quelque chose comme la liberté de l'être. Dès lors, les apparences nous sont en rigueur de termes *données*. Mais si elles sont données, elles n'en constituent pas moins en même temps la présence. Le présent et la présence se tiennent. On peut se demander s'il existe un autre mode de relation possible entre le devenir, rattaché à l'être et l'être lui-même que celle-là et si dans cette relation la contingence de l'histoire et la nécessité de l'être ne sont pas admirablement incluses. Le message de l'Eléate fut de nous montrer qu'il n'y a qu'un seul tout, l'être et ses manifestations.

A écouter Burnet, Parménide concevait uniquement l'être comme physique. «La philosophie, nous explique-t-il curieusement, ne pouvait cesser d'être corporaliste, car l'incorporel était alors inconnu» [1]. Comme si le corporel lui-même, dans ces conditions pouvait être défini. Burnet était mieux inspiré quand loin de faire de Parménide le père du matérialisme, il émettait comme un principe à ne jamais oublier que la matière et l'esprit n'étaient pas encore opposées l'une à l'autre [2], pas plus que ne l'étaient le visible et l'invisible. N'avons-nous pas à réviser nos catégories et à dégager qu'il s'agit plutôt du voilé et du dévoilé et même d'un caché auquel il faut faire violence?

Le propre de l'homme en ce premier âge grec, c'est de faire violence au mystère. Ni Parménide, ni Héraclite ne sont indépen-

[1] *L'aurore de la philosophie grecque*, Payot, 1952, p. 208.
[2] *id.* p. 16.

dants des mythes de leur temps. Ils ne font que les traduire dans leur propre langage. Sophocle aussi nous dit qu'ils sont toujours une tragédie. Tout y est à la fois sans cesse harmonie et combat, *harmonia* et *polemos*. L'unisson qui ne se montre pas immédiatement et sans plus est plus puissant que celui qui est toujours notoire (fragment 14 d'Héraclite). Nous sommes dans un affrontement qui touche aux dieux, en plein défi sacré. Mais dit encore Héraclite, c'est la tension qui fixe les cordes de la lyre et c'est elle qui fait chanter ce qui est.

3. Recueil du dévoilement

En cette aurore de l'esprit grec, l'ensemble d'être et de dévoilement constitue l'être vrai. N'est-ce pas en se laissant conduire par la déesse Vérité qu'écrit Parménide? Réfléchir sur cet accord d'être et d'apparaître serait d'une part pénétrer dans la dimension de ce que seront plus tard les «transcendantaux» et de l'autre dans la phénoménologie du vingtième siècle qui n'est pleinement telle que chez Heidegger. Mais il est trop tôt pour le faire. Rappelons en tout et pour tout qu'en ce grand commencement, l'être, c'est une présence qui surgit et qui se dégage du voilement, de la *Lèthè*, dans une alternance de jour et de nuit. Ainsi l'être est-il aussi devenir, cet étrange domaine du «ne plus» et du «pas encore», tissé de présence et d'absence. «Comme le devenir est un paraître de l'être, ainsi le paraître en tant qu'apparaître est un devenir de l'être» [1].

C'est ici qu'intervient le *logos*. Il n'est pas déjà comme il le deviendra plus tard, la raison, entre les mots et les choses. Il s'insère précisément dans le dévoilement du caché, dans son passage même au non-caché.

Comment nier que dès les débuts de la langue grecque *legein* signifie parler, dire, raconter ? [2] Mais toujours aussi originellement, et donc intérieurement à cette signification de dire, il a celle de poser, d'étendre devant. Heidegger s'efforce de montrer quelle empreinte le sens primitif d'étendre va donner au parler du langage. Il essaiera de la sorte de donner un nom à ce qu'il appelle un secret impensable, à savoir: le parler du langage se produit à partir de la *non-occultation* des choses présentes et se

[1] *EM*, p. 88, trad. p. 27.
[2] *VA*, p. 208, trad. p. 251.

détermine conformément au fait que *la chose présente est étendue devant nous*. «La pensée, demande-t-il, apprendra-t-elle enfin à pressentir quelque chose de ce que cela veut dire qu'Aristote ait encore pu définir le *legein* comme *apophainesthai?* Le *logos* amène ce qui apparaît, ce qui se produit et s'étend devant nous, à se montrer de lui-même, à se faire voir en lumière» [1].

Ce qui doit donc nous occuper dans cette interprétation de Parménide, ce n'est pas seulement le changement de sens d'un mot. Nous nous heurtons bien plutôt à un événement singulièrement originel, dont la simplicité ne constitue pas l'aspect le moins inquiétant par ce qu'elle dissimule. Comment arrive-t-il? «Pour trouver un point d'appui à une réponse, nous dit Heidegger, réfléchissons à ce qu'il y a effectivement au fond de *legein* au sens d'étendre» [2]. *Legein* veut dire proprement «poser» et «présenter», après s'être recueilli et avoir recueilli d'autres choses. La forme moyenne *legesthai* signifie «s'allonger dans le recueillement du repos». *Lechos* est la couche où l'on repose. La lecture ne constitue qu'une variété de ce rassemblement. La moisson et la vendange en sont une autre. Mais on ne ramasse pas n'importe quoi. La récolte est sélection. Elle ne recueille que ce qui nous concerne. Chez Eschyle ou Pindare, le vieux mot *alegô* (copulatif) a encore le sens de: quelque chose me tient à cœur, me donne du souci. Nous étendons les choses devant nous, les choses qui vont et viennent, surgissent et disparaissent. Voici que du même coup, nous les laissons étendues les unes près des autres, en les distinguant les unes des autres et pourtant en les rassemblant. Ce rassemblement est une mise en ordre, une *unification* toujours à refaire, car elle nous rend le monde présent comme un Tout, «comme une sphère» dit Parménide. La sphère parménidienne – «puisque la *Moira* l'a enchainé (l'étant) de façon qu'il soit d'un seul tenant et immobile» (fragment VIII, 37) – n'est certes pas à comprendre à la manière d'Aristote qui, après Platon, la voyait «idéale». L'Un en ce cinquième siècle signifie selon Burnet «l'ensemble de la réalité» [3]. C'est aussi ce qu'exprime le *logos* d'Héraclite: «si vous avez entendu non pas moi, mais le *logos*, il est sage

[1] *id.* p. 213, trad. p. 257.
[2] *VA*, p. 209, trad. p. 252.
[3] *L'aurore de la philosophie grecque*, p. 376.

de dire en conformité avec lui, Tout est Un, *Hen Panta*». (fragment 50)

Le dire et le discourir des mortels ont lieu, dès leurs débuts, comme *legein*. Ils amènent quelque chose à se montrer – *vorlegen* – ou mieux, à se trouver là. Il repose alors devant nous. Mais il peut y être sans que nous l'y ayons amené: c'est par exemple Ithaque étendue devant Achille, plus basse que les autres îles sur la mer violette. Etre étendu se dit en grec: *keisthai*. Ce qui est étendu là, ce qui est en-dessous, c'est l'*hupokeimenon*, le *sub-jectum* latin. Tout *legein* implique donc *thesis* et même *hupothesis*, position et sous-position. Mais, comme nous le rappellera la fin du sixième livre de la *République* de Platon, ces mots désignent ce qui se tient en tout langage et même, en tant qu'évidence, soutient la compréhension commune. Il serait anachronique de les entendre comme la logique classique ou hégélienne. Thèse et hypothèse révèlent originairement une situation. A plus forte raison, ne saurait-on les arc-bouter avec une quelconque antithèse car s'il y a dans le *logos* un recul intérieur – *apo* – par lequel il se distingue, on ne saurait y voir aucune contradiction conceptuelle ni aucun jeu dialectique. Le retrait consiste à laisser l'autre venir au jour. Notre travail va être d'en suivre les manifestations.

Parmi les divers sens du *logos*, il y a toujours celui d'embuscade, *loxos* [1]: on se dissimule, prêt à l'attaque, afin de laisser l'adversaire se manifester. On occupe une ligne de résistance pour retenir l'autre, l'amener à stationner. Quel est donc cet autre dont il nous est dit qu'il tient une position semblable? Le *noein* nous le donne; c'est l'objet de conscience, pour parler comme le premier Husserl. Cette imbrication de *legein* et de *noein*, Parménide fût le premier à la signaler.

4. *Comment l'être en tant qu'apparaître nous livre l'être en tant que pensée*

Nécessaire est ceci: dire et penser de l'étant l'être, *chrè to legein te noein t'eon emmenai*. Que signifie donc la nouvelle opposition qui surgit ici? Nous avions déjà celle de *phusis* et de *logos*. Voici maintenant que s'y ajoute celle de *legein* et de *noein*. Ce n'est qu'après un long travail que nous arriverons à saisir clairement

[1] *VA*, p. 208, trad. p. 251.

que s'enracine ici le fameux débat toujours renaissant et jamais résolu autour du *logos* de la proposition, celui de la logique, et du *logos* de l'existence, le rapport entre l'être comme copule et l'être comme *esse*. Nous ne pouvons encore comprendre qu'ici s'annonce la scission ultérieure entre l'*essentia* et l'*exsistentia* classique.

Pourquoi *dire* et *penser?* Il serait évidemment absurde d'interpréter la maxime comme si elle conseillait de *parler* d'abord et de *penser* ensuite au sens actuel de ces termes. Si *legein* signifie *dire* et *laisser apparaître*, comment traduire *noein* et quel est leur rapport [1] ?

Faut-il identifier *noein* à *percevoir?* Peut-être, mais pas au sens que prend le mot dans l'expression «percevoir un bruit». Rien de la «réceptivité» que Kant attribuait à la perception sensible en contraste avec une «spontanéité» de la raison. Le *percevoir* dont il s'agit n'est pas passif. Le *nous* est actif; il porte en lui le mouvement de s'occuper de quelque chose, il exprime l'action d'être attentif à quelque chose. Cette action du *Nous* consiste à méditer, à réfléchir sur, à interroger. En elle, quelque chose prend pour nous un sens, nous l'avons à cœur. Le dictionnaire nous dit encore que *noein* signifie flairer, selon la langue des chasseurs, mais ici flairer c'est pressentir, c'est *en arriver à poser une question.*

C'est également, nous dit Heidegger, appréhender [2], non pas simplement laisser parvenir à soi ce qui se montre, mais s'en saisir comme d'un suspect. On dresse un constat, on consigne un état de fait, on ouvre le dossier d'une affaire. L'appréhender en ses multiples sens coincide avec l'occupation d'une ligne de résistance en face de ce qui se montre.

Ainsi s'esquisse une approche du *noein*. Par ce vocable est traduit non seulement ce que nous appelons aujourd'hui «pensée», mais toute activité humaine. Rien n'y correspond mieux que le double emploi de *sens* en français et *Sinn* en allemand. Il évoque d'une part l'ouverture de l'homme sur le monde à travers ses cinq sens. D'autre part, la signification de ce monde. Cette coincidence trouve son expression ultime en allemand dans le *Sinnbild* que nous traduisons par symbole et qui nous renvoie au devenir commun de l'esprit et de la chose. La vie des sens arrive ainsi à la

[1] *WD*, p. 124.
[2] *EM*, p. 105, trad. p. 151.

fois comme une perception qui anticipe et imagine et une attention qui est déjà compréhension.

C'est ici où joue l'articulation de *legein* et de *noein,* de ce qui est laisser-reposer-rassemblé et de ce qui est prendre-dans-son attention. D'un côté, le *nous* ne se développe qu'en prenant ses distances à l'encontre du *logos,* comme *apo-phainesthai,* comme éloignement et distanciation de ce qui apparaît. A cet égard, *toute vérité est antagoniste de la présence.* Mais d'un autre côté, il est tenu dans le *legein.* La garde qu'il prend, l'attention qu'il donne appartiennent en propre au rassemblement qu'a opéré le *legein,* dans lequel est caché le reposant comme tel [1]. De là vient que le *noein* ne peut être sans, en même temps, recevoir du *legein* ce qu'on appellera les catégories et dont il serait vain de prétendre qu'elles peuvent être purement «formelles». Elles sont déjà données par ce qui est là. L'ouverture est orientée. La question qui surgit n'est jamais sans rives. Ce qui est interrogé, c'est la chose qui est là. Cette communauté d'origine irréductible et irrévocable entre *legein* et *noein* est ce que nous révèle la maxime de Parménide à laquelle nous nous attachons; elle récuse tout face à face de la «pensée» et du «réel» comme s'ils naissaient à partir de deux horizons opposés. N'est «réalité» pour nous que ce que nous comprenons déjà de quelque manière.

Ainsi le *legein* appelle le *noein* et à son tour, le *noein* renvoie au *legein* en un incessant mouvement circulaire. N'est-ce pas ce cercle que nous retrouverons continuellement en histoire de la philosophie? Ce cercle herméneutique dans lequel il faut sauter pour atteindre quoi que ce soit, car il est la condition de toute rencontre: nous ne rencontrons que ce que nous comprenons, mais nous ne comprenons que ce que nous rencontrons. La structure *legein-noein* est le trait fondamental de la pensée. Parménide le met en lumière. Ainsi nous est-il impossible dans la traduction de ses textes d'introduire purement et simplement le mot: pensée. Nous supposerions abusivement que l'Eléate traite déjà de la pensée comme d'une chose définie avec clarté. Il se situe seulement en plein exercice, en pleine manifestation – *Wesen* –, en plein acte de penser. Ni *legein* pris pour soi, ni *noein* pris pour soi ne veulent dire: penser.

[1] *WD,* p. 127.

5. *Ce que la métaphysique appelle: pensée*

Rien à cet égard n'était réglé chez Parménide. Pour nous, ce l'est trop. Il faut remonter au-delà des siècles de métaphysique au cours desquels cet événement fut compris de multiples manières, mais toujours dans une identité d'être et de pensée à laquelle nous renverraient, dit-on, nos fameux fragments.

Dans cette perspective, trois interprétations nous ont été proposées: il y a d'abord celle qui traite la pensée comme un *plus* qui penserait l'être. L'être serait pensé dans la pensée. Mais c'est au prix d'assimiler la pensée à une chose donnée au milieu du reste de l'étant. Ce *plus* aurait pour caractéristique d'embrasser l'étant lui-même dans son ensemble, de l'englober et d'en faire un Tout. L'unité de l'étant – *Seiende im Ganzen* – sera appelée, tout au long de la métaphysique, l'être. A l'être ainsi défini, on identifie la pensée. Mais, objecte Heidegger [1], est-ce le propre de la pensée de ranger à leur place dans l'ensemble de l'étant toutes les choses qui s'offrent à nous? N'est-ce pas le fait de tous les modes de l'agir humain? Pourquoi Parménide privilégierait-il alors la pensée?

Dans une seconde position, nous retrouvons le trait fondamental de tout ce qui, en philosophie, a reçu la marque de Platon: les idées constituent dans tout étant ce qui «est». Elles n'appartiennent pas au domaine des *aisthêta,* de ce que les sens nous font percevoir. Nous ne pouvons les contempler dans leur pureté que par le *noein,* par la perception du non-sensible. L'être rentre dans le domaine des *eonta,* du non-sensible et du supra-sensible. Plotin, poursuit Heidegger, interprète la sentence de Parménide dans le même sens. L'être est caractérisé par le mode non-sensible de la pensée. Pour Plotin, la maxime de Parménide n'est pas une assertion sur la pensée. Elle n'est pas une assertion sur l'être. Elle est moins encore une assertion sur l'interdépendance des deux en tant qu'ils sont différents. Elle affirme simplement que tous deux font également partie du non-sensible.

Cette interprétation l'emportera tout au long de la métaphysique. Nous la retrouverons encore chez Kant dont elle neutralise la révolution. Elle y commande, en effet, sa thèse sur l'être: l'être comme position, comme détermination du déterminable, l'est selon le schème devenu traditionnel: forme-matière.

[1] *VA*, p. 232, trad. p. 281.

La troisième interprétation comprend l'être à la manière moderne, comme le fait pour les objets d'être représentés en tant qu'objectité pour le moi de la subjectivité. La pensée est connaissance, c'est-à-dire rapport à l'être, à la «réalité». Toute la philosophie moderne repose sur cette conception qui constitue l'ontologie ou la théorie de la connaissance. L'existentialisme et la logistique n'en sont aujourd'hui que les rameaux les plus vivaces [1].

Ce représenter, depuis Descartes et surtout Leibniz, part chaque fois de nous. Il est affaire de la raison. La raison dispose librement, mais non arbitrairement, de ce qu'elle représente. Notre comportement tout entier, en tant que représentation, a son mouvement propre. Nous démembrons ce que nous représentons, nous le décomposons et le recomposons, nous cherchons à atteindre ce qu'il y a derrière et enfin, nous définissons la chose. Nous en avons un concept. Nous cherchons l'unifiant de la multitude de ses apparences. Nous l'appelons: le général. Et ici encore l'être est égal à la pensée.

L'être ainsi tombe sous la dépendance de la représentation en tant que perception. Percevoir, c'est percevoir le *présent* dans sa *présence*. En celle-ci, la pensée trouve la mesure de son propre être. La pensée est cette présentation du présent qui nous livre la chose présente dans sa présence et la place ainsi devant nous pour que nous nous tenions devant elle et qu'à l'intérieur d'elle-même nous puissions supporter cette tenue. C'est ainsi qu'elle est *re*-présentation [2]. Esse = percipi, dira finalement Berkeley. Hegel achève cette histoire et la résume ainsi: les Grecs en étaient au stade de la *thèse*. L'être égale alors le général, l'abstrait, sans relation au sujet. Avec Descartes, la philosophie a franchi une nouvelle étape, celle de l'*anti*-thèse, de l'opposition par la réflexion: l'objet devient objet pour un sujet et celui-ci devient «pour soi». Avec l'idéalisme allemand, enfin, la *médiation* apparaît comme telle et c'est la synthèse. Quelle fut, dans ce développement, la place de Parménide? Croyant reprendre l'Eléate, Hegel le traduit ainsi: «La pensée – *Denken* – et ce pourquoi est la pensée – *Gedanke* – sont une même chose. Sans l'étant dans lequel elle s'énonce (*en ô pephatismenon estin*), tu

[1] *VA*, p. 233, trad. p. 282.
[2] *VA*, p. 141, trad. p. 167.

ne trouveras pas la pensée, car il n'y a rien et il n'y aura rien, en dehors de l'étant. Telle est la pensée principale. La pensée se produit et ce qui est produit est une pensée. La pensée est ainsi identique à son être; car, il n'y a rien hors de l'être, cette grande affirmation» [1].

Mais est-ce bien ce que signifie la sentence de Parménide? Nous savons déjà que celle-ci prend place dans un tout autre contexte. A coup sûr, pour elle la pensée n'est pas qu'un *plus* au milieu de l'étant. Elle n'est pas non plus un non-sensible ou un suprasensible, opposé au sensible. Elle n'est pas davantage purement et simplement l'être. Ce que nous dit la sentence de Parménide, c'est que l'être en tant qu'apparaître nous livre l'être en tant que pensée, qu'ainsi *phusis* et *logos* sont identiques, naissent ensemble, appartiennent l'un à l'autre et pourtant se distinguent. Comment cela est-il possible?

6. *La doxa est la patrie de l'homme*

Avant d'arriver à la demeure de la déesse qui ouvre les portes du Jour et de la Nuit, les portes verrouillées sur l'abîme d'où tout surgit, il faut cheminer lentement, la char roule sous la conduite des Héliades. Il roulera longtemps. Aussi longtemps que nous vivrons. La déesse qu'Héraclite aussi nomme Destin – *Dikè* – (fragments 23, 28, et 80) ne nous donne pas la clé qu'elle détient. Elle ne nous introduit pas au coeur de la vérité. Elle n'octroie au penseur que des *semata*, des signes sur sa route. Les paroles sur l'être ne sont que signes. La vérité est indissociable du chemin qui mène à elle et le penseur est toujours en route. Mais pour entendre ainsi le début du poème, pour voir qu'il ne s'agit pas d'un ornement allégorique, il nous faut découvrir de plus près que sous son apparence poétique et fragmentée, l'œuvre est d'un seul tenant et d'une architecture rigoureuse.

Deux voies s'ouvrent d'abord devant le char du penseur: celle de l'être et celle du non-être. L'Eléate est catégorique: «l'être est et le néant n'est pas» (fragment VI, 1). Ce dernier chemin est un sentier où l'on ne trouve absolument rien à quoi se fier. «Car, on ne peut ni connaître ce qui n'est pas, – il n'y a pas là d'issue possible – ni l'énoncer en une parole» (fragment II, 7) [2].

[1] *Cours d'histoire de la Philosophie*, Oeuvres complètes XIII, 2ème édition, p. 274.
[2] Heidegger compte encore les vers de Parménide d'après la numération de Diels.

«Il ne reste donc qu'une seule voie dont on puisse parler, à savoir qu'il est ...» (VIII, 1). Il faut choisir entre l'affirmation absolue et la négation radicale (VIII, 1). A la suite de cette première interprétation de Parménide, le sens commun occidental pensera que quelque chose est ou n'est pas, comme il croira ou savoir ce qu'est une chose ou se tromper sur elle. L'être sera plein, sans degrés et il n'y aura nul intermédiaire entre la vérité et l'erreur. Claudel sera entendu seulement comme un poète, lorsqu'il écrira dans l'*Echange:* la vérité a dix-sept enveloppes, comme les oignons. Le fragment VI du poème en particulier pose seulement qu'un énoncé ou une pensée doit toujours avoir un être positif pour objet, car, y lit-on, la négation de l'être conduit au rien et le rien d'existe pas.

La déesse parle pourtant d'un troisième chemin, celui de la *doxa,* mais il n'est que moqueries pour ceux qui le prennent, pour ces double-têtes qui se font illusion et oublient la simplicité monumentale de l'être (VI, 5). Celui qui ne veut pas poser la distinction claire entre le oui et le non est condamné à errer dans le fatal labyrinthe et à ne plus voir l'être mais les seules choses de ce monde.

Pourtant, et c'est là la question tant disputée de l'unité du poème, l'Eléate identifiera finalement cette *doxa* si longtemps méconnue à la patrie de l'homme et donc au lieu de la Vérité. Mais qu'a donc dit Parménide? M. Wahl a parlé de la singularité du philosophe qui en un seul poème a chanté deux chants [1]. M. Beaufret a rappelé quelles interprétations en furent données au siècle d'or de la philologie, à la fin du dix-neuvième siècle [2]. Comment relier «les paroles de la vérité» et «les paroles de l'opinion» ? Comment rassembler ce qui parle de l'être et ce qui, dans une sorte de cosmogonie, parle de jaillissement et de disparition? Nietzsche dans *la Philosophie à l'époque tragique des Grecs* avait présenté la dernière partie du poème comme la philosophie du jeune Parménide influencé par Anaximandre. Les érudits se partagèrent ensuite en deux camps adverses: Zeller, Willamowitz, Gomperz considérèrent ce passage comme un développement «hypothétique»: ce serait le cosmos vu par le sens commun.

abandonnée aujourd'hui. Ce que nous appelons le fragment II est chez lui le fragment IV.

[1] *Etude sur le Parménide de Platon,* Paris, p. 75.

[2] *Le poème de Parménide,* Paris, P.U.F. 1955, p. 20.

Après avoir posé le concept de l'être, il fallait, semble-t-il, décrire les phénomènes illusoires. D'autres, au contraire, dans une interprétation qualifiée de «polémique» y virent une doctrine jugée fausse par Parménide. Pour Diels, il s'agissait de l'école héraclitéenne, pour Burnet, des Pythagoriciens alors nombreux en Grande Grèce.

Mais en 1916 parut à Bonn l'essai de Karl Reinhardt: *Parmenides und die Geschichte der griechischen Philosophie* et Heidegger nous dit qu'avec lui, «pour la première fois fût conçu et résolu le problème si souvent débattu des deux parties du poème».[1] Les travaux les plus récents d'un autre philologue Hermann Fränkel complètent ceux de Reinhardt.

La difficulté de l'unité du poème, c'est celle de la connexion de l'*alètheia* et du *nous*, de la vérité et de l'esprit, avec la *doxa*. L'effort de Reinhardt est de reconnaître la place de la *doxa*, de la réintégrer et de montrer qu'une des deux parties ne peut être sans l'autre. Il en fait, en face d'un système de la vérité, un système de l'illusion humaine à prendre toutefois au sérieux puisque c'est la déesse qui en parle. Cette remarque de Reinhardt nous introduit à ce qui semble l'interprétation rigoureuse du poème. Toutefois elle n'est pas suffisante pour arracher la *doxa* au monde du mensonge. En effet, «l'unité ontologique qui est à l'origine de l'*alètheia* et de la *doxa* échappe à Reinhardt. Il n'en voit pas la nécessité» [2]. Quand il veut décrire la situation de la doxa par rapport au *nous*, il se rallie implicitement aux interprétations les plus traditionnelles. Il ramène Parménide au platonisme d'une représentation de deux mondes opposés, celui des idées et celui des apparences, alors que chez Platon le vrai problème demeure celui de la nature de cette différence qui n'est pas séparation mais liaison. Reinhardt voit alors dans la *doxa* la conséquence d'une sorte de chute originelle et l'assimile anachroniquement à la subjectivité de la connaissance. Il ne montre pas comment, sans cette *doxa* qu'il a pourtant en un certain sens réhabilitée, les paroles de vérité ne sont plus elles-mêmes.

C'est en effet le difficile concept de *doxa* qui manifeste la situation de l'homme telle que l'impliquent les paroles sur l'être et le

[1] *SZ*, p. 223, note 1.
[2] *id.*

non-être de la première partie. Car non seulement les choses finies, celles qui apparaissent, qui naissent et qui meurent forment ici-bas notre patrie, mais c'est *à travers elles* que fait irruption la pensée de l'être.

7. *Le royaume de la doxa, c'est celui du parler du langage*

Parménide fonde la *doxa* sur le langage et constate au fragment VIII, 34, «jamais sans l'être où il est devenu parole, tu ne trouveras la pensée». A nous de comprendre ce qu'exprime ce renvoi à l'herméneutique et de quelle herméneutique première il s'agit.

Le *noein,* avons-nous vu, est fondé dans le *legein* et déploie son être à partir de lui. Le fait de prendre-dans-son-attention est fondé dans le fait de laisser-apparaître ce qui apparaît. Ainsi le noème – *noèma* – ce qui est pris dans l'attention du *noein* est-il toujours déjà ce qui est laissé-étendu-devant par le *legein.* C'est pourquoi le-devenu-parole où il faut chercher le pensé, repose dans le *legein* qui laisse la chose présente étendue dans sa présence et c'est bien là où les Grecs l'ont perçu. En conséquence, devenir parole pour la chose, ce n'est pas être exprimée après coup ou par accident, comme si elle avait d'abord été donnée dans la pensée. Le nom ne s'ajoute pas à la chose déjà constituée comme s'il n'était qu'une étiquette. Il concourt à la constitution de la chose.

Chercher le pensé dans la parole n'a donc rien de commun avec le simple travail d'interprétation du mot, comme s'il fallait passer de la manifestation sonore – *phonè* – au signifié – *sèmainein.* Il ne s'agit pas d'aller du phonétique au sémantique. L'expérience grecque présente en Parménide est tout autre, qui perçoit le parler comme *phanai* et le langage comme *phasis* [1].

Que signifie *phaskein?* On le traduit par appeler, célébrer, s'appeler, mais ces divers sens révèlent l'origine même du mot qui est *faire apparaître. Phasma,* c'est l'apparition des étoiles ou de la lune et leurs *phaseis* en sont les phases, c'est-à-dire les modes changeants [2]. Par le fait même *phèmi,* tout comme *lego,* doit se traduire par: amener la chose présente devant nous, dans sa présence, l'amener à apparaître et à rester étendue.

[1] Ce que Parménide nomme *phasis,* c'est ce que Héraclite nomme *logos:* "ne m'entends pas moi, mais le *logos* . . ."

[2] *VA,* p. 244, trad. p. 295.

Ce qui intéresse Parménide, c'est d'examiner où le *noein* a sa place puisque c'est là seulement que nous pourrons voir comment la pensée fait corps avec l'être. Le fragment VIII nous rappelle que le prendre dans son attention et ce qu'il a perçu sont *une chose dite*, amenée à paraître. Mais où? Parménide répond: *en tô eonti*, dans l'*eon*, dans l'étant. Ainsi faut-il nous délivrer définitivement du préjugé hâtif d'après lequel la pensée serait *exprimée* dans la parole prononcée. Nulle part, il n'en est question. Nous en arrivons au point décisif: le *noein* perçoit seulement cette chose unique nommée dans le fragment VI *eon emmenai*, l'étant présent dans sa présence. L'herméneutique n'est donc jamais purement et simplement l'interprétation du langage au sens moderne de ce mot. Elle est herméneutique de la chose dite, c'est-à-dire de *l'étant présent dans sa présence* [1].

8. *La voie du non-être ou l'unité ontologique qui est à l'origine de l'alètheia et de la doxa*

Mais si le carrefour du langage s'identifie à celui de la doxa, c'est qu'il ne suffit pas de reconnaître les deux voies de l'être et de l'apparaître. Il faut y découvrir celle du non-être. En celle-ci tombe l'opposition être-devenir, être-apparaître et être-pensée qui résume les deux autres.

C'est ici où l'analyse de Parménide se complique. En effet, tout en baignant dans le climat qui fût celui des premiers Grecs, il inaugure la métaphysique qui se caractérise précisément par cet oubli du non-être.

Le *legein* et le *noein* appartiennent à l'apparaître de l'*eon emmenai*. Ce qui constitue la pensée, le *legein* et le *noein* qui deviendront plus tard l'énoncer du langage et le percevoir de la raison, nous renvoient à la manifestation – *Wesen* – de l'étant présent. L'*eon emmenai* ordonne la jointure de *legein* et de *noein* dans leur rapport à lui. C'est lui qui invite, qui appelle le *legein* et le *noein*, comme c'est lui qui est appelé et pris en garde par eux.

Ainsi sommes-nous toujours déjà dans la présence de ce qui est présent avant même de le savoir et d'y prêter attention. La manifestation de la chose, son *Wesen*, ce qui constituera en métaphysique sa choséité, est le véritable a priori. C'est ce que Kant a manqué:

[1] Nous aurons à voir dans un autre travail comment au début de ce siècle Husserl revécut cette expérience, sans pouvoir d'ailleurs finalement l'interpréter.

si l'être ne s'était pas manifesté comme présence, il ne pourrait aucunement devenir objet. S'il ne règnait pas comme *einai*, aucun espace ne s'ouvrirait où Kant puisse écrire une seule phrase de sa *Critique de la Raison Pure.*

Nous ne sommes pas dans n'importe quelle présence puisque celle-ci est toujours orientée singulièrement par l'étant présent. Avant de connaître quelque chose comme objet, ce n'est pas en général que nous le connaissons; nous le connaissons toujours déjà comme tel ou tel.

Pourtant en elle-même l'orientation due à l'*eon emmenai* demeure cachée. L'étant en insistant obture l'ouverture et s'impose de manière telle que la pensée occidentale croira que le dévoilement subsiste par lui-même, sans voilement, le dit sans non-dit, l'être sans non-être. La façon dont la parole est «disante», ce que Parménide appele *phasis,* ce que Héraclite nomme *logos* échappe alors. Désormais ce qui parle dans chaque mot et non seulement dans chaque mot, mais avant tout dans l'articulation des mots entre eux, ce qui ainsi constitue la jointure et l'emboîtement du langage sombre dans la nuit. La métaphysique semble l'ignorer, qui va se servir instrumentalement du langage et oubliera la musique du monde.

Pourtant chez Parménide, alors même qu'il s'agit du domaine de l'illusion, c'est la déesse qui parle: tout à la fois la doxa vient de l'homme, la doxa vient des dieux. C'est ainsi que la seconde partie du poème est capitale et éclaire rétrospectivement la première. En tant qu'elle est donation du nom, la doxa porte en elle une contradiction. Le mot, comme la chose, dit et ne dit pas. Les noms ne sont que *sèmata,* signes sur le chemin de la recherche de la vérité où la déesse entraîne le penseur. Ils sont signes à travers – *dia* – les choses de ce monde. En eux se dit et se cache la transcendance de l'être qui s'anéantit en se donnant à penser. C'est seulement à partir de cette transcendance qu'est possible l'intentionnalité. L'être se donne à penser dans le *legein;* du fait même [1], notre *legein* sera toujours *homolegein.* Toutefois, parce qu'il ne se donne jamais en général mais comme présence de la chose présente, il ne cesse de se manifester autre que lui-même. Il établit sans cesse une différence. Pourtant c'est lui qui, à travers cette différence, est atteint immédiatement. Il n'y a pas, en effet,

[1] *WG,* p. 15.

à chercher d'autre médiation que l'apparaître qui constitue la «médiation absolue».

Nous recevons le *legein* originel qui nous présente la chose présente. Mais voici que notre *noein* y prend garde et, à l'intérieur de ce *legein,* se met en mouvement. C'est le travail de la pensée, le dur effort du concept dont parlera admirablement Hegel sans pourtant découvrir que cet effort ne se nourrit pas que de lui-même. A l'intérieur de la non-vérité, c'est-à-dire de l'orientation qui demeure cachée et se dissimule, il y a antagonisme du vrai que nous énonçons et de la présence. Mais d'abord, *il arrive quelque chose* et c'est ce qui est décisif [1].

Ainsi l'accueil de la *doxa,* de l'apparaître, n'est pas naïf: le *noein* est *paradoxa.* Il se met en face de la doxa. Dans ce qui s'offre et s'ouvre en nous, une question est posée. Le sens, en elle, n'est pas séparé de la chose; il est présence de la chose. La réponse du *noein,* c'est l'interprétation qu'il donne du *legein* originel, *c'est le vrai qu'il pose à l'intérieur de la vérité.* Sa réponse ne sera jamais exhaustive; elle sera toujours recommencée. Aussi l'expérience est-elle toujours expérience de non-savoir, c'est-à-dire du non-être. Ce n'est point, comme on l'a tant cru, l'être qui est pensé dans la pensée. La pensée n'existe que tenue dans le rien, qui n'est qu'un autre nom de l'être – *huparkein* – disait Aristote, *in esse* écrivait St Thomas. Quand dans ce qui va suivre nous parlerons de coïncidence de *noein* et d'*einai,* nous voudrons exprimer cette unité dans la différence.

Habitant cet «événement», les Grecs de l'époque parménidienne sous le mot *eon* n'entendent ni le nom «étant», ni le verbe «être». L'*eon* est *entre* les deux. A partir de Platon, les grammairiens pourront dire qu'il est *participe* parce que, de fait, il participe tantôt au verbe, tantôt au nom. Du même coup, tantôt au monde de ce que la métaphysique nomme l'être, tantôt au monde de ce qu'elle nomme l'étant. Au temps que nous envisageons, il n'en est pas ainsi pour la bonne raison que ces deux pôles ne sont pas encore séparés. Aucun *chorismos* ne s'est ouvert entre eux [2], ils sont au même lieu. A plus forte raison, l'*eon* n'est

[1] Nous verrons plus longuement dans un autre travail sur *Mythos-Logos* ce qu'est cette dialectique herméneutique et comment, à partir d'une spéculation commune, elle se distingue de la dialectique métaphysique, celle où être et non-être s'opposent comme des *contraires.*

[2] *WD,* p. 174.

pas conçu dans la dépendance d'un supra-sensible auquel, au-delà de lui-même – *meta* –, participerait le sensible. L'*eon* dont il est question chez Parménide précède cette disjonction des deux pôles qui, en les isolant, n'a pu les laisser identiques à eux-mêmes.

D'une certaine manière, le poème du grand ancêtre se situe spontanément et sans y prendre garde dans le jaillissement même, dans le Pli, – *Zwiefalt* –, celui-là dont nous avons parlé dans l'introduction, qui s'ouvre à chaque instant dans l'homme et le constitue. Mais parce que ce pli semble se perdre dans l'inconsistant, la pensée ultérieure s'attachera aux différents de la différence et oubliera la différence elle-même. Tantôt, traduisant l'*eon* par le substantif, elle se soumettra au règne de l'étant. Tantôt, le traduisant par le verbe, elle croira s'établir en pleine évidence d'un être qu'elle hypostasie.

Interprétée à la lumière de la maxime de Parménide, la pensée n'est présente ni en raison des étants, *eonta*, ni par soumission à l'être, *einai*. Ni l'étant «en soi» ne rend nécessaire une pensée, ni l'être «pour soi» ne la commande. La pensée déploie son être au sein et à partir du Pli d'où surgissent, dans la parole de l'homme, ce qu'il appelle l'être et ce qu'il appelle l'étant. Nous n'en sommes pas encore au moment où, pour reprendre une comparaison de Heidegger, le poisson sera tiré hors de l'eau, sur l'une ou l'autre berge, sous prétexte de mieux savoir ce qu'il est.

Si l'*eon* est le Pli, Heidegger peut traduire le fragment de Parménide de la manière suivante: «car, séparé du Pli, tu ne peux trouver la pensée» – *ou gar aneu tou eontos ... eureseis to noein* (fragment VIII, 35) [1]. La pensée est présente en raison du pli qui, par contre, n'est jamais dit. La voie du non-être ne cesse de rencontrer celle de l'être et de l'apparaître. Leur carrefour est la patrie même de l'homme. Il constitue le *da*, l'ouverture où, dans l'homme, jaillit la pensée.

9. *Parménide, père de la métaphysique*

Toutefois Parménide n'en reste pas à la position de son époque. Son coup de génie, dont nul n'eût pu prévoir les conséquences, tient en cette déclaration en apparence la plus simple, mais dont deviendra tributaire toute la pensée ultérieure: *l'étant est.* Hei-

[1] *VA*, p. 245, trad. p. 296.

degger s'engage audacieusement dans la tâche de mettre en évidence les relations invisibles qui lui paraissent constituer le lien de la doctrine de l'Eléate alors que ce dernier ne les a pas pensées parce que ces relations demeuraient encore hors du cercle des choses qui méritent d'être pensées. Les Grecs ne les pensaient pas parce qu'ils *habitaient* dans cet être – *Wesen* –, dans ce règne du parler du langage [1]. Il s'agit donc de dire ce qui fut sans pour autant avoir été dit. L'auteur d'*Essais et conférences* ne se dissimule pas que l'interprétation des fragments en question prend alors l'apparence inévitable d'une chose arbitraire et forcée; c'est le risque d'une telle reprise historique.

Pour qui analyse la courte proposition: l'étant est, il y retrouve inclus les deux pôles de l'être et de l'étant qui jusqu'alors n'avaient jamais fait l'objet d'une prise de conscience distincte et explicite. Pour la première fois, Parménide conçoit clairement et purement la manifestation lumineuse – Wesen – qu'accomplit la pensée et qui l'accomplit elle-même. Penser, c'est toujours dire *est*. Nous ne le savions pas. Eugen Fink rappelle dans *Zur ontologischen Frühgeschichte von Raum, Zeit, Bewegung* [2] que nul ne voit une couleur ou ne sent un parfum sans que *soit* le vu et le senti; pourtant nous ne voyons ni ne sentons ce *est*. Il représente l'ajout de la pensée, non que notre pensée le produise: *elle le manifeste en se manifestant*. La pensée est ouverture pour l'être. La conclusion en est simple: à partir de Parménide, l'être est pensé comme présence de l'étant. L'étant qui est, du même coup, exclut son non-être.

La philosophie commence avec cette séparation d'être et de non-être à travers le logos qui dit l'étant comme étant, en le coupant du non-étant. L'accomplissement de cette scission pose la pensée dans le *legein* d'un *on* qui est seulement étant et ne s'identifie plus au Pli. «Au commencement de la tradition ontologique décisive pour nous, – chez Parménide explicitement –, le phénomène du monde fut manqué» [3]. Ainsi naquit l'ontologie et avec elle l'énigmatique juxtaposition du logos de la proposition et du logos de l'existence. D'une part, le *est* joue la fonction de copule – *logos ti kata tinos:* dire quelque chose sur quelque

[1] *VA*, p. 228, trad. p. 276.
[2] La Haye, Nijhoff, 1957, p. 55
[3] *SZ*, p. 100.

chose –: la logique va proliférer, tandis que d'autre part se développera une métaphysique de l'être.

Etre et non-être s'opposeront désormais comme deux contraires, dans le refus du «pas encore» et du «ne plus». L'étant est, dit Parménide. Le multiple n'est pas, dit Zénon. Le mouvement n'est plus alors que celui de l'esprit à travers ses *logoi*. Il n'est plus situé où il était jadis, lorsqu'il exprimait, sans même qu'on y prenne garde, la dispensation de présence attribuée à chaque instant par la Moira à travers l'étant présent que manifeste la pensée.

Au stade de Parménide, rien de tel n'est encore affirmé. Le sens demeure très vif de l'unité primordiale de pensée et d'être à partir de laquelle s'affrontent les dieux et les hommes. Témoin en est le fragment III: *to gar auto noein esti te kai einai*, c'est le même qui est à être et qui est à penser. Il s'agit apparemment d'un prédicat. Cette proposition pourrait signifier que la pensée, envisagée pour son propre compte comme un étant présent au milieu des choses présentes, et l'*eon*, considéré en lui-même, sont une seule et même chose. Ce serait donner dans l'interprétation métaphysique. *To auto* est le sujet de la phrase. Le côté mystérieux de ce mot-énigme est accentué par l'intervention de la déesse. C'est pourquoi ce qui s'offre au penseur comme chose à penser demeure en même temps voilé quant à son origine essentielle. La relation originelle de la pensée et de l'être exprimée par le *to auto* se situe dans le Pli. Affirmer: «l'étant est et n'est pas son non-être» ne pouvait qu'en compromettre l'incessant jaillissement au profit d'un durcissement et d'une fixation de l'essence de toute chose. Cette thèse de toutes les thèses est exprimée en effet dans l'incise: puisque la Moira a imposé à l'étant d'être un tout et immobile... La Moira était conçue comme l'unification et la manifestation de présence de chaque instant. Le nouveau dogme: l'étant est en transforme la notion par l'élimination du temps C'est aussi de là que surgit la contestable notion d'ab-solu qui régira la métaphysique. Celle-ci, tout en gardant pour aventure l'admirable jeu du *legein* et du *noein* c'est-à-dire du dire et du penser, a cessé de le placer dans le pli de l'*eon emmenai*, de l'étant présent chaque fois nouveau. Le discours n'est plus que discours de l'âme avec elle-même. A l'incessant mouvement qui repose dans la seule pensée et la constitue s'oppose l'intemporelle immobilité de ce qui est à penser. Comment dès lors sortir de l'insularité?

CHAPITRE II

PLATON

I

Heidegger suit à propos de Platon la même méthode que pour son étude de Parménide. Contrairement à Hegel, qui dans son effort pour retracer l'histoire de la pensée ressaisit essentiellement celle-ci à travers ses manifestations, le philosophe de la Théorie de la Vérité chez Platon – *Platons Lehre von der Wahrheit* – s'efforce de reprendre chez les penseurs ce qui ne fut pas dit, ce qui dans l'être n'a pas été pensé [1] et à partir d'où peut s'éclairer tout ce qui fut dit. Il nous en avertit dès les premières lignes [2].

1. *Le Visible et l'Invisible*

C'est en se situant aux frontières du visible et de l'invisible qu'il va donc aborder sa recherche. Le cas qu'il examine est d'ailleurs privilégié puisque ce qu'il va tendre à cerner chez le philosophe grec, ce n'est ni plus ni moins que le débat entre le visible et l'invisible. Dans quelle mesure ce visible et cet invisible correspondent-ils au manifeste et au caché auxquels Heidegger faisait allusion ? C'est de leurs correspondances et de leur différence qu'est né en effet ce qu'il appelle la métaphysique.

Au livre VII de la *République,* le mythe de la caverne illustre le passage des ténèbres à la lumière. La simplicité apparente de ce texte est redoutable. Elle cache une ambiguïté fondamentale. Deux significations se coupent et se recoupent perpétuellement à l'intérieur du récit. L'une d'elle s'inspirerait de l'esprit de haute époque, l'autre constituerait la nouveauté de l'auteur des *Dialogues*.

[1] *ID*, p. 44.
[2] *PW*.

Platon ne situe pas de prime abord les hommes dont il parle et qui selon lui figurent l'humanité, en plein soleil, dans un paradis originel. Il les décrit dans les profondeurs d'une caverne souterraine où ils sont enchaînés dès l'enfance, tournant le dos à l'entrée et sans pouvoir bouger la tête. Devant eux s'élève une paroi sur laquelle se jouent des ombres. Ce sont celles d'objets dressés sur un mur extérieur et derrière lesquels brûle un feu. Mais les prisonniers de l'antre l'ignorent. Leur captivité même leur échappe. Ils se croient chez eux, dans la condition humaine normale. Les ombres qu'ils ont devant eux ne sont d'ailleurs pas totalement inconsistantes. Elles ne sont pas rien. Indiscutablement, elles ont quelque vérité – *alèthes* – elles constituent un premier dévoilement et représentent la seule manifestation que les captifs aient expérimentée. Comme l'accorde Glaucon à Socrate, n'ayant jamais rien vu d'autre, ils ne peuvent que prendre ces ombres pour des objets réels.

Mais voici que la délivrance arrive pour certains. Ceux-là sont déchargés de leurs chaînes. Toutefois, ils ne peuvent encore sortir de leur prison souterraine. Se tournant vers le dehors, ils aperçoivent pour la première fois, à la lumière du feu, les objets dont provenaient les ombres. Leurs yeux, accoutumés aux ténèbres, ont du mal à se faire à cette clarté nouvelle. Ce qui est plus vrai,– *alètheron* – leur semble de prime abord moins réel que les ombres familières dont ils restent captifs. Pourtant, les voici désabusés.

Ce n'est cependant que dans un troisième temps, lorsqu'ils sortent de la caverne, que les objets leur sont donnés, tels qu'ils sont, très dévoilés – *alèthestera* – à la lumière du soleil. Et l'histoire ne s'arrête pas là. Il leur faut redescendre à l'intérieur de la caverne, retourner près de leurs compagnons et s'efforcer de les détromper. Ils ne sont pas crus sur parole et c'est une lutte à mort (la mort de Socrate).

Platon lui-même, aussitôt après ce récit, en donne une interprétation [1]. De même que cette caverne est l'image de notre condition, les ombres sur le mur figurent les étants au milieu desquels nous vivons et que nous manions tous les jours. Ces étants ne sont pour lui que l'ombre de leurs idées. Ils représentent dans l'allégorie, les objets dressés sur le mur extérieur de la caverne. C'est de ces idées que les étants tiennent leurs contours et leurs

[1] 515 a 8 bis, 518 d 7.

formes, comme le montre le feu qui les éclaire et les projette. Mais Platon ne prend pas ces contours et ces formes pour un pur «aspect» – *eidos* – Ils correspondent à la façon dont l'objet se rend «présent» comme tel.

Ce serait une erreur pourtant de croire que les idées se suffisent à leur tour et qu'elles se donnent à nous. C'est le soleil, dont Platon fait l'image du Bien, qui nous les révèle et nous les donne.

II

2. Le mouvement de la vérité dans le jeu legein-noein...

Heidegger estime qu'à travers cette interprétation de Platon par lui-même passe un double courant dont il est possible de suivre les directions divergentes. Tandis que l'un correspondrait à l'originelle préoccupation du caché et du manifeste, l'autre tendrait à imposer le primat, inconnu jusqu'alors, du visible et de l'invisible.

Suivant la première tendance, ce qui prédomine, c'est l'incessant combat du dévoilement contre le voilement. Dans cette perspective, se situe la description de chacun des séjours de l'homme et surtout le *passage* de l'un à l'autre; Platon, commentant lui-même ce texte, nous affirme qu'il symbolise l'éducation – *paideia* – : «Maintenant, dis-je, représente-toi notre nature telle qu'elle est ou n'est pas éclairée par l'éducation...» [1]. La *paideia* est toujours une victoire sur la non-éducation – *apaideusia* – comme le vérité est une victoire sur la non-vérité. Elle arrache l'homme à son monde de vie commune et quotidienne et le conduit en un autre lieu, celui dont Parménide avait déjà souligné le caractère surprenant et redoutable. Il ne faudrait pas croire, en effet, qu'elle est accomplie dès qu'on a quitté l'entrée de la caverne, ni même qu'à un moment quelconque, elle soit assurée. Elle exige une lutte incessante, que rappellerait durement au besoin le quatrième épisode.

A chaque étape de cette révolution de l'âme, de ses tours et de ses retours – *periagogè holès tès psuchès* – ce qui est se révèle davantage. Pensée et être vont de pair. C'est sans doute que Platon est encore attentif à ce *même* – *to auto* – dont ils surgissent

[1] 514 a.

et qui demeure le sens de leur commune apparition. Le dévoilement ne s'opère que dans une *correspondance* de l'âme qui doit passer elle-même d'état en état. Toute sa liberté est dans cette exactitude. En cette liberté réside l'essence de l'éducation qui est retournement et conversion de l'être de l'homme. La sagesse – *sophia* – consiste alors pour lui à exister en ce qui éclôt, en ce qui est présent comme dévoilé.

Platon ici en reste à l'appréhension grecque originelle qu'il ne «pense» pas, vivant lui aussi spontanément en elle, sans revenir en arrière sur sa propre position. Cette appréhension, c'est celle du jaillissement de la *phusis*, d'une phusis qui est *logos* et dans sa présence rassemblée, suscite à la fois l'être et la pensée – l'*einai* et le *noein* –. L'interprétation platonicienne de la présence peut être comprise à partir de l'étant défini à l'avance par le fait de luire et de se manifester (de *phuein*). Comment les idées pourraient-elles valoir comme le plus étant de l'étant, s'il n'était d'abord décidé ce que signifie: être étant, c'est-à-dire la monstration surgissante, l'offrande d'un aspect et la constitution d'un visage [1]?

3. deviendra contemplation des Idées

Mais une autre orientation est perceptible dans le commentaire même de Platon. L'itinéraire de l'âme passe au second plan. L'accent n'est plus mis maintenant sur le mouvement de dévoilement, mais sur la visibilité et le degré de lumière, l'ombre, le feu et l'éclat du soleil. L'âme ne mesure plus à sa liberté de plus en plus grande l'expression croissante de son unité originelle avec ce qui est. Elle reçoit pour tâche de s'adapter dans un effort persévérant et méthodique à ce qui paraît.

Pourquoi l'âme fait-elle effort? Parce qu'elle cherche à voir. Qu'est-ce qui provoque cet effort? La lumière. L'esprit – *nous* – est *hèlioeidès:* il est de même nature que le soleil. Il appartient à ce monde lumineux par excellence qu'est le monde intelligible. C'est pourquoi, destiné à la lumière, il est fait pour la capter et elle est faite pour le subjuguer. Or la caractéristique des idées, c'est comme leur nom l'indique leur aptitude à être vues. Ce qu'on appelle *idea*, c'est ce qui surgit quand l'aspect des choses, leur *eidos*, apparaît, tel qu'il est, au regard du *nous*. Sa richesse

[1] *NI*, p. 505.

intelligible se confond avec sa luminosité. Toutefois, le *nous* ne parvient pas d'emblée à cette adéquation – *homoiôsis* – avec l'idée. Tandis que dans la perspective ancienne, l'unité du *nous* et de l'*einai* était posée dès l'origine à l'intérieur d'un même jaillissement et que les passages de séjour en séjour n'en faisaient qu'enrichir la manifestation, il est exigé maintenant du *nous* un rude effort, *mogis orthotès*, pour égaler sa vision, à ce qui lui pré-existe, se présente immuablement à lui et est à voir.

C'est sur cette exigence d'égalisation, d'adéquation, qu'est fondée désormais la connaissance. Que ce principe représente un beau risque et un défi singulier, nul n'en doute. Il faudra attendre plus de vingt siècles et la phénoménologie pour le mettre en question et réveiller en nous l'intuition contraire, à savoir que le vu ne s'égale jamais à ce qui est à voir.

Le parti adopté par Platon l'amène à instituer un programme nouveau afin d'éduquer le *nous* à la lumière et par la lumière. Il s'agit en effet pour lui de remonter toute une hiérarchie d'idées jusqu'à la première qui s'identifie avec le soleil. D'ailleurs l'idée des idées n'a pas seulement en propre de se découvrir au sommet de la contemplation: source de la vérité que l'on voit, elle est également source de l'être que l'on est. Quand le *nous* dans un mouvement ascendant a secoué cette allégeance au monde des apparences, il atteint en effet, d'idée en idée, jusqu'à celle qui dans son éclat éblouissant et sa toute-puissance mérite le nom d'être. Par une conséquence d'une stricte logique, l'Idée des Idées est le Bien – *Agathon* – et la source du Bien. Elle devient cause et cause des causes. Non seulement dépend d'elle tout ce qui est, mais tout ce qui est reçoit d'elle de devenir cause à son tour. Elle rend propre à ..., elle rend bon à ... C'est ainsi que les idées, dans leur luminosité même, recèlent la puissance d'engendrer le multiple et le sensible qui est le royaume du commun des mortels.

III

Les deux interprétations qui, d'après Heidegger, courent à travers le texte de Platon permettent de mieux mesurer quel apport décisif constitue cette primauté accordée à l'invisible et au visible sur le caché et le manifeste. L'initiative de Platon, aussi géniale que lourde de conséquence pour toute l'histoire de la pensée, s'est développée à la fois *à partir* et *à l'encontre* de la situation originelle de l'esprit grec. Les questions que pose Platon naissent de l'expérience du dévoilement premier de l'être. Le mythe de la caverne est impensable sans cette manifestation vécue. Tout y est décrit à partir du dévoilement – *alètheia* – c'est-à-dire de cette épreuve de la vérité. C'est pourtant la notion même de vérité qui va être transformée et recevoir une spécification et des développements imprévus.

Alors qu'elle était d'abord événement et n'avait d'autre forme que son surgissement de la *Lèthè,* du voilement originel; alors qu'elle constituait le «même» qui pour Parménide laisse être dans le pli à la fois ce qui est pensé et le fait de le penser; alors que la vérité formait ce troisième terme qui suscite les deux autres, voici qu'elle reçoit une règle nouvelle. Elle est caractérisée tout autrement. Au lieu de correspondre à l'unité originelle de l'être et de la pensée, elle devient la conformité acquise de l'esprit à l'idée, c'est-à-dire à ce qu'il voit. Or ce que voit le *nous* s'impose avec des traits empruntés à l'idée des idées : unique, préexistant, immobile, durable et incorruptible, en opposition au changeant, au transitoire et au précaire qui servent désormais à désigner exclusivement les apparences trompeuses et inconsistantes. Chez Parménide, nous l'avons vu, la *doxa* dépassait jadis le désordre déroutant de la multiplicité des choses sensibles à travers le *logos* qui rassemble. Maintenant, le devenir est opposé à l'être comme un non-être, de telle sorte que l'idée, qui s'identifie désormais à l'être, exclut d'elle-même tout devenir.

Ce qu'elle est, l'idée le fait voir à l'esprit droit. Le règne des essences intemporelles est né. C'est à travers la même idée d'arbre que nous pouvons en tous temps voir les arbres divers que nous rencontrons. Comme par ailleurs, l'idée est tout entière dans ce qu'elle fait voir et qu'elle n'a rien d'autre à laisser pressentir, ce qu'elle fait voir épuise ce qu'elle est. Ce qui va être appelé l'essence exprime alors toute la richesse de l'être qui autrefois se cachait en même temps qu'il se révélait. Du même coup, il n'est plus question d'attribuer les manifestations de l'être à une dispensation de présence. L'essence subsiste, identique à elle-même à tout instant. Il dépend de l'esprit d'y égaler sa vision. Les disciplines d'éducation du regard tendront à occuper la place qui revenait jadis au dialogue avec le don imprévisible de la destinée – de la *moira* – ou de la *dikè* –. Avec ce règne des essences intemporelles, s'annonce la constitution d'un savoir propre à l'esprit, celui de l'humanisme.

L'idée, en privilégiant l'essence, privilégie un certain mode d'apparition de l'être, une certaine présence de l'être. La présence est appréhendée sous un angle spécial, comme ce qui luit, – *to phainotaton* – et comme ce qui est vu. Apparaître alors, c'est indiscutablement surgir, ouvrir l'espace et se rassembler en le suscitant. Mais c'est aussi s'étendre dans cet espace ouvert, offrir un visage et s'y maintenir. L'accent est en quelque sorte porté sur la face «extérieure» qui se dessine, s'étend et appelle le regard. Ainsi est consacrée la prééminence du vu [1]. Et puisque le divers n'est intelligible que par *son* idée, ce qui est atteint, c'est une sorte de présence commune, la présence des présents au pluriel, fait remarquer Heidegger [2], d'où naîtra par la suite la notion ambiguë du général. Dès lors, l'être qui ne fait qu'un ici avec l'idée, tend à son tour à être confondu avec le général – *koinon* –. Ce *koinon* exprime du même coup l'Un – *Hen* – qui pourtant ne se réduit pas à signifier le genre, mais continue à marquer l'origine, comme il le faisait précédemment chez Parménide et Héraclite. C'est déjà l'ambiguïté qui va marquer toute la métaphysique où l'unité signifie l'Un, ce qui est défini par l'unité, mais aussi cette unité définissante elle-même [3]. Les conséquentes funestes apparaîtront au mieux chez Leibniz.

Par une nécessité inéluctable, outre ce général, il faudra en arriver un jour à exprimer aussi la présence du singulier. C'est à cette double présence que répondront chez Aristote le *ti estin* et l'*oti estin*, le fait d'être et le fait d'être tel être, le *que* et le *ce que*. L'inéluctable question née un jour en Grèce et que les hommes vont indéfiniment moduler: qu'est-ce que l'étant? se décompose alors en plusieurs interrogations: qu'est ce qui fait que nous comprenions *qu*'il existe? que nous le comprenions comme *ce qu*'il est? Les concepts d'essence et d'existence seront désormais associés, ainsi que le dit Heidegger, comme il y a des chiens

[1] *EM*, p. 139, trad. p. 196.
[2] *N2*, p. 406.
[3] *N2*, p. 436.

et des chats [1]. De cette distinction naît la métaphysique qui la subit comme une évidence sans poser ni même soupçonner le problème de son origine.

L'idée de Platon n'en demeure pas moins ce qui permet d'échapper à l'incohérence du flux des choses sensibles. Aussi l'être est conçu en opposition au devenir comme ce qui demeure; en opposition à l'apparaître, il est le modèle toujours semblable à lui-même; en opposition à la pensée, il est ce sur quoi l'on pense; en opposition au devoir, il est ce qui est à réaliser. Demeurer, être continuellement égal à soi, être fondement, être modèle, le sens est toujours le même. La présence est représentée avant tout comme stable. L'idée est ce qui se tient au-dessus de ce qui échappe. Elle est l'intelligible au-dessus de l'inintelligible. Elle est ce qui est au-dessus de ce qui n'est pas. Au-dessus ou au-dessous, peu importe. Nous avons déjà là la notion de suppôt – d'*hupokeimenon*, de *subjectum*. Tout au long de la philosophie occidentale, l'être confondu maintenant avec l'idée sera désormais défini en ce sens comme sujet, comme ce sur quoi on peut compter, s'appuyer et se reposer. Il faudra toutefois attendre le monde moderne pour que ce sujet soit compris comme Moi et pour que nous passions de la métaphysique de la subjectité à celle de la subjectivité.

Ce double avantage de l'idée de constituer ce qui est et de représenter le général, c'est-à-dire le même auquel appartiennent les étants multiples, explique le rôle qu'elle joue. Le fait quotidien que le charron fabrique des ustensiles donne à penser quelque chose d'unique: en faisant la table, l'ouvrier regarde l'idée. C'est l'idée comme modèle qui inspire l'artisan lorsqu'il essaie de faire passer la forme dans la matière inerte que travaillent ses mains. Cette perpétuelle imitation est ce qui engendre les objets fabriqués où se retrouve toujours un éclat atténué de l'*eidos* de l'*idea*.

Quel artiste chacun de nous ne serait-il pas, demande Platon au livre X de la *République* [2], s'il était capable, grâce à cette *mimesis* de peupler l'univers d'objets semblables à tous ces modèles intelligibles? C'est pourtant ce que nous sommes sans le savoir. Le regard fixé sur les idées, nous ne cessons en toutes

[1] *KM*, p. 202, trad. p. 280.
[2] 596 c.

circonstances, de susciter la figure véritable de ce monde qui passe.

Si ces perspectives platoniciennes sur la condition humaine ont obtenu d'âge en âge un si profond retentissement, c'est qu'elles sont soutenues par ce que Platon dévoile dans le *Banquet* et surtout dans le *Phèdre*: par l'amour – l'*erôs* – de l'être. Ce qui constitue l'homme, c'est le regard sur l'être [1]: «l'homme ne peut être incarné et vivant que s'il a déjà aperçu l'être». L'être le fascine. Il le tire et l'arrache à lui-même pour une contemplation enivrée. C'est le Beau qui est l'approche la plus prompte et la plus intime de l'être et constitue la révélation de sa vérité.

Cette extase dans l'être à travers la beauté consacre le triomphe du visible mais l'âme trouve aussi au-delà d'elle-même le divin – *theion* – proprement dit, dont l'évocation traduit la double influence des courants qui traversent l'œuvre de Platon. Heidegger a bien garde de réduire l'auteur des *Dialogues* à l'un ou à l'autre. Il insiste pour le rattacher à ses ancêtres. Malgré son «parricide», Platon n'a-t-il pas écrit dans le *Théétète* [2]: «Le grand Parménide, notre père Parménide, ce blanc vieillard de noble aspect, ce héros vénérable et redoutable aux profondeurs sublimes ...». Par ailleurs, Platon, surtout après la crise du Parménide, n'a-t-il pas prévu le premier les objections que lui adresseront plus tard ses contradicteurs? De la tradition la plus ancienne, il a retenu un sens de l'être dont témoignera jusque dans les temps modernes une certaine mystique néo-platonicienne, ou pour reprendre le mot du P. Festugière, une «foi à l'être» dont la réserve, la liberté et la grandeur ne sont plus à dire. Cependant l'œuvre de Platon comporte une doctrine du divin qui pour une part va orienter la pensée ultérieure en des sens inattendus et contribuer à fonder la métaphysique.

En posant le monde intelligible comme source et soutien du monde sensible, Platon a voulu consolider l'univers des apparences. Mais les âges postérieurs retiendront plutôt la séparation des deux mondes que leur lien. Il arrivera même une époque lointaine, celle de Nietzsche, où le monde des apparences prendra en quelque sorte sa revanche et pour avoir assimilé l'idée des idées

[1] 249 c.
[2] Théétète, 183 e.

au *to theion*, Platon préparera le moment où toute une génération le déclarera inutile, insoutenable et sans force. C'est tout d'abord du dieu des idées qu'on annoncera la disparition. En second lieu, en identifiant à l'être l'idée des idées et celle-ci au *to theion*, Platon a préparé le chemin qui conduira à faire de Dieu le plus haut des étants. Dans cette perspective, l'être ne laisse rien soupçonner de lui-même en dehors de ce qu'il manifeste, – *to phainotaton* –. Il est réduit de la sorte à la condition propre de l'étant. C'est à ce dieu que peut être appliqué le mot d'Aristote à propos du monde des idées: il devient la copie de sa copie.

Sous quelle influence le discours sur le divin s'est-il ainsi constitué en tant que science? Nous pouvons sur ce point écouter Aristote. Il nous explique que depuis Parménide, il y avait eu Socrate. Il réagissait contre la sophistique qui abusait des changements incessants de l'être et en arrivait à soutenir l'identité du même et de l'autre. Elle tombait dans un pur nominalisme. De l'impossibilité de parler, elle en venait à celle de penser. Socrate a délivré son temps de ses contradictions en fondant la science sur l'immuable et en s'attachant à définir le contenu des idées. Ainsi, abandonnant sa demeure primordiale – *ethos*, qui était aussi *logos*, *phusis* et *kalos* – ce qui deviendra la pensée, la nature et la beauté, l'homme a créé la science – *epistèmè* –. C'est ainsi qu'il y a une logique, une physique, une éthique et une esthétique [1].

Mais si prophétique qu'ait été Socrate et si appliqués que soient demeurés ses disciples, il n'en reste pas moins que c'est de ce Dieu dont, à la fin de la métaphysique, Nietzsche dira «il est mort».

[1] *HB* Francke, p. 39, trad. p. 137.

CHAPITRE III

ARISTOTE

Ce qui n'est encore chez Platon que tendance, s'exprime chez Aristote dans un savoir constitué. La structure onto-théologique fondée par le saut dans l'*Agathon* devient souverainement décisive pour la philosophie occidentale. C'est avec l'auteur de l'*Organon* qu'à proprement parler, «Dieu est venu dans la philosophie» [1]. Car pour la première fois, selon le vocabulaire de Heidegger, une philosophie s'est présentée, c'est-à-dire une démarche de l'esprit qui, s'appliquant à l'étant, le pense de telle manière qu'elle exige par essence que Dieu vienne en elle-même, non sans avoir *déterminé à l'avance la façon dont il y viendra* [2]. Tout est déjà accompli au livre lambda de la *Métaphysique*, où nous apprenons du premier moteur immobile que «si le divin est présent quelque part, alors il est présent dans une nature de ce genre». C'est l'établissement de cette onto-théologie que nous allons nous efforcer de ressaisir.

On ne saurait négliger sa portée. Aristote et plus encore la conception que nous en avons, ont une importance toute particulière dans la crise de Dieu que connaît notre époque. Historiquement, c'est la conception aristotélicienne de Dieu qui a orienté pour une grande part notre civilisation, Son système était prêt à être repris et utilisé. La scolastique, qui est avant tout une théologie chrétienne et part de la Révélation, lui a infusé une vitalité nouvelle, non, à coup sûr, sans en modifier le sens. Malgré tout, le Dieu chrétien s'est trouvé compromis avec le Dieu de la métaphysique. Les choses ont encore été embrouillées par le fait que ce sont des théologiens arabes, puis chrétiens, qui ont révélé la philosophie d'Aristote au Moyen-Age et

[1] *ID*, p. 53 et p. 70.
[2] *ID*, p. 52.

Etienne Gilson a montré à propos de Duns Scot, qui reprend Avicenne, comment ce dernier a mélangé la théologie révélée à la théologie naturelle.

Toutefois cet accident historique n'est pas ce qui a conféré à l'ontologie classique son caractère abusivement «théologique». La caractère théologique de l'ontologie ne vient pas de ce que la métaphysique grecque a été transmise par la théologie chrétienne et transformée à travers elle [1]. Elle tient, nous venons de l'apercevoir à propos de Platon, à elle-même. Pendant des siècles, ce fut pour la philosophie une sorte de supériorité et pour les penseurs une sécurité, de posséder une théorie de l'être qui rattache de pareille manière Dieu à l'étant. Dans un récent séminaire de théologiens protestants, composé des anciens élèves de Marbourg et tenu à Höchst (Odenwald), le 22 octobre 1959, Heidegger jetait au contraire cette boutade qu'aujourd'hui une théologie devrait être faite – et peut-être, disait il, est-elle déjà faite – sans employer le mot «être», tant celui-ci a été chosifié. La question qu'une expérience de plus de vingt siècles de philosophie fait venir sur nos lèvres est en effet celle-ci: comment connaître comme un homme et comment parler humainement de Dieu sans porter atteinte à Dieu?

L'interprétation tendancieuse de Platon que voulut imposer Aristote n'a pas été sans aggraver les positions. Elle a contribué à couper la platonisme du soutien de la meilleure tradition. Si, en effet, les idées ne peuvent être que copies de leurs copies, comment s'étonner que le monde supra-sensible en ait été atteint? Nul plus vivement qu'Aristote n'a reproché au monde intelligible de n'avoir aucun efficace sur le monde sensible où nous vivons. Pourtant si Aristote s'en est pris à son maître, ce n'est que pour nous engager définitivement dans l'onto-théologie. En ébranlant l'autorité de Platon, le Stagyrite s'est lui-même mis en danger. Il a travaillé au discrédit d'un platonisme simplifié. Il a annoncé à sa façon, dans toute une lignée de penseurs, «la mort de Dieu». Son oeuvre y a perdu sa propre force.

Refuser de considérer l'être comme une réalité séparée, représentait cependant une révélation capitale par rapport au platonisme et de prime abord, cette démarche n'avait rien qui annonçât ce qui devait suivre. L'être n'est plus réservé au plus haut des étants: il appartient désormais à tout étant. Avec cette

[1] *WM*, p. 18.

découverte de l'unité de l'analogie, Aristote a posé le problème de l'être sur une base radicalement nouvelle [1].

Tandis que Platon dans sa considération de l'*ousia*, de la présence, en privilégiant l'*idea*, avait mis l'accent sur *une* sorte de présence de l'être de l'étant, Aristote va faire apparaître *une autre* sorte de présence. La prééminence accordée par l'idée au général – *koinon* – appelait de soi la redécouverte de son complément, la présence du singulier, celle de ce qui est là chaque fois. C'est à celle-ci, au ceci – *tode ti* – que s'attache Aristote. On répète habituellement que les rapports des deux penseurs s'expliquent en ce qu'Aristote a arraché les idées à leur ciel intemporel pour les faire descendre au cœur des choses individuelles où elles deviendraient des «formes» [2]. Mais plusieurs questions se posent aussitôt: comment Aristote a-t-il pu faire descendre les idées dans l'étant réel, s'il n'a au préalable conçu l'individuel qui est là, chaque fois, *comme* le présent authentique? Et comment aurait-il pu concevoir la présence d'un réel individuel, s'il n'avait auparavant saisi d'où provient toute présence?

Bien que chez lui l'*idea* garde une grande place, la présence qui se manifeste *chaque fois* pour Aristote n'est pas d'abord celle de l'idée. Il subordonne le débat du visible et de l'invisible à son mode personnel d'appréhension plutôt qu'il n'y subordonne ce dernier. Ce qui caractérise son inspiration, c'est le sens primitif du «ceci» de l'existant. Ce qui définit son œuvre, c'est d'avoir entrepris la première «philosophie» de l'existant. La continuité et la discontinuité d'un tel destin, c'est précisément «l'événement Aristote». Nous allons essayer de le circonscrire.

I. ARISTOTE PENSE LA PRESENCE COMME «ENERGEIA»

Contre toute attente, le «ceci» dont parle d'abord Aristote est distingué par lui de *ce que* nous nommons à tout instant – homme ou cheval – pour l'avoir perçu de quelque manière. C'est précisément au stade de cette perception première, antérieure à toute identification et fondement de toute herméneutique, que se découvre la présence privilégiée dont il est d'abord question. Elle n'est pas un prédicat, pas plus qu'elle ne se trouve dans ou par

[1] *SZ*, p. 3.
[2] *N2*, p. 408.

un autre. Elle est d'elle-même, c'est le *to auto* de Parménide et c'est bien le ceci – *tode ti, prôtè ousia* –, la présence première, qui apparaît alors, et par excellence, est déjà spécifiée. D'autres déterminations relèveront d'une seconde démarche toute différente, capable, comme nous le verrons, d'engendrer ultérieurement jusqu'à la logique.

C'est au contraire au singulier tel qu'il nous est livré dans une première approche, que fait allusion le début du cinquième chapitre des *Catégories* d'Aristote, quand il évoque ce qui est: «présent plus que tout et avant tout, dit plus que tout, sans être dit pourtant de quelque chose qui serait déjà là, par exemple un homme ou un cheval» [1].

1. La «phusis» comme «archè»

C'est cette présence du singulier que, pour commencer, nous allons chercher dans la *Physique* d'Aristote. Les huit livres de cette œuvre restent la base de notre civilisation qui pourtant en a débordé les prémisses. Ils demeurent le fondement de ce qui fut appelé plus tard «métaphysique», comme ils déterminent la structure entière de la pensée occidentale, y compris les temps modernes qui pourtant ont cru penser contre l'Antiquité. Sans eux, un Galilée eût été impossible [2]. Le premier chapitre du livre A constitue l'introduction classique à toute philosophie et vaut des bibliothèque entières. S'efforcer de le comprendre, c'est s'engager sur le chemin de la pensée.

Dans ce texte, Aristote considère le chemin conduisant la pensée vers la définition des choses qui sont par elles-mêmes, *ta phusei onta,* envisagées quant à leur être et vers la définition de cet être comme *phusis*. C'est le physique sans doute, mais aussi ce que nous appellerions aujourd'hui le psychique et le spirituel [3]. Nous reconnaissons là l'appréhension grecque originelle: le règne surgissant de la présence et cette force jaillissante qui s'impose encore à nous. Elle n'est pas toujours clairement pensée, mais nous sommes en elle et portés par elle. Dès les premières pages [4],

[1] *N2*, p. 405, cf. trad. Tricot: «La substance, au sens le plus fondamental, premier et principal du terme, c'est ce qui n'est ni affirmé d'un sujet, ni dans un sujet: par exemple, l'homme individuel ou le cheval individuel».

[2] *SG*, p. 111, trad. p. 151.

[3] *EM*, p. 13, trad. p. 24.

[4] 184 c 160.

ta saphestera te phusei sont distinguées de *ta hemin saphestera:* d'une part ce qui est premier pour nous, ce qui apparaît et que nous voyons, et, de l'autre, ce qui est premier en soi. Et le Stagyrite de chercher un chemin de l'un à l'autre, du plus accessible au moins accessible. Ce que Heidegger explique ainsi: «Mais le chemin (vers l'être de l'étant) est d'une nature et direction telles qu'il nous conduit des choses qui nous sont plus familières comme étant pour nous plus manifestes, vers ce qui – parce qu'il s'ouvre de lui-même – est en soi plus manifeste et avec quoi, en ce sens, nous sommes déjà en confiance dès l'origine» [1]. Une seconde idée est également contenue dans ce texte: nous passons de ce qui est le plus manifeste pour nous à ce qui est en soi le plus manifeste. En effet, c'est ce qui jaillit de soi qui est le plus manifeste et, d'une certaine manière, d'abord familier [2].

Ce que nous regardons comme le plus manifeste, c'est l'étant à chaque moment perçu. Et pourtant, Aristote dit: l'être est ce qui est en soi le plus manifeste. Ainsi donc dans cette considération de la présence du présent, nous sommes déjà en pleine différence de l'être et de l'étant, dans ce que Heidegger appelle le Pli – *Zwiefalt* –. Si l'être est pour nous moins manifeste que l'étant, c'est que le dévoilement de l'être est inséparable d'un voilement, c'est-à-dire d'un retrait. L'être se cache en se révélant. Parce qu'il apparaît dans l'étant, l'étant le dissimule et obture l'ouverture. C'est ce qu'illustre magnifiquement le texte classique: «De même en effet que les oiseaux de nuit sont éblouis par le lumière du jour, ainsi l'intelligence de notre âme par ce qui, de soi, par sa présence, est plus apparaissant que tout», c'est précisément, commente Heidegger, la présence même de tous les présents [3]. Rien n'apparaît à l'égal de l'être de l'étant et pourtant nous ne le voyons pas habituellement ou nous ne le voyons qu'avec peine. La démarche d'Aristote s'opère donc à partir de ce qui nous est le plus familier, mais aussi le moins connu, à savoir l'étant.

Le premier chapitre du Livre B interprète cette *phusis* [4]. Les

[1] *SG*, p. 112, trad. p. 153. Trad. Carteron, Coll. Budé: «Les choses les plus claires pour nous et celles qui sont plus claires en soi».

[2] Cf. aussi: *SG*, p. 126, trad. p. 163.

[3] *Métaphysique*, livre II, 1, 993 b, 8–11. La traduction Tricot, que nous avons empruntée pour la première partie de la citation s'achève par ces mots: «Ainsi l'intelligence de notre âme est éblouie par les choses les plus naturellement évidentes».

[4] Nous suivons ici le commentaire qu'en donne Heidegger dans *Il Pensiero*, Istituto editoriale cisalpini, Milan Varese, mai-décembre 1958.

diverses conceptions de ce qui, à travers les Romains, deviendra la Nature, naissent de ce commentaire. C'est ici que se trouve la racine cachée de la distinction entre nature et esprit et de ses conséquences. Ce qui semble décisif à Aristote dans la *phusis*, c'est la mobilité, *kinèsis*. Tout ce qui est de la *phusis* est *kinèsis*. Ainsi la présence est caractérisée par la mobilité et le repos. Dire que les événements naturels sont des mouvements, paraît aujourd'hui banal. C'est oublier que les formulations d'Aristote sont les premières. Les Grecs, avant lui, avaient sans doute fait l'expérience du ciel et de la mer, des plantes et des animaux en un incessant devenir et des penseurs avaient tenté de dire ce qu'est le mouvement. Mais Aristote, seul, s'est élevé à ce plan d'interrogation: qu'est-ce que l'être mû? Le mouvement n'est plus saisi comme une donnée parmi d'autres: il est source de tout. Tout est pensé en termes de mobilité. La *phusis* est *archè kinèseôs*. Elle sort d'elle-même et revient à elle-même, de telle sorte qu'en elle, tous les changements ont cette même caractéristique.

Dominés par la pensée mécanique des sciences naturelles modernes, nous avons aujourd'hui tendance à concevoir la mobilité comme s'il s'agissait du simple déplacement d'un lieu à l'autre. Telle serait la forme fondamentale du mouvement. Mais cette *kinèsis kata topou* n'est qu'une sorte de mouvement parmi d'autres et le changement de lieu d'ailleurs, nous l'avons vu à propos de l'espace chez Platon, ne doit pas être pensé comme le transfert d'une masse dans l'espace: apparaître, ce n'est point s'étendre dans un espace existant, c'est ouvrir l'espace, le susciter. La *kinèsis* dont nous parle Aristote doit être pensée par la *metabolè*, la transmutation. Tout est changement, métamorphose de quelque chose en quelque chose, *ek tinos eis ti*. Comme le montrent les exemples mêmes d'Aristote, tout se combine de multiples manières. Une plante, en restant là où elle est enracinée, croît, tandis que le renard qui court dans la forêt conserve son même pelage roux. Une chose peut à la fois dépérir et devenir autre: l'arbre qui se dessèche ne voit-il pas ses feuilles passer du vert au jaune?

2. *La «phusis» comme «hulè»*

Or cette *phusis*, certains déjà avaient essayé de l'atteindre. Les Eléates, Antiphon, par exemple, père de tout «matérialisme», l'avaient ramenée à la terre, à l'eau, au feu et à l'air. Ils envisageaient en elle le fait qu'elle ne cesse jamais et se représentaient cette permanence sous forme de l'élémentaire: ce qui est toujours là, le «sans composition», le simple à partir duquel naîtront tous les composés, le premier sans rythme – *proton arruthmiston* – en rapport avec tout rythme [1]. Les conséquences de cette prise de position sont considérables: tout ce qui s'ajoute à la nudité de la terre, tels les arbres qui sortent d'elle et à plus forte raison le bois tiré de ces arbres et plus encore le lit fabriqué avec ce bois, tout cela parce qu'il est *plus* que la terre, s'ajoutant à elle, est *moins* étant qu'elle.

Aristote s'élève vivement contre cette interprétation de la *phusis*. Dans la ligne d'Héraclite et de Parménide, il nous apprend à voir d'abord ce *surgissement de présence*, que sont les *phusei kinoumena*. Il n'y a de repos même, qui ne se définisse par un mouvement déjà accompli. Le repos se situe à l'intérieur de la mobilité, mouvement et repos sont les signes de la présence qui se dévoile de la sorte [2]. *La Physique* d'Aristote continue de décrire un dévoilement de présence, conformément au premier sens du mythe de la caverne tel que nous l'avons transcrit. Si tout ceci nous échappe aujourd'hui dans la vie quotidienne, c'est parce que nous ne pensons l'étant que comme «objet» et n'atteignons l'être de cet étant que comme objectivité de l'objet.

3. *Phusis et Technè*

Cette mobilité universelle est pourtant diverse, suivant qu'on la saisit en ce qui jaillit de soi et en ce qui est fait par l'homme. Ici et là, son principe – *archè* – n'est pas la même: ici et là, la mobilité se rapporte différemment à son principe: le principe de ce qui est fait est la *technè*. Il ne faut pas entendre ce mot au sens de notre «technique», encore que cette dernière en provienne, ni au sens plus large «d'art». La *technè*, chez Aristote comme chez Platon, reste liée à l'*idea*. Elle implique une certaine connaissance préalable de l'œuvre à faire et une reconnaissance de son œuvre par l'artisan. Pour faire un bois de lit, il faut, nous dit Platon, en

[1] *Métaphysique*, IV, 4, 1014 b, 27, trad. Tricot: on appelle ainsi nature l'élément primitif dont est fait ou provient un objet artificiel (*mè phusei*); c'est-à-dire la substance uniforme et incapable de subir un changement par sa propre puissance. Ainsi l'airain est dit la nature de la statue. Cf. aussi *Physique*, B 193 a; *Physique*, A 190 b.

[2] *Physique*, 192 b, 16-20, *Il Pensiero*, p. 140.

avoir d'abord l'image [1]. Quand, achevé, le lit apparaît comme tel à l'ouvrier, le mouvement propre au travail est accompli. Il a trouvé sa fin et son terme.

Fils de médecin, Aristote prend comme exemple son expérience la plus proche: le cas d'un médecin malade qui se traite lui-même [2]. Il découvre là une double source d'opérations: l'art médical comme *technè* et le retour à la santé, l'*hugiasis* qui, lui, a trait à la *phusis*. Les deux se déroulent dans le même homme. L'origine de chacun de ces mouvements, leur *archè* est différente. Celle du processus de la guérison se trouve au cœur même du malade en tant qu'il est homme et non pas en tant qu'il est médecin. Ce n'est pas le fait d'être médecin qui de soi le prédispose à guérir, mais sa *phusis*, sa nature, dirions-nous encore aujourd'hui.

La guérison n'a pas d'autre point de départ que la *phusis* et ne trouve pas d'achèvement ailleurs. Elle a son ordre dans la *phusis*. Dans sa *technè* le médecin possède l'*archè* du traitement. C'est cet art qui commande le traitement. A l'étudiant en médecine de s'y exercer laborieusement, mais si grand que soit le praticien, il ne disposera jamais de l'*archè* de la santé qui est le propre du malade, c'est-à-dire de l'homme en tant que tel. Cette distinction entre *phusis* et *technè* est essentielle, nous le verrons, à l'histoire de la pensée.

4. L'«energeia» ou l'«entelecheia»

Toutefois ces deux mouvements peuvent être envisagés en ce qu'ils ont de commun. Ce que nous enseigne essentiellement Aristote, c'est que chaque fois qu'un étant apparaît quelque part, qu'il soit fruit de la *phusis* ou de la *technè*, il prend la forme d'une œuvre, d'un *ergon*. Non au sens où ce mot désignerait une chose produite ou fabriquée, détachée de l'effort qui l'a suscitée et isolable en elle-même. Dans l'œuvre, se rassemblent à chaque instant, tous les mouvements qui contribuent à sa genèse. Ils y sont encore présents. Elle les contient et préserve leur accomplissement. Ils sont là, apaisés, dans la tranquillité de sa présence. A ce titre, les fabrications elles-mêmes, qui correspondent au *noein*, n'ont d'autre loi que le *phuein*. La maison qui nous

[1] *Phèdre*, 595–596; cf. aussi: *N1*, p. 198.
[2] *Physique*, B 192 b, 23–27, *Il Pensiero*, p. 144.

apparaît dressée là devant nous, ramasse en elle les forces et les mouvements qui l'ont construite et tient d'eux ses contours. Ceux-ci ne marquent point ses limites. Ils ne sont point la ligne que l'on trace autour d'elle, pour lui interdire de s'étendre au-delà de son domaine, comme s'il s'agissait d'établir une frontière ou de poser les bornes d'un champ. Ils sont ce en quoi elle est. La limite ici ne repousse pas. Elle tire, au contraire, la forme dans la lumière de la présence et porte cette présence, car tout ce qui se pose entre des limites et les remplit a une forme, une *morphè*. C'est dans ses limites que la maison s'accomplit. Elles sont son *telos* et *telos* n'en désigne ni le but, ni l'échéance: le mot marque simplement la fin et une fin qui n'a pas un caractère négatif, qui n'est pas au-delà de quoi il faut renoncer à être et à penser.

Elle marque au contraire ce qui est fin au sens latin de *perfectum*. C'est pourquoi, si Aristote nomme *energeia* la manifestation de présence que constitue l'*ergon*, il emploie aussi le nom d'*entelecheia* (*en telei echei*) [1]. L'*entelecheia* exprime la perfection de la présence rassemblée sur elle-même et nous rappelle que la détermination est essentiellement perfection. Heidegger croit pouvoir écrire dans son commentaire: *morphè mallon phusis*, la forme (est) davantage nature (que la matière) [2].

5. *La «phusis» comme «morphè»*

En plaçant ainsi la *morphe* au-dessus de la *phusis*, Aristote nous interdit cependant de voir en elle autre chose que la *morphè* de la *phusis*. En elle, la *kinèsis* première de la *phusis* devient *genesis*. Dans son énumération des divers mouvements [3], augmentation et diminution, transformation et déplacement, Aristote n'avait pas noté la *genesis*, car elle n'est pas un mouvement parmi d'autres. Les traducteurs ont surtout insisté sur le fait qu'elle n'est pas un mouvement. Pourtant ne ressort-il pas du contexte qu'elle enveloppe tous les mouvements?

Comment pour Aristote, la *morphè* transforme-t-elle la *kinèsis*, le mouvement de la *phusis*, en *genesis*?

Par elle-même, la phusis, commente Heidegger, est *ex phuseôs hodos eis phusin* [4]. A cete *hodos* – à ce chemin d'où provient notre

[1] *Il Pensiero*, p. 276.
[2] *Physique*, B 193 b, 6–8.
[3] *Physique*, E 1, 224 b 35–225 b 9.
[4] *Physique*, B 193 b, *Il Pensiero*, p. 287. Trad. Carteron: la nature comme natu-

nom de méthode – la forme fournit son *eidos;* la genèse – qu'il ne faut certes pas entendre au sens moderne de «génétique» [1] – est le passage de forme en forme. Toute forme est elle-même mobilité, elle est en chemin, *unterwegs*. Du même coup, ce qui compte, plutôt que l'apparu, c'est l'apparition. Par elle-même, la forme est tout entière à la fois déjà posée et à poser. C'est la forme à poser qui commande le dépassement de la forme déjà posée et tire tout à elle. La *morphè* appartient donc tout ensemble à ce qui n'est plus et à ce qui n'est pas encore. A l'*energeia* essentiellement *atelès* de la *phusis*, elle fournit chaque fois un *telos* qui cède la place à un achèvement nouveau. Par suite, la *phusis* va d'accomplissement en accomplissement.

Est-ce à dire que la *morphè* se fait elle-même et qu'elle exerce sur la *phusis* on ne sait quelle *technè* dont son *ergon* serait l'expression? La conception moderne de l'organicisme nous fournirait-elle à cet égard un mode de pensée approprié? C'est tout le contraire qui est vrai. La *morphè* ne se développe qu'en tant qu'elle est *phusis*. C'est en tant que *phusis* qu'elle va *ek phuseôs eis phusin*. La comparaison avec l'art médical peut encore éclairer sur ce point la pensée d'Aristote [2]. Lorsqu'un médecin exerce son art, il vise la santé de son client, *hugieia;* donc pour celui-ci, une situation nouvelle et meilleure de la *phusis*. L'art médical – *iatrikè* – est donc chemin vers la nature – *hodos eis phusin* –. Mais à l'instant même où semble s'établir une étroite correspondance entre *phusis* et *iatrikè* l'opposition éclate: c'est de façon contraire qu'à travers l'une et l'autre prend forme le *phusei on*, le jaillissement de l'étant.

L'art médical comme chemin vers la nature est un chemin vers ce qu'il n'est pas lui-même. Si c'était par nature qu'il s'exerçait, il ne conduirait qu'à lui-même; il serait chemin vers l'art médical. Mais à ce moment, il ne serait plus art médical; il aurait pour fin la perfection du praticien et non pas la guérison du malade. La forme, au contraire, surgit par nature, d'elle-même, sans pour

rante est le passage à la nature proprement dite ou naturée. Le texte grec auquel se réfère Heidegger est exactement: *genesis hodos estin eis phusin*. Ce vers quoi elle tend, c'est la forme; donc c'est la forme qui est nature, écrit Carteron.

Notons par ailleurs que les expressions «naturant» et «naturé» ne sont en rien grecques. Antérieures à Spinoza, elles se trouvent dès le XIIème siècle dans une traduction latine d'Averroès, puis dans saint Thomas et Descartes.

[1] *HW*, p. 315, trad. p. 278.

[2] *Physique*, B 193 b.

autant jamais revenir à son point de départ, comme la *phusis* qu'elle est.

Dans cet exposé d'Aristote, nous sommes assez loin de la représentation commune qui imagine que la forme est imposée d'en haut à une matière inerte et inépuisable, à laquelle elle imprimerait son sceau pour en tirer des séries d'exemplaires. On peut se demander comment pareil système est né. D'après Heidegger, il faudrait l'expliquer par le rôle qu'on n'aurait pu s'empêcher d'attribuer dans la constitution des choses à une sorte de «réserve» élémentaire, dont tout aurait été extrait et qu'on aurait nommée *hulè*. Or le commentaire du livre B de la *Physique* que nous suivons ici, donne une idée toute autre de cette réserve et de la *hulè* aristotélicienne.

D'un côté, Aristote s'attache comme nous l'avons vu à exprimer la présence du singulier, mais de l'autre, il souligne aussi une sorte d'absence. Le texte qui conclut l'interprétation de la *phusis* au livre B le précise [1]. La forme – *morphè* – peut s'exprimer de double manière, car la *sterèsis* aussi est aspect [2]. L'apparition et donc la *phusis* peut être envisagée soit en ce qu'elle élit, soit en ce qu'elle «laisse». Ce qu'elle «laisse» ne dépend pas seulement, comme l'a cru la métaphysique, de ce qu'elle élit et du même coup s'identifie à une certaine absence que nous appellerons l'absence dans la présence.

Comme les autres concepts auxquels Aristote donne pour des siècles une estampille philosophique, par exemple celui de catégories, le mot de *sterèsis* est introduit brusquement dans le passage cité, sans préparation ni explication. La traduction latine, *privatio*, exprime une sorte de négation. Mais si la négation est l'acte de dire non, elle n'est pas la traduction adéquate de *sterèsis*. La *sterèsis* n'est pas d'abord un dire, une *Verneinung*. Avant d'être proférée, elle est. C'est comme telle qu'elle s'impose, car «le rien est plus original que le non et la négation» [3].

Depuis que la métaphysique occidentale ne pense plus l'être comme tel, depuis qu'elle ne pense plus l'apparition, la vérité de l'être est surtout sa non-vérité, depuis qu'elle s'attache seulement à l'*ousia*, entendue comme étantité de l'étant, la pensée de l'être

[1] 193 b, 18–20.
[2] *Métaphysique*, V. 1022 b, 22. *Physique*, A 7–8; *Il Pensiero*, p. 284.
[3] *WM*, p. 29.

est opposée à celle du rien. Cette opposition tranchée accomplit du même coup l'expulsion du temps et du mouvement hors de la philosophie. Ce que Heidegger cherche à exprimer dans le commentaire de la *phusis*, comme en tant d'autres pages, c'est que ce qui est opposé à l'étant ou même à l'étantité de l'étant n'est pas, *ipso facto*, rien au sens de *nihil negativum* [1]: le mouvement qui suscite toutes choses, comme l'est la *phusis* grecque, n'est aucune chose. A travers la transmutation incessante des aspects de la «phusis», il y a un effacement et un surgissement continuels. Le bourgeon disparaît dans la fleur. La fleur s'effeuille et se perd dans le fruit. Présenter un aspect, c'est toujours devenir présent de telle sorte que cette présence contienne une absence. C'est en manifestant ce qu'elle commence de susciter, que la *phusis* s'ouvre et sort d'elle-même, de même que l'apparition de ce que préparait le grain s'identifie avec la déchirure et la disparition de celui-ci. Sans doute le grain ressurgira-t-il dans le fruit et en ce sens, la *phusis* est retour à soi. Peut-on dire pourtant qu'elle est assimilation, désassimilation et réassimilation au sens du «métabolisme» moderne? Non, parce que ce serait pervertir le sens aristotélicien de la *metabolè*, en revenir à Antiphon et expliquer l'univers par une combinaison d'éléments déjà donnés.

La *metabolè* aristotélicienne est caractérisée par la conception de la *dunamis* qui constitue la réserve véritable de toutes choses. Avant même le Stagirite, le mot de *dunamis*, qui appartient au langage quotidien, exprimait la puissance autant que la possibilité. Il désignait autre chose que la pure disponibilité à ... et annonçait une aptitude positive. En tension perpétuelle avec l'*energeia* qui est *entelecheia*, la *dunamis* impliquait une inclination vers ... et préfigurait ce que Leibniz reprendra *à sa façon* dans le *nisus*. Quand aux derniers temps de la métaphysique, Hegel transposera dans sa *Phénoménologie de l'esprit* la distinction *dunamis* et *energeia*, la *dunamis* sera l'être en-soi et l'intérieur, l'*energeia*, l'être pour-soi et l'actualisation, tandis que l'Esprit absolu sera en-soi et pour-soi. Chez Aristote, c'est la *phusis* qui est *dunamis* et *energeia*.

L'absence n'est pas le pur contraire de la présence. La *sterèsis* n'est pas purement et simplement absence. Comme *sterèsis*,

[1] Cf. avant-propos de *VWG*.

l'absence est pour la présence, l'absence est dans la présence, une présence dans laquelle l'absence, et non pas l'absent, est présent. Tout cela nous était déjà dit, sans que peut-être nous l'entendions, par les deux définitions de la *phusis* que nous avous rencontrées; la *phusis* est principe et la *phusis* est forme. D'un côté, la *phusis* est principe du mouvement de ce qui se meut de soi-même – *archè kinèseôs tou kinoumenou kat'auto* [1] – et à ce titre, elle est également principe de la forme. De l'autre, comme *morphè*, elle est *genesis, ex phuseôs hodos eis phusin:* c'est dans la forme que la *phusis* est principe. Dans les deux cas, elle est manifestation de présence – et présence de l'absence à soi-même.

Tout ce qui apparaît est de la sorte vérité, parce qu'à sa mesure, il correspond à un accomplissement de la *phusis*. Envisagé sous cet angle, le sensible – l'*aisthèton* –, le changeant, ce qui n'était que non-être – *mè on* – chez Platon est vrai et a sa perfection [2]. Dans la mesure où une sensation – *aisthèsis* – limite ses prétentions à son domaine, elle est toujours vraie: en ce sens l'œil découvre toujours des couleurs, l'oreille des sons. Quand il s'agit de «natures» simples, Aristote n'a pas d'autre conception de leur vérité. C'est à ce sujet qu'il écrit, excluant toute possibilité d'erreur: il y a ou il n'y a pas connaissance des êtres. C'est dans cette perspective qu'il serait faux d'attribuer au Stagirite la définition de la vérité, au sens scolastique d'*adaequatio rei et intellectus*. Son propre langage serait inintelligible s'il n'était fidèle à la conception originelle de la vérité comme dévoilement. Parce qu'il a le sens du jaillissement de la *phusis*, Aristote reprend à son compte et accentue dans la *Métaphysique* le mot de Parménide: ce sont les choses elles-mêmes qui ont tracé la voie au philosophe et l'ont contraint à une recherche plus approfondie. Il répète des philosophes qu'ils ont été contraints de suivre ce qui se montrait de soi-même et il précise enfin qu'ils ont été contraints par la vérité elle-même. Nous sommes loin de la théorie qui fait reposer la vérité dans le jugement.

[1] *Il Pensiero*, p. 287.
[2] *SZ*, p. 30.

II. L'ENERGEIA D'ARISTOTE EST ATTEINTE A TRAVERS L'IDEA

Pourtant, malgré ce sens éminent du singulier qui le rapproche des origines grecques, Aristote ne lui trouvera d'autre expression qu'inspirée de Platon. En s'attachant à la présence du présent, le Stagirite l'atteignait d'abord comme *energeia*. Il conservait ainsi en une certaine mesure le sens de l'être comme passage, mais l'*ousia*, bien que devenue *energeia*, tombe à son tour sous le joug de l'*idea*. C'est ce paradoxe que nous devons établir et étudier maintenant.

En effet, après avoir signalé la présence du ceci – *tode ti* – comme de ce qui n'est ni prédicable, ni situé dans un autre, Aristote dans le chapitre cinq déjà cité des *Catégories* [1], décrit un mode second de présence du singulier. Ce qui le commande encore, c'est à coup sûr la présence première dont nous avons parlé, mais cette fois-ci, c'est dans ses aspects – *eidè* – que cette présence est exprimée. Ainsi c'est tel homme singulier qui révèle en son aspect ce qu'est l'homme. De la sorte, l'*eidos* du singulier, c'est le général. Ces présences de deuxième ordre, *deuterai ousiai*, ne sont pas dites seulement dans les *eidè* où elles se manifestent. Elles le sont à travers l'arbre généalogique tout entier de l'ensemble des *eidè:* on passe de tel homme singulier à l'homme en général, mais de cet homme en général on peut remonter à l'animal en général et de là au vivant en général, et cætera [2].

Dans cette perspective, l'étant ne fait donc pas qu'apparaître, rassemblé dans son jaillissement: il est identifié et se manifeste de manière stable comme tel. Nous passons de l'herméneutique à l'apophantique en dehors du pli de l'être et de l'étant [3]. La place donnée par Aristote à la *genesis* lui aurait permis apparemment de maintenir la vieille tradition grecque de la vérité comme émergence et dévoilement. L'être et la pensée tirent alors leur unité du jaillissement de la *phusis*. L'esprit se constitue et prend forme lui-même à l'intérieur de l'unité que le *logos* primitif

[1] 2–11.

[2] Traduction Tricot: Mais on appelle *substances secondes* les espèces dans lesquelles les substances prises au sens premier sont contenues, et aux espèces il faut ajouter les genres de ces espèces: par exemple, l'homme individuel rentre dans une espèce, qui est l'homme et le genre de cette espèce est l'animal. On désigne donc du nom de *secondes* ces dernières substances, à savoir l'homme et l'animal.

[3] *SZ*, p. 158.

confère de soi-même à tout instant en nous offrant, *rassemblé*, la totalité de ce qui est. Le *noein* ici dépend du *legein* et lui appartient. Le *legein* rassemble et le *noein* prend garde à ...[1] Cette appartenance mutuelle de l'appel et de l'écoute constitue l'être en même temps qu'elle constitue l'homme[2].

Si, chez Platon, la vérité est devenue *homoiosis*, c'est-à-dire conformation méthodique du regard à ce qui apparaît, c'est qu'au contraire le philosophe supposait à l'origine un certain emprisonnement de l'esprit dans la caverne des ombres. Cet obstacle doit être surmonté pour que la pensée rejoigne l'être et y participe. Comme nous l'avons montré, le travail du *nous* prend la première place. De ce travail du *nous*, le *logos* devient l'œuvre et l'attestation première. Mais nous avons un *logos* d'une conception toute nouvelle, puisqu'il finit par exister comme une chose et être là pour soi. Parce qu'il est toujours *logos tinos*, le logos de quelque chose, ce dont il parle est là aussi de soi. N'étant plus au sein du jaillissement de la *phusis* ce qui recueille et unit, en les suscitant, l'esprit et les choses, il devient le mot proféré par la bouche de l'homme, qui de la sorte affirme sa «raison». L'adéquation – *homoiosis* – s'appliquant au langage désignera maintenant l'équivalence à établir entre ce qui est et le mot qui est à dire. l'exactitude se réfugie dans l'énoncé. Le vrai devient la qualité de la proposition bien construite. De ce *logos*, naîtra la logique de l'Ecole.

1. Métamorphoses du logos. Séparation de logos et phusis

Quoiqu'on n'ait jamais cessé de discuter sur le partage du «logique» et de «l'ontologique» chez le Stagirite, sans doute au stade où il en était, n'y avait-il chez lui à proprement parler ni l'un ni l'autre. Ce que nous trouvons en ces commencements décisifs de l'ontologie antique, c'est un *logos* qui est le seul fil directeur pour atteindre l'étant authentique et définir l'être de cet étant[3]. C'est à partir de là pourtant que l'œuvre d'Aristote permit à l'ontologie et à la logique de se constituer. *Pour ne pas s'être interrogé sur ce dédoublement de la présence que signale le texte des «catégories», pour avoir ensuite confondu sous les traits*

[1] *WD*, p. 124.
[2] *SF*, p. 28.
[3] *SZ*, p. 154.

de l'«energeia» aussi bien la pure approche du singulier que ce qui demeure comme tel dans le général – koinon ou katholou – où il s'exprime à travers l'emboîtement de ses multiples définitions, Aristote et surtout ses disciples ont ouvert la porte à la métaphysique, qui est onto-théologie.

Tentons de suivre, grâce à la notion de *logos,* cette constitution de la philosophie de l'existant. Le *logos* exprime ici l'*energeia* à travers l'*idea.* S'il y prétend, c'est que le second mode de présence que relatait le texte cité, le mode du «ce que» (du *was*), double et même supplante toute expression du singulier. Pourtant une deuxième constatation non moins importante s'impose: *l'hoti estin* (le *dass*), qu'Aristote nomme pour la première fois, garde et gardera la prééminence tout au long de la métaphysique, surtout lorsqu'il sera devenu l'*actualitas* et la réalité. Comment expliquer cet ensemble apparemment contradictoire?

C'est tout le drame du *logos,* dont les avatars reflètent l'ambiguïté correspondante de la notion d'unité. C'est le même qui est à être et à penser, disait Parménide. Puisque *legein* signifie rassembler, la *phusis* primitive dans son *logos* est de soi rassemblement. Dans l'«éclair» d'Héraclite, *logos* et *phusis* appartiennent l'un à l'autre [1]. Mais ce à quoi préside le *logos* dans le rassemblement qu'il opère à l'intérieur du jaillissement de la *phusis,* c'est à une distribution de présence telle qu'elle se manifeste dans le singulier. A partir du moment où l'unité n'est plus originelle, mais doit devenir l'œuvre du *nous,* lorsque le *logos* échappe à la retenue que lui imposait le dévoilement de la phusis [2], il devient la tâche de l'homme, mais prométhéenne puisqu'il lui faut s'emparer de la présence de l'individuel – *tode ti* – à travers la seule expression qu'il soit capable de former, celle de l'*idea.* Les métamorphoses du *logos* s'expliquent ainsi à partir du fait que l'unité de la *phusis* à chaque instant, au lieu d'être *constitutive de l'homme,* est maintenant *opérée par l'homme* et doit être introduite par lui dans la multiplicité de ce qui surgit.

Désormais ce n'est plus la parole qui a l'homme, c'est l'homme qui a la parole. Ce n'est plus la liberté qui a l'homme, c'est l'homme qui a la liberté [3]. Avec cette promotion, se profile à l'horizon le

[1] *VA*: Logos.
[2] *EM*, pp. 143–144, trad. pp. 201–202.
[3] *WW*.

destin de l'humanisme et s'annoncent les difficultés internes de cette œuvre nouvelle au nom significatif: l'ontologie.

Le *logos*, devenu énoncé, associe une diversité de mots. D'où l'homme confère-t-il à leur ensemble son unité? Platon a déjà répondu qu'elle se trouve en ce que le *logos* est toujours *logos tinos*, *logos* de quelque chose. Si les mots forment des phrases ayant un sens, c'est par rapport à l'étant qui se révèle dans le *logos*. Aristote fait un pas de plus et voit que le *logos* est en même temps synthèse et diarèse [1]. Il n'est pas l'un ou l'autre, jugement positif ou jugement négatif, mais les deux indissolublement. Il lie et sépare à la fois. Aristote en a constaté le fait, mais n'en a pas vu le problème. Le point de départ phénoménologique de sa description s'est brisé et il a fait une théorie du jugement [2]. Quel est ce phénomène qui, à l'intérieur de la structure du *logos* permet et commande à celui-ci d'être ainsi synthèse et diarèse? Avec Aristote nous restons dans le brouillard. On aurait pu croire pourtant que l'Aristote de la *Physique B* tenait la réponse entre ses mains: n'est-ce pas en effet parce que la *morphè* est aussi *sterèsis*, comme il l'a fort bien souligné, que le *logos* lui-même est astreint à cette condition?

Mais ce recours aux caractéristiques de la *morphè* aurait supposé qu'Aristote se maintînt dans la perspective première où la *morphè* est toujours *morphè* de la *phusis*. A partir du moment où l'homme est l'ouvrier du langage plutôt qu'il n'en est le gardien, tout jugement emprunte ses lois à la raison fabricatrice. C'est le règne des catégories. Elles sont ordonnées à exprimer la présence de second ordre, celle du «ce que». La détermination catégoriale de l'être obtient la priorité. L'analogie du *logos* et l'énigme du *pollachôs legesthai* sont perdues.

Les catégories – de *kat 'agorein*, qui signifie primitivement ce qui surgit et apparaît publiquement sur l'agora et secondairement les accusations portées officiellement – expriment maintenant les différentes perspectives selon lesquelles la raison aborde l'étant [3]. Celle-ci l'atteint selon ses qualités, *poion*, selon sa grandeur, son étendue, *poson*, selon ses relations, *pros*. Les catégories ou plutôt leurs schèmes, *ta schèmata tès katègorias*, sont les formes

[1] *SZ*, p. 159.
[2] *Ibidem.*
[3] *N1*, p. 529.

dans lesquelles la raison pose ce qu'elle aborde. L'étant est toujours envisagé de telle sorte. C'est pourquoi les *schèmata tès katègorias* ne sont rien d'autre que les *genè tou ontos*, les lignées de l'étant [1]. Les catégories peuvent être intelligibles en elles-mêmes et discutées dans leurs rapports réciproques. Depuis Platon, c'est cela la dialectique et c'est pourquoi la dialectique est logique. La raison apprend à se connaître elle-même en pensant l'étant et les définitions de l'être. La *Science de la Logique* de Hegel offrira de cette tentative le Concept absolu.

La métaphysique occidentale, c'est-à-dire la prise de conscience de l'étant comme tel dans son ensemble, définit à l'avance l'étant comme ce que la raison et la pensée peuvent saisir. La vie quotidienne ainsi que la réflexion métaphysique reposent sur cette confiance implicite dans la raison et ses catégories, ce qui entraîne une nouvelle notion de la vérité. Dans cette perspective en effet, le *legomenon*, ce qui est dit, demeure qualifié d'*alèthes*, c'est-à-dire de dévoilé, bien qu'il ne se veuille plus vrai parce que dévoilé, mais seulement comme dévoilant.

Par ailleurs, si les catégories expriment la présence de deuxième ordre, *la première présence est privée de toute expression.* Nous masquons cette frustration en la réduisant à un mode nouveau, «l'existence» au sens métaphysique de l'*exsistentia* classique que Heidegger traduit par *Vorhandenheit* [2]. De cette existence, là où elle est donnée, nous disons qu'elle est évidente; elle semble aller de soi. *L'évidence prétendue de l'«ousia» singulière et la traduction par le général de la seconde présence constituent, depuis Aristote, les deux symptômes d'un nouveau régime de l'esprit.* Nous avons en main l'*hoti estin* et le *ti estin* qui deviendront respectivement *exsistentia* et *essentia*, et vont courir côte à côte tout au long de l'histoire de la philosophie.

«*Quid enim magis clarum quam quid sit essentia et exsistentia intelligere*», dira plus tard Spinoza [3]. Pourtant dans l'étrangeté méconnue de leur dédoublement de présence, elles vont se trouver à l'origine des embarras de la pensée et donner lieu à l'onto-théologie.

Une fois perdu le sens de l'unique distribution de présence qui

[1] *N1*, p. 529.
[2] *SZ*, p. 42.
[3] *Cogitata metaphysica*, I, 2.

à chaque instant jaillit de la *phusis*, une fois oublié qu'en elle se trouve l'origine de toute manifestation du singulier, il ne restera plus à l'école aristotélicienne qu'à tout rapporter au jugement lui-même et à ses facultés de lier et de délier. Si dans la *Critique de la Raison pure* Kant enseigne que la table des catégories doit être déduite de la table des jugements, ce qu'il exprime ici, dans une forme qui, sans doute s'est transformée entre temps, est la même chose que ce qui fut accompli pour le première fois par Aristote plus de deux mille ans auparavant [1]. La copule «est» devient liaison. C'est la définition qu'en donnera le Littré. La raison sera conçue comme relation. Dans cette métaphysique qui parle toujours d'existence puisqu'elle en a consacré l'évidence, il y a, en vérité, inexpression de présence. Quelque chose d'essentiel en elle a été manqué.

Ainsi la métaphysique qui se pense originelle est, en réalité, dès l'abord orientée dans *une* direction définie. Lorsqu'elle croit jaillir de source, elle utilise les eaux d'un fleuve qui a déjà une histoire. A cause de la place primordiale attribuée au travail du *nous* qui maintenant est devenu maître du *logos*, la présence exprimée est restreinte à ce que l'homme perçoit. La perception de l'étant comme tel se développe dans ce qu'on appelle «la pensée» et celle-ci s'exprime dans l'énoncé. Elle dépend essentiellement de l'*idea*. Ce n'est plus la pensée qui vient à nous [2], car la pensée n'est plus le dictare *originel*, l'impératif de la vérité de l'être [3]. Ce n'est plus la présence qui cherche l'homme et le constitue. C'est l'homme qui vient à la pensée et c'est l'homme qui doit chercher la présence. La raison est l'instrument de cette recherche.

2. *Rôle du legomenon*

Le legein de Parménide était encore *phusis*. Chez Aristote comme chez Platon, *logos* a déjà les significations multiples de raison, jugement, concept, définition, fondement, relation [4]. Toutes ces significations proviennent d'un même présupposé: le *logos* fait voir ce dont il parle. Puisque'elle ne réside pas dans le son qui frappe nos oreilles, l'essence du langage consiste dans

[1] *N2*, p. 77.
[2] *AED*, p. 11.
[3] *HW*, p. 303, trad. p. 268.
[4] *SZ*, p. 32.

le rapport que celui-ci implique entre ce qui se trouve là et le fait de le laisser surgir dans la présence. Aristote s'est longuement expliqué sur cette fonction de la parole comme ce qui manifeste – *apophainesthai* – dans le *Peri Hermeneias*, chapitres 1 à 6, au livre Z 4 de la *Métaphysique* et dans l'*Ethique à Nicomaque* Z. Si obscurcie que soit l'appréhension du *logos* héraclitéen, un reflet demeure. Le *logos* est *apophantikos*, il *manifeste* l'étant et le rend *révélable* à d'autres. Cet étant *sur* lequel on parle, qui se trouve «en dessous» de ce que l'on dit est l'*hupokeimenon* (de *keisthai*, être couché). Comme le *logos*, l'*hupokeimenon* va maintenant acquérir un nouveau sens. Quand vient l'heure où se perd la vérité originelle qui donnait l'un à l'autre *logos* et *phusis*, chacun de ceux-ci semble aller de son côté. L'étant de la *phusis* est alors *kath' ou legetai ti*. Il semble présent et établi de lui-même, subsistant par lui-même; en face de lui, le *logos* qui parle sur lui, devient aussi *kat' auto*.

Cet autre *logos* n'est plus seulement rassemblement et laisser reposer du présent dans sa présence, *legein*, mais *legomenon*, un montré, un dit, le présent lui-même dans sa présence [1]. *Une équivoque dont les conséquences sont incalculables surgit alors, car, lorsque s'instaure ce face à face, le logos (legomenon) est envisagé à son tour comme un étant parmi d'autres étants.*

Parallèlement s'annonce la transformation de l'*hupokeimenon* en *subjectum*. Chez Aristote, en tant qu'*on energeia* c'est-à-dire présence de l'œuvre accomplie *à chaque instant* par l'*energeia*, l'*hupokeimenon* garde encore le double sens de substantif et de participe présent, exprimant à la fois *que* quelque chose est posé et *ce qui* est posé. Mais bientôt une évolution se produit au profit du «ce que». Ce dernier en effet est envisagé avant tout non plus comme ce qui surgit chaque fois, mais comme ce qui demeure avec stabilité au-dessous de la parole qui le dit. Une notion nouvelle s'efforcera à coup sûr de rendre compte des apparitions changeantes, celle des *sumbebèkota*. Toutefois ces *sumbèbekota* ne seront que des manières de *mè onta*, puisqu'ils n'existent qu'en s'ajoutant à l'*hupokeimenon* qui les supporte. Le concept d'accident est né. Il consacre celui d'*hupokeimenon* au sens de *substantia*.

Posé par le *logos* (*legomenon*) comme fondement immuable de

[1] *SG*, p. 179, trad. p. 232.

ce qui arrive, l'*hupokeimenon* le devient nécessairement du discours. Il en fournit le sujet. Le discours est modelé par l'*idea* et c'est ainsi seulement que peut et que doit naître la pensée conceptuelle [1]. Le sujet de l'énonciation est alors confondu avec la source de l'apparition. «Car sitôt que nous laissons être présent quoi que ce soit, nous le représentons comme ceci ou comme cela. Avec ce «comme ceci, comme cela», nous casons quelque part ce qui est mis en avant, nous l'y déposons en quelque façon, nous le posons sur un fond» [2]. Quoiqu'on dût en dire ultérieurement, *hupostasis-substantia* et *hupokeimenon-subjectum* sont au fond identiques. L'*hupostasis* désigne ce qui se tient là, devant nous, cet arbre dressé vers le ciel. En le spécifiant comme «couché», *hupokeimenon*, nous désignons la même présence. Que celle-ci s'offre d'une manière ou de l'autre, en l'occurrence peu importe. Ce qui est essentiel, c'est qu'il y ait émergence de quelque chose [3].

Lorsque le langage ne naît plus dans l'unité jaillissante de la *phusis* à laquelle il appartient, ce qui acquiert du prix dès lors, c'est qu'œuvre d'une raison indépendante, il soit position de quelque chose au-dessous de lui et à quoi il se rapporte comme du dehors.

Nous sommes loin de la *thesis* primitive des Grecs. Celle-ci n'était pas d'abord le fait de poser, car ce qu'on prétend «poser» ne peut être en fait que déjà donné. Cette conception de la *thesis* est ainsi aux antipodes de Kant et de l'idéalisme allemand qui, par suite de la primauté donnée par Descartes au sujet humain, verront dans la «position» une action spontanée et un mouvement du sujet représentant. Il faut ici entendre Platon lorsqu'au sixième livre de la *République* il parle du procédé des mathématiques et le nomme *hupothesis*. Il ne s'agit point de notre hypothèse moderne qui n'est qu'une pure «proposition». L'hypothèse platonicienne est la situation de fait dont partent les mathématiques: la courbe, la droite, les figures et les angles. Ils sont dits – *phanera* – [4] c'est-à-dire ce que chacun connaît d'avance et qu'il ne songe même pas à remettre en question, parce qu'il s'en sert immédiatement, même s'il doit, en un certain sens, le réinventer en le traversant comme une sorte de milieu transparent

[1] *HW*, p. 314, trad. p. 286.
[2] *SG*, 3ème leçon, p. 39, trad. p. 72.
[3] *WD*, p. 122.
[4] 510 d.

dont la présence était d'abord implicite. En ce sens la *thesis*, c'est le *dictare* originel; ce qu'exprime Platon à travers ce texte de la République, tout penseur, nous dit Heidegger, doit le voir à nouveau [1].

La démarche inaugurée par Aristote suppose au contraire une situation d'*extériorité*. Alors que le *logos* en se constituant comme énoncé s'est placé au-dehors de la *phusis*, c'est pourtant à celle-ci que de multiples manières il réserve la note d'extériorité. La *phusis* est ce qui se tient au-dehors, ce qui ex-siste. Pour lui-même l'esprit revendiquera l'intériorité: de là le faux-problème de l'*exsistentia*, (ou de la «réalité» qui n'en sera qu'un autre nom, quand l'*exsistentia* se sera transformée en *actualitas* ou plus tard en *dasein* kantien). Cette existence, l'idée s'efforcera en vain de la rejoindre. Nous retrouverons cette division tout au long de la métaphysique.

Le mot *exô* se trouve, pour la première fois, dans deux passages d'Aristote qui traitent également de l'*on alèthes*, de l'être de l'étant en tant que dévoilé [2]. Le dehors dont il s'agit, c'est celui qui est donné par la perception humaine et en dehors d'elle, *exô tès dianoias*. Le *noein* saisit l'étant extérieur, l'explique, l'analyse et ainsi l'expose. Car lorsque le *logos* se métamorphose, il n'abandonne pas pour cela la *phusis*. Il s'oppose à elle, «marche» sur elle et s'affirme, nous l'avons vu, comme celui dont dépendent ses déterminations. Percevoir, ce n'est plus prendre-garde-à l'émergence de l'être déjà rassemblé dans le *logos*: c'est atteindre l'étant qui se trouve à l'extérieur. Etant donné que l'*energeia* passe de forme en forme, on aurait pu penser, comme nous l'avons dit, que cette extériorité ne caractériserait l'étant – *on* – que la durée de son apparition. Mais une fois défini par l'idée, ce qui est acquiert permanence et stabilité au milieu du multiple et du changeant.

Ainsi, dès Aristote, prend forme une philosophie du sujet posé, de la subjectité. Il en sera de la sorte désormais. A travers les interprétations successives de l'*hupokeimenon*, la métaphysique tout entière restera une métaphysique de la subjectité [3]. La sub-

[1] *WD*, p. 122.
[2] *Métaphysique*, E 4, 1027 b, 17 et K 8, 1065 a, 21; *N2*, p. 417.
[3] *N2*, p. 450.

jectivité qui en est une forme particulière, n'apparaîtra pour son compte qu'avec Descartes lorsque le sujet privilégié s'appellera le Moi. Elle dominera les temps modernes.

L'étant est dit par cet autre étant que constitue le mot le disant. C'est ainsi que le prédicat est affirmé du sujet et que le sujet est défini par le prédicat. Ce qui est annoncé dans l'énonciation, ce n'est pas en vérité le prédicat, c'est le sujet lui-même. Mais parce que *logos* et *phusis* s'offrent maintenant séparément, la connexion sujet-prédicat semble l'œuvre propre du *nous*. On oublie que le prédicat aussi bien que le sujet, leur distinction comme leur unité, surgissent bon gré mal gré au sein du *logos* herméneutique originel. Si je puis dégager quelque chose comme des «qualités», si je puis dire, par exemple: le marteau est lourd, c'est parce qu'avant tout abord particulier et toute discussion de détail, le marteau m'est donné, de quelque façon, dans sa simplicité [1]. Quoiqu'on veuille, l'appartenance mutuelle du sujet et du prédicat, si dissimulée qu'elle soit, restera toujours dans le *logos* signe du singulier, de ce qui apparaît, chaque fois, du *noein* de la *phusis*. En raison de l'hégémonie de l'*idea* qui depuis Platon s'impose à travers l'*eidos* de chaque chose singulière, le prédicat appartient chez Aristote au général – *katholou* –. Il faudra attendre Kant pour en mettre en question la généralité et tenter de dissiper l'évidence vague que celle-ci aura possédée, pendant des siècles, sous le voile de l'*ens commune* de la métaphysique [2]. *La Critique de la Raison pure* renouera, la première, le dialogue avec Platon et Aristote, pour discuter leur point de départ.

Si novatrice que soit apparue la position d'Aristote par rapport à Héraclite ou Parménide, il n'en reste pas moins qu'elle aurait été impossible, si elle ne s'était référée obscurément à l'expérience originelle du *logos*. Cette référence obscure demeure aujourd'hui encore pour nous la précompréhension de l'être qui nous constitue. Le *nous* maintenant s'efforce par lui-même d'en masquer, d'en mimer et d'en dépasser les dons.

La *thesis* aristotélicienne qui a charge de surmonter la position d'extériorité dont nous avons parlé, devient en un sens nouveau *sunthesis*. Elle exerce la fonction purement apophantique de

[1] *SZ*, p. 154.
[2] *KM*, p. 21, trad. p. 72.

laisser voir une chose dans sa jointure avec une autre chose [1], avant qu'elle ne se transforme dans les temps modernes en simple lien de représentations. La difficulté alors est de passer du maniement de ces représentations données ensemble à l'affirmation d'un monde extérieur pareillement coordonné. Ainsi se posera chez Kant le faux problème des jugements synthétiques a priori.

Sur ce point encore une évolution se produit par rapport à Héraclite ou Parménide. Pour le premier, le *sunon* qu'est par essence l'étant est présence rassemblée [2], rassemblement du Tout auquel participe chaque étant, (tel le *nomos* dans la *polis* [3], l'institution, la structure interne de la cité), non pas un universel, qui planerait sur tout et n'atteindrait rien, mais au contraire, l'unité unifiant originellement ce qui aurait tendance à s'éparpiller. De même pour Parménide l'être est *Hen, suneches,* ce qui ne fait qu'un et unit sans cesse le multiple. Avec la constitution de la métaphysique, l'unité devient l'acte de la raison.

III. NAISSANCE DE L'ONTO-THEOLOGIE: «LOGOS», MOT QUI A LA FOIS CACHE ET REVELE

1. Le principe de contradiction

Les énonciations de la raison unificatrice sont subordonnées désormais au fait que les concepts qu'elle prétend rassembler sont unifiables. Autrement dit, elle est soumise au principe de non contradiction. Aristote aborde la question au livre IV de la *Métaphysique* [4]. Le principe de contradiction est la règle des règles, il appartient à la philosophie première – *prote philosophia* –. Est-ce à dire qu'il ne soit que «logique»? Se réduit-il à attester que l'affirmation, la déclaration – *phasis* – répugne à toute identification à la proposition contradictoire – *antiphasis* – [5]? S'il est appelé à en venir là, sans doute avait-il primitivement une tout autre portée. Il traduit alors beaucoup plus que la répugnance conceptuelle des contraires. A l'inverse de ce que pensera Nietzsche, il n'implique aucune supposition. Il se pose de lui-même. Parlant du fondement du principe de contradiction, Aristote

[1] *SZ*, p. 159.
[2] *EM*, p. 100, trad. p. 144.
[3] Frag. 114.
[4] IV, 3, 1005 b.
[5] *De interpretatione*, 7, 13, etc.

observe dans le passage cité: «C'est manquer de *paideia* que de ne pas savoir pour quelles choses il faut chercher une preuve et pour lesquelles, il ne le faut pas», et Heidegger commente ainsi cette *paideia:* «autant dire le don de discernement entre ce qui, grâce à des distinctions simples, est approprié et ce qui ne l'est pas» [1].

Originalement, le principe de contradiction atteste que toute absence arrache la présence à elle-même: l'étant ne peut à la fois en même temps – le *zugleich* kantien – apparaître et ne pas apparaître, puisque l'apparition est justement ici tout ce que nous avons à dire de lui [2]. Si nous considérons en même temps cette présence et cette stabilité qui nous sont données et un autre moment du temps où elles ne le seraient point, nous devons voir que ces moments ne coincident pas. Ils s'excluent nécessairement. L'exclusion vient par le temps. Sans doute est-il loisible à l'homme de se contredire, d'affirmer d'un même étant, sous le même rapport, le contraire. L'homme peut se tenir dans la contradiction. Elle ne lui est pas impossible, nous le voyons quotidiennement. Mais s'il arrive à l'homme de dire ensemble oui et non dans sa représentation de l'étant comme tel, il oublie et nie *ce qu'*il veut authentiquement saisir dans son oui et dans son non. Dans ces affirmations contradictoires que l'homme a la possibilité de proférer, il s'exclue de son essence, il se place dans sa non-essence, car *il dénonce le rapport qu'il a à chaque instant à l'étant comme tel* (*c'est-à-dire à l'étant apparu*) *qui le constitue.*

L'idée d'apparition implique donc fondamentalement celle de temps originel. C'est en se distrayant de ce fait essentiel, en substituant la *permanence* à l'*apparition,* qu'une métaphysique a pu se constituer comme logique. La présentation première du principe de contradiction s'est transformée en celle que nous retrouvons aujourd'hui dans tous les manuels, que l'histoire a considérée avec justice comme l'apport d'Aristote et contre laquelle s'élèvera Novalis lorsqu'il écrira: «anéantir le principe de contradiction, voilà peut-être la plus haute tâche de la logique supérieure» [3].

Pour avoir oublié que le rapport de l'homme à l'étant qui le

[1] *SG*, 2ème leçon, p. 30, trad. p. 62.
[2] *N1*, p. 602.
[3] Ed. Wasmuth, Vol. III, p. 1125.

constitue est *de chaque instant*, l'interprétation logique du principe de contradiction a pu prendre le pas sur toute autre. Le temps a été éliminé. Le règne de l'*idea* ne le tolérait pas et situait immédiatement la réflexion dans le «perdurable». L'homme était en quelque sorte délié de lui-même. C'est en l'établissant *hors de* ce qu'il est essentiellement qu'on a prétendu, par une démarche étonnante, faire échapper sa pensée à la contradiction et en poser l'unité. Ce destin spécifique de la pensée, situé, de quelque façon, hors de l'homme (nouvelle forme de l'*exô*) est caractéristique de toute la métaphysique. C'est à cette méconnaissance qu'elle se doit d'avoir porté pendant des siècles, à l'intérieur d'elle-même, un nihilisme qui un jour a fini par la vaincre. *La métaphysique dès l'origine était nihiliste, puisque constituée par la recherche de l'étant en tant qu'étant, de l'«on hè on», elle oubliait justement ce qui le fait «tel».*

2. *La temporalité originelle*

C'est qu'en effet dans cette métaphysique qui parle toujours de présence, quelque chose d'essentiel a été manqué dans l'atteinte de la présence. *Sein und Zeit* y renvoyait dès 1927, même si c'était à travers un langage encore «maladroit» [1]. Cet impensé qui décide de la métaphysique est ce que cache le *logos*, en ce qu'il dévoile, puisque, comme l'enseigne obstinément Héraclite, «la phusis aime à se cacher». Cette méconnaissance tient en ce que la notion de temps a été maltraitée. Une conception du temps, dérivée et déviée, a été souveraine depuis Aristote jusqu'à Bergson y compris. Elle est constitutive de la métaphysique et de l'onto-théologie qui en est un autre nom.

Ce qui la caractérise, c'est que le temps a été pensé à partir de la présence du présent. Il nous faut aujourd'hui essayer de ressaisir le mot grec, au sens qu'il eût originellement et que masquent les traductions ultérieures de substantialité ou d'essence. Aristote pose la question: qu'est-ce que l'étant, – *ti to on* – c'est-à-dire qu'est-ce qui le rend étant, quelle est son étantité, *Seiendheit?* Et c'est à partir de cette présence-présente, donc stable, que le temps est pensé. *Il n'est que le temps des étants.* Du même coup, en tant que tel, le temps demeure impensé et c'est la ca-

[1] *SG*, 11ème leçon, p. 146, trad. p. 192.

ractéristique essentielle de l'Occident. Depuis Aristote [1], il est identifié à la succession de ce qui est et lui-même devient un «ce que» dénué de mystère, que nous avons malheureusement à portée de la main. La métaphore fatale est née: «le temps s'écoule», comme s'il existait en lui-même, alors que nous le verrons, le temps n'est pas dans le temps. Mais, – et c'est la contradiction interne de la métaphysique –, confondu avec un «ce que», avec l'étant temporel, le temps devient essentiellement un *mè on*.

L'ontologie qui se constitue alors, va en effet s'attacher de plus en plus au rassemblement de l'étant sur sa présence. Dans cette ligne, le temporel, ce qui change, est considéré comme un non-étant. L'éphémère ne peut être le fondement du «perdurable» et l'étant authentique doit donc être indépendant du temps. La présence la plus haute, la présence pure, celle qui est la meilleure, qui est davantage présence – *aristè ousia, malista ousia* – est ce qui demeure continuellement. Le Moyen-Age dira de manière équivalente, *nunc stans, aeternitas* et *nunc fluens, sempiternitas*. Dans l'un et l'autre cas, «ne peut manquer de durer», ni le perpétuellement changeant, ni le stable perpétuel.

Désormais, la notion de temps implique une dégradation en face de l'éternel et en ce sens, toute métaphysique est «platonisme». Nietzsche se dressera contre ce monde dédoublé et découvrira le ressentiment de la volonté contre le temps et son «il était». Là encore, le solitaire de Sils-Maria fut prophète du XXème siècle, car une grande partie de la production artistique et littéraire contemporaine repose presqu'entièrement sur cette altière révolte.

Dans ces conditions, qu'est-ce qui est donc présent dans le temps? Que reste-t-il d'«actuel», sinon l'étroite arête d'un maintenant fuyant? Le futur n'est pas encore et le passé n'est plus. saint Augustin commentant le Psaume 36, suit mot pour mot Aristote: *nihil de praeterito revocatur, quod futurum est transiturum expectatur ... Est et non est* [2].

En fait, la question: qu'est-ce que le temps? à elle seule nous situe déjà à l'intérieur de la métaphysique. [3] Dans le «ce que», ce qu'on entend par *étant* et ce qu'on entend par *être* est déjà

[1] *Physique*, B et D, XII, 10–14.
[2] *Migne* IV, 419 a.
[3] *WD*, p. 41.

décidé: Le «ce que» enveloppe un présent et une présence: or celle-ci est conçue comme durée. Sur ce fond de présence qui dure, nous atteignons soit un élémentaire, celui d'Antiphon, qui est toujours là – et c'est la solution matérialiste – soit un non-être qui n'est jamais là. Mais dans les deux cas, c'est opposer radicalement être et non-être. L'être est conçu comme ce qui ne peut cesser de durer, ce qui est premier, *proteron, hupokeimenon proton*. L'étant temporel, lui, est tantôt présent, tantôt absent sur ce fond de présence permanente.

Cette division d'une première et d'une seconde présence, Aristote, nous l'avons vu, s'est borné à la constater. Il n'a pas cherché d'où provenait le dédoublement, dans lequel se trouveront engagés les siècles ultérieurs. C'est que chez lui rien n'était encore véritablement décidé: son *energeia* comme sa *dunamis* en témoignent, comme en témoigne encore l'essentielle analogie de son *logos*, celle que soulignait Brentano. Il n'en reste pas moins que l'*on hè on* (l'*ens qua ens*), naît au livre IV de la *Métaphysique* [1].

Dans cette perspective, le *proteron* qui plus tard s'appellera tout à tour: *esse, exsistentia, actualitas* ou *a priori* apparaît comme premier au sens d'antérieur, au sein d'un temps qui est conçu à partir de la présence-présente, d'une présence copiée sur celle de l'étant et qui caractérise l'ontologie. L'être est *proteron tè phusei*. Les étants sont *phusei onta*. Du point de vue de l'étant, non seulement l'être survient comme antérieur, mais règne sur l'étant et se montre, dans cette différence de l'étant, comme ce qui se trouve au-dessus de lui. Avec Platon et Aristote, la connaissance des *phusei onta* devient savoir constitué – *epistèmè* –: ainsi naissent la logique, la physique, l'éthique. Et toute la physique occidentale est donc métaphysique, née du platonisme. *Mais en donnant ce sens d'antériorité au «proteron» atteignait-on vraiment ce qui est en jeu?*

Dans ce contexte, au livre B de la *Physique* [2], le sens du mot *ousia* s'alourdit. Il évoque quelque domaine, propriété ou bien-fonds; il marque non point tant le surgissement que l'établissement. Dans l'*hupokeimenon*, le nominal l'emporte sur le verbal.

C'est dans ce même livre, qu'Aristote commentant Antiphon,

[1] La première parole du premier chapitre s'énonce ainsi: «Il y a une science qui étudie l'être en tant qu'être».

[2] Spécialement 192 b 13, 193 a 36.

opposait *aidion* à *ginomenôn apeiraxis* [1], transposés plus tard en éternel et temporel. L'étymologie préparait-elle cette interprétation? Certes non, puisque si l'«éternel» est bien sans limites, le «temporel» est lui aussi *apeiraxis*, c'est-à-dire jaillissant et disparaissant sans fin. Au nom de quoi Aristote les a-t-il donc opposés et opposés de façon essentielle, puisque c'est à partir de cette distinction que l'être est censé révéler ses caractéristiques [2]?

C'est toujours en vertu de la notion de permanence qu'a été établie cette opposition. L'éternel est ce qui ne subit aucune atteinte à sa durée: le temporel, au contraire, ce dont la durée est sans cesse remise en question. Or primitivement, *aidion, aeidion*, ne signifie pas seulement le sans cesse et le sans relâche mais d'abord le «chaque fois». C'est ce «perpétuel au bruit de source» dont Braque aujourd'hui nous recommande l'écoute. *O aei Basileuôn*, non pas l'éternel Seigneur, mais *celui qui est le Seigneur de chaque fois* .. Ce qui jaillit sans fin – *gignomenôn apeirakis* – au contraire, parce qu'il est sans limites, nous l'avons vu à propos de l'*energeia*, est ce qui donne contour et perfection.

3. C'est justement à travers «l'aiôn», qui chez Héraclite est l'autre nom du logos [3]*, que nous abordons maintenant la dernière étape, à savoir le couronnement onto-théologique de son œuvre par Aristote*

Nous avons noté que dans la métaphysique quelque chose n'avait pas été pensé dans la présence et que, de ce fait, la métaphysique avait été dès l'abord orientée dans une certaine direction. *Il nous reste à voir que ce quelque chose est le temps originel. C'est l'apparition elle-même, «l'éclair» d'Héraclite* [4] *en tant que cette apparition est unificatrice et constitue la médiation absolue.*

L'apparition suscite l'un pour l'autre ce que nous appelons l'être et ce que nous appelons l'homme. En constituant «l'étant comme tel», c'est-à-dire comme apparu, dévoilé et donc pensé, elle rapporte l'un à l'autre l'être et la pensée. Elle tient-ensemble, elle unifie; elle est ce «même» dont nous parlait Parménide. Dans son dernier texte, *l'Oeil et l'Esprit*, M. Merleau-Ponty, citant Cézanne sur «cet endroit où notre cerveau et l'univers se rejoignent», notait que cet ensemble et cette simultanéité sont un mystère que les

[1] 193 a.
[2] *Il Pensiero*, p. 155.
[3] *SC*, p. 187, trad. p. 243.
[4] *B* 64.

psychologues manient comme un enfant des explosifs. La métaphysique croit les avoir expliqués par le *para*, «auprès», qu'elle accomplira plus tard dans le «je lie» kantien.

C'est que ce tenir-ensemble et ce *homolegein* [1] ne sont pas l'égalité vide et inerte de l'indifférente formule a = a. S'il y a identité, elle est vivante. C'est celle que mettra en lumière l'idéalisme allemand avec son concept de médiation, une identité qui n'appartient plus à l'être mais à laquelle l'être appartient.

Hegel atteint ce *logos* qui est appartenance originelle du savoir et de la vérité. Il en a marqué l'effort et le travail dans l'*Anstrengung des Begriffs*. Mais chez lui, à l'inverse d'Hölderlin, cette découverte n'est qu'un court regard en arrière [2], car, s'il a retrouvé cette appartenance, ce n'est «qu'en général». Il n'a pas discerné ce qu'il y avait de singulier dans ce savoir et dans cette vérité. Il en est resté dans le domaine de la métaphysique qu'il accomplissait.

La métaphysique, en effet, se représente seulement l'*on hè on*, l'*ens qua ens*, c'est-à-dire l'être de l'étant apparu, et ainsi elle n'a plus le choix, car ce faisant, elle s'exclut de l'expérience de l'être [3], qu'on ne peut entrevoir qu'à travers l'apparition même. Située inévitablement, mais à son insu, dans la différence entre l'être et l'étant, elle s'en tient à l'être de l'étant et à l'étant de l'être, c'est-à-dire aux différents de la différence. Plus encore, entre ces différents, la métaphysique établit une relation qui lui est propre: elle fait de l'être un fondement, comme *logos-legomenon*, comme *hupokeimenon*, comme *substance* ou comme *sujet*. Par là, l'être devient la chose de la pensée [4].

L'être est la chose de la pensée. Fondement de la pensée, l'être lui-même a besoin d'être fondé à double titre. D'abord dans l'ordre ontologique: le même mouvement qui a conduit à rassembler l'étant sur sa présence et à poser un fondement à cette pensée ainsi fondée, oblige à chercher au-dessous de la multitude des présents – *ousiai* – la première présence – *protè ousia* – qui en rendra compte. Dans l'ordre théologique c'est à l'*agathon* platonicien qu'il revient de susciter tout ce qui est bon à . . L'être conçu comme fondement n'existe comme tel que par parti-

[1] *VA*, pp. 218, 224, trad. pp. 263, 273.
[2] *EM*, p. 96, trad. p. 139.
[3] *WM*, p. 19.
[4] *ID*, p. 57

cipation à cet *agathon*. Du même coup, la métaphysique, par nécessité logique, est passée de l'être à la cause première, à la *causa sui* et au premier principe, (de *archein*, commencer). Elle est devenue ce que nous enseigne le premier livre de la *Métaphysique* d'Aristote [1]: la science des premiers principes et des causes premières. «Il serait enfin temps, après deux millénaires et demi, de méditer le problème suivant, écrit Heidegger dans *Qu'est-ce que la philosophie?* [2]: qu'est-ce que l'être de l'étant peut bien avoir à faire avec quelque chose de tel que «principe» et que «cause»?».

Ce que plus tard la philosophie appellera Dieu, apparaît donc comme défini à l'avance par la structure même de la démarche métaphysique. C'est ainsi que Dieu vient dans la philosophie. Dès le départ, le dieu de la pensée cesse d'être Dieu, pour que la métaphysique puisse se dire «pensée de dieu».

En partant du *logos* au sens de fondement, tel qu'elle l'entend et l'entendra comme *ratio*, la logique fonde et sonde partout d'une part l'étant comme tel, c'est-à-dire, pour elle, en général et premier; de l'autre, l'étant dans son ensemble – *katholou* – [3], et le plus haut et le dernier qui le détermine – *timiotaton genos* –. Ici et là, elle recourt à l'*Un* du général et à l'*Un* de la *causa sui*. Telle est la double manière dont s'entend la philosophie première d'Aristote à la fois ontologie et théologie. Mais à partir de quelle unité ontologie et théologie vont-elles ensemble de la sorte? Quelle est leur commune origine? D'où vient leur unité? Pas plus que celle de leur différence [4], la question n'est pas posée chez Aristote, et encore moins chez ses successeurs.

Cette dualité de l'ontologie et de la théologie qui est sa structure essentielle, la métaphysique ne peut la penser. C'est qu'elle en est restée sans s'y arrêter à l'ambiguïté d'une *ousia* qui est à la fois présence et présent et qui condamnera au long de son histoire «l'unité» à signifier tout ensemble l'unité définissante elle-même et l'«un» défini par cette unité. Toute hénologie trouve là sa difficulté première.

La métaphysique, nous l'avons vu, s'est dès l'origine, placée elle-même dans sa non-essence, puisque constituée par la question

[1] A, 2, 982 b, 9 s.
[2] Trad. p. 30.
[3] L'étant chez les Grecs est traduit par le neutre pluriel *onta*.
[4] *ID*, p. 58.

ti to on, qu'est-ce que l'étant, qu'est-ce qui le rend étant et donc quel est son être, elle ne voit plus ce qui le fait tel, c'est-à-dire apparu tel ou tel. Elle ne discerne plus l'identité entre l'Un comme unifiant, à savoir le *logos* et l'être qui tout à la fois est présence et laisse être présent [1]. Il y a là une appartenance mutuelle qui lui échappe. Elle ne la voit pas parce qu'elle ne pense vraiment ni l'être comme présence, c'est-à-dire le jaillissement, la *genesis*, ni l'unifier de cet Un, c'est-à-dire l'œuvre unificatrice du *logos, à partir de l'être comme présence.*

Présupposer un *Un* qui unifie chaque fois le multiple, comme l'a déjà fait Platon ou recourir au créateur préfabriqué de la métaphysique, est-ce la solution de ce qui est en jeu? N'est-ce pas plutôt une nouvelle manière de se dissimuler la question qui finit même par ne plus être posée? L'être en se révélant se cache. Il se cache comme être dans son appartenance originelle de destin avec le fondement comme *logos*. Et ici, le fondement, le *Grund* n'est pas seulement *Grund*. En tant qu'il règne, qu'il apparaît, l'être n'a lui-même aucun *Grund*, il est *Ab-grund* [2].

Ce que le *logos-aiôn* d'Héraclite mettait en lumière avec peine, pour un court instant qui ne se retrouvera jamais plus dans l'histoire de la métaphysique et qui sera au contraire continuellement recouvert par les explications successives qu'on en donnera, c'était cette distribution de présence qui est l'apparaître lui-même, l'instant, – *Augen-Blick* – où est constituée la temporalité originelle, le rapport ou plutôt la rencontre suscitant l'un pour l'autre l'homme et le monde.

L'étant est étant *de* l'être et l'être est être *de* l'étant: le double génitif énigmatique nomme une *genesis*, une arrivée de présent à partir de la présence [3]. L'être de l'étant est l'être qui est l'étant et le *est* a ici un sens transitif. *L'être s'essencie, règne, apparaît comme un passage à l'étant* [4]. «Les choses (présentes), nous dit Héraclite [5], l'éclair les gouverne (en les conduisant à la présence)», l'éclair qui veut et ne veut pas être appelé Zeus ...[6].

[1] *N1*, p. 213.
[2] *SG*, p. 185 et 187, trad. pp. 239 et 241.
[3] *HW*, p. 335, trad. p. 297.
[4] *ID*, p. 62.
[5] *B*, p. 64.
[6] *VA*, p. 222, trad. p. 268.

CHAPITRE IV

PASSAGE AUX TEMPS MODERNES

La prédominance de l'onto-théologie du Moyen-Age a tendu à surimposer à l'inspiration chrétienne une notion de Dieu conforme aux postulats de la métaphysique. La caractéristique de celle-ci, nous le répétons, est de fixer par avance la façon dont Dieu vient en elle, de faire appel à Lui essentiellement pour elle-même et de se le soumettre en en réduisant la figure à ses exigences. C'est toujours de son aventure particulière à elle qu'il s'agit. C'est toujours en elle-même qu'elle s'efforce, à temps et à contretemps, de persévérer.

Que la crise de la métaphysique ne soit pas une crise de la foi, Heidegger l'a marqué en maints passages de ses œuvres. Il a spécifié que le coup le plus sévère contre Dieu ne vient pas de ce qu'on le tienne comme inconnaissable ou que son existence apparaisse indémontrable: mais de ce que l'on parle de Lui comme du plus haut des étants, sans en arriver à penser l'être et ainsi sans s'apercevoir que cette façon de penser et de parler est, du point de vue de la foi, purement un blasphème, surtout lorsqu'elle se mélange à la théologie de la Foi [1].

La pensée chrétienne apporte sans doute l'idée de création, mais celle-ci est traitée métaphysiquement. Parce qu'elle fut mal *interprétée*, elle n'a pas été sans aggraver certaines positions antiques. L'abîme ouvert par Platon entre l'étant apparent et l'étant réel s'est durci: le créé, dans un schéma facile, est devenu le terrestre. Le temporel est l'événement fuyant, en opposition au céleste, à l'éternel, à l'immuable [2]. Plus que jamais, sous l'influence du néoplatonicisme, le supra-sensible s'identifie pour les

[1] *HW*, p. 240, trad. p. 213.
[2] *EM*, p. 80, trad. p. 117.

penseurs chrétiens avec le seul monde réel; c'est le Mont des Béatitudes dans son contraste avec notre vallée de larmes. Chez Kant encore, le monde sensible sera le monde physique au sens large et le monde supra-sensible, le monde métaphysique [1].

Ainsi la constitution de la métaphysique se poursuit à sa manière avec la scolastique qui, à l'héritage grec, ajoute celui de la latinité. Ce dernier se marque essentiellement par la transformation du concept d'*energeia* en celui d'*actualitas*.

I. L'ENERGEIA DEVIENT L'ACTUALITAS

L'*energeia* devient l'*actualitas* et bientôt la réalité, où tout est donné en tout temps. Nous avons noté que chez Aristote la présence de l'œuvre, l'*energeia*, ne demeure chaque fois qu'autant que dure l'œuvre – *ergon* –. En tant que livrée à la réflexion – *dianoia* – la présence de l'étant ne dure qu'autant qu'elle est pensée, dans un perpétuel passage de forme en forme, d'une *morphè* qui exprime le tout de l'étant sans qu'il y ait opposition à une *hulè*. Puis s'établit le règne de la «forme», au sens où elle s'impose à une «matière», ce qui n'est au fond qu'un autre nom du règne de l'*idea*.

Un texte de l'*Origine de l'œuvre d'art* nous rappelle que cette tendance à concevoir tout étant selon la structure forme-matière a reçu une vigueur nouvelle de la scolastique. La totalité de l'étant est désormais représentée comme créée, c'est-à-dire ici, confectionnée (*angefertigte*). Sans doute la philosophie de cette foi s'efforce-t-elle d'assurer que l'agir créateur de Dieu doit être conçu tout autrement que le coup de main d'un artisan. Pourtant, souligne Heidegger, quand en vertu de sa foi la philosophie thomiste s'attache à interpréter la Bible, en même temps et a priori, elle ne peut s'empêcher de penser l'*ens creatum* autrement qu'à partir d'une philosophie. La vérité de cette philosophie se trouve en un certain dévoilement de l'étant qui est d'un tout autre ordre que la révélation du monde de la Foi [2].

Toute la logique médiévale sera une *logique* formelle, non sans doute au sens de Kant; pourtant elle repose tout entière sur le postulat de la dualité naturelle de la forme comme connaissance

[1] *HW*, p. 200, trad. p. 178.
[2] *HW*, p. 19, trad. p. 21.

conceptuelle et du contenu comme essence substantielle. Cette intuition du monde comme forme et matière demeurera vivante lorsque la foi disparaîtra. Elle dominera les temps modernes. Renouvelée par Leibniz, elle prendra avec lui une vigueur accrue.

Nous avons déjà noté à propos d'Aristote que l'*energeia* une fois atteinte à travers l'*idea* et devenue «objet» de science – *epistèmè* –[1], la stabilité des concepts l'emporte. La présence – *ousia* – devient alors le suppôt – *hupokeimenon* – La traduction de ces vocables grecs dans la langue latine marque une étape décisive, qui exprime le passage de l'*energeia* à l'*actualitas*, et de l'*hupokeimenon* au *subjectum*. Le sens de la présence à travers l'apparition s'efface. L'avènement du présent à partir de la présence est oublié. Très tôt, la présence et le présent semblent l'un et l'autre quelque chose qui est «en soi»[2]. L'apparu alors domine; il ne garde plus de l'œuvre que la marque «d'avoir été fait»; il devient l'*opus* de l'*operari*, le *factum* du *facere*, l'*actum* de l'*agere*[3]. L'*ens qua ens* se définit avec une nuance nouvelle, comme l'être en acte. L'étant le plus haut est l'*actus purus*[4].

Théologiquement, cet étant s'appelle Dieu. Dieu ne connaît donc jamais l'état de possible, car alors il ne serait pas encore. Dans ce «pas encore», il y aurait un manque de l'être. L'étant le plus haut est réalisation pure: il est complètement accompli, il est ens realissimum[5]. *L'étant dans son ensemble, la totalité de ce qui est, constitue l'omnitudo realitatis.*

Les tendances logiciennes d'Aristote sont isolées, reprises et durcies. Le monde se hiérarchise de plus en plus méthodiquement; de la pierre et du grain de poussière au «Créateur» s'établit tout un système de correspondances entre tout ce qui est agi et l'auteur de cette action, l'étant le plus haut. Dans sa leçon d'ouverture au Collège de France, M. Merleau-Ponty rappelait ce mot de M. Jacques Maritain que le saint est l'athée intégral à l'égard d'un Dieu qui ne serait qu'ingénieur du monde. Il faudrait sans doute ajouter que l'absolu auquel se réfère l'onto-théologie et qui est infiniment contestable, ne peut guère susciter des sentiments plus

[1] *EM*, p. 92, trad. p. 133.
[2] *HW*, p. 335, trad. p. 297.
[3] *N2*, p. 412.
[4] *N2*, p. 474.
[5] *N2*, p. 415.

favorables. La présence de l'étant suprême qui, dans toutes les doctrines, constitue son privilège, est réduite à n'être plus qu'un présent perpétuel. Dans la définition qu'on donnera de Dieu subsiste sans doute quelque reflet du sens primitif du jaillissement: on parlera de l'ubiquité divine. Mais cette omniprésence sera interprétée «causalement»: Dieu est partout par essence, en tant qu'il est présent à toute schoses comme cause de leur être – *Deus est ubique per essentiam in quantum adest omnibus ut causa essendi* [1].

C'est le règne de la cause, qui se rattache historiquement à l'*agathon* platonicien. Comme fin, le bien est *causa causarum. Summum Ens, summum Bonum* et *Causa prima*, deviennent synonymes. Il n'y a, en effet, dans la notion de Bien de cette époque, aucune idée de «valeur»: celle-ci n'apparaîtra qu'au cours d'un développement ultérieur de la notion de causalité. Les vingt-trois premières questions de la *Prima pars* de la *Somme Théologique* de saint Thomas expriment cet aspect causal. Le propre de la cause première est, par son action, de conférer au réel la permanence de tout ce qui dure [2]. Cette idée de permanence et l'évidence accrue de l'existence, qui caractérisent l'onto-théologie, se développeront avec les *Disputationes Metaphysicae* de Suarez. *Sein und Zeit* [3] marquait qu'à travers elles, l'ontologie grecque, devenue dans la scolastique une théorie bien constituée, passera pour l'essentiel dans la métaphysique et la philosophie transcendantale des temps modernes: elle définira encore les fondements et les fins de la *Logique* de Hegel.

Suarez ne donne-t-il pas, pourtant, une définition de l'existence, qui détache l'étant causé de la cause et en accuse l'autonomie? «*Nam esse existentiae nihil aliud est quam illud esse, quo formaliter, et immediate entitas aliqua constituitur extra causas suas, et desinit esse nihil, ac incipit esse aliquid: sed hujusmodi est hoc esse quo formaliter et immediate constituitur res in actualitate essentiae: ergo est verum esse existentiae*» [4]. L'existence est cet être à travers quoi, authentiquement et immédiatement, une essentialité est chaque fois posée hors de ses causes. Le non-être cesse alors et quelque chose commence d'être.

[1] st. Thomas, *Summa theol.*, I, qu, 8, a, 3, cité *N2*, p. 416.
[2] *N2*, p. 416.
[3] *SZ*, p. 22.
[4] Chapitre XXXI, sect. IV, n. 6.

Sous cette forme de l'*exô*, la cause met son effet hors d'elle. L'essence, le «ce que», la deuxième présence d'Aristote, qui n'était que «possible», est produite. Elle échappe au néant, qui ne semble qu'une privation de réalité [1]. Elle passe à l'être et set réalisée. L'*ex-sistentia* est *actualitas* au sens de *res extra causas et nihilum sistentia*, – au sens aussi où l'*ex-sistentia* est l'acte, par lequel la chose est établie et posée hors de l'état de possibilité – *actus, quo res sistitur, ponitur extra statum possibilitatis* –. Ces termes suaréziens fixent ce que deviendront «les modes» de l'être: possibilité, réalité et ultérieurement, nécessité. Les modalités, elles aussi, vont tomber au domaine des «catégories»

Cette conception de Suarez ne représente-t-elle pas la rupture attendue avec le règne des causes? Non certes, réplique Heidegger, car l'existence, bien que caractérisée par une sortie *extra causas*, est plus que jamais rattachée à celles-ci dans son origine et sa signification. Ce fait est confirmé par la conception de l'existence qui s'ensuit. L'existence se confond avec la réalité, qui, lorsqu'elle est donnée, va *de soi* et *en tout temps*, sans dépendre en rien de notre pensée. L'être est identique à la réalité ou à un réel universellement constatable, de même qu'il est opposé à ce qui n'est plus ou à ce qui n'est pas encore. Tout sort du non-être. L'étant sera conçu désormais à partir du néant [2]. A coup sûr, on s'interrogera sur l'être et le néant, mais on les envisagera comme «accomplis», «réalisés», «chosifiés». La philosophie sera dominée par la question: pourquoi y a-t-il quelque chose et non pas rien [3]? A cette énigme, toute pensée dès lors sera suspendue dans l'impatience des limites et dans l'angoisse. Du monde entièrement donné de l'*actualitas*, la réflexion humaine est passée d'un même mouvement, par une sévère logique, à la position obsédante d'un néant, nouvelle idole affolante encore que préfabriquée par ses soins.

Ce néant, sombre réplique de l'absolu et du réel suprême, Heidegger en a posé le problème dès *Was ist Metaphysik* en 1929 [4]. «Depuis toujours, écrit-il, la métaphysique parle du néant en termes équivoques: *ex nihilo nihil fit*. Bien que dans la discussion de cette phrase, elle ne mette jamais en question ce néant dont

[1] *N2*, 418.
[2] *WM*, p. 36.
[3] *EM*, chap. 1.
[4] *WM*, p. 41.

elle parle, c'est lui cependant qui va décider de la compréhension qu'on aura de l'étant.

«Pour la métaphysique antique, le néant, c'est le non-étant. Elle l'assimile à la matière sans forme de qui il ne dépend pas d'en recevoir une et d'offrir un *eidos*, une apparence, ce qui est le propre de l'étant. Conception de l'être et conception du rien sont aussi peu discutées ici l'une que l'autre, dans leur origine, leur bien-fondé et leur domaine.

«La dogmatique chrétienne par contre, va nier la vérité de la proposition: *ex nihilo, nihil fit*. Elle attribue au néant une toute autre signification. Il devient l'essence totale de tout étant en dehors de Dieu: *ex nihilo, fit ens creatum*. Le néant représente maintenant le concept opposé à l'être par excellence, au *summum ens*, à Dieu comme *ens increatum*. La dogmatique chrétienne, poursuit Heidegger, en développant les perspectives originales de sa pensée, accepte cette idée de néant qui vient de plus loin qu'elle. Mais elle méconnaît la difficulté, si Dieu crée à partir d'un pareil néant, de devoir le rapporter à ce néant. Comment un Dieu, conçu comme absolu, c'est-à-dire excluant de lui tout néant, pourrait-il s'y confronter»?

Ce rapide rappel historique suppose que le néant est le concept opposé à celui de l'étant authentique, c'est-à-dire qu'il est obtenu par la négation de l'étant [1]. Ainsi l'interprétation habituelle du néant n'est-elle pas une vérité acquise, mais un *problème* hérité de la métaphysique. Pour celle-ci qui repose sur l'*ens qua ens*, le néant est conçu à partir de l'étant, comme s'il était lui-même un étant, un contre-étant. Avec Heidegger, au contraire, dans une interprétation de l'*ens qua ens*, comme étant *pensé* et donc *apparu*, le néant cesse d'être le contraire indéterminé de l'étant. Au lieu de répéter que le néant vient d'une négation de l'étant par la pensée, il faudrait dire au contraire que c'est l'étant qui surgit du néant; mais le néant, cette fois-ci est entendu différemment, puisque défini comme n'étant pas, il est l'expérience de l'être à partir de l'étant. D'ailleurs nous n'en avons pas d'autre [2].

La vieille formule *ex nihilo fit ens creatum*, qui restait ambiguë, doit laisser la place à cette autre, qui nous fait descendre jusqu'au

[1] *ibidem*.
[2] Avant-propos de la 5ème édition de *WG*.

mystère de l'être, *ex nihilo, omne ens qua ens fit* [1]. De ce qui n'est pas l'étant, de l'être, pensé dans sa différence avec l'étant, surgit l'*ens qua ens*, c'est-à-dire, comme nous l'avons vu au chapitre précédent, l'étant *pensé*, l'étant *comme tel*, l'étant dans cette apparition orientée, dans cette dispensation de présence qui est aussi bien *moira* que *doxa*. Comme *logos-aiôn*, celle-ci suscite l'un pour l'autre, l'un par rapport à l'autre ce que nous appelons le monde et l'homme dont le propre est de penser. La finitude de l'homme vient de ce que, contrairement à Dieu, nous ne pensons et nous n'atteignons pas *tout* ce qui est à chaque instant. *Imago Dei*, reflet et ressemblance [2], nous ne pensons l'étant comme tel que *selon la mesure* qui nous est départie. La métaphysique, oubliant cette présence-surgissement qui constitue l'*on hè on*, l'étant comme tel, croit que la «réalité» va de soi en tous temps et pense la négation à partir de cette «réalité» [3].

Contentons-nous de noter, dans cette esquisse de l'évolution de la métaphysique, qui est l'histoire de l'être, que s'attacher au problème de l'origine de la négation, c'est déjà contester le primat de la «Logique» [4], puisque pour cette dernière, nous l'avons vu à propos de l'école aristotélicienne, la négation provient de la pensée.

II. LES TRANSCENDANTAUX

La négation ne provient pas d'abord de la pensée, «le néantiser se réalise *dans l'être lui-même* (c'est nous qui soulignons) et nullement dans l'existence de l'homme, si on pense cette existence (comme dans les temps modernes) à partir de la subjectivité de l'*ego cogito*» [5]: c'est ce qui nous conduit à poser le problème de la transcendance. Par là, nous obtenons un éclairage nouveau de la scolastique.

La confusion est telle aujourd'hui, note Heidegger, en ce qui concerne les mots de *transcendance, transcendental* et *transcendant*, qu'ils appellent une explication [6]. Aux origines grecques, la

[1] *WM*, p. 36.
[2] Cf. Imago Dei chez M. Eckhart.
[3] Cf. en outre *HB* Francke, pp. 113–114, ou trad. française pp. 153 ss; avant-propos de *VWG* et *KM*, trad. p. 165.
[4] *WM*, p. 36.
[5] *HB*, p. 44, trad. p. 155.
[6] *SG*, p. 133, trad. p. 177.

transcendance a signifié la relation entre l'être et l'étant et le mouvement qui conduit au-delà de l'étant jusqu'à l'être. La transcendance marque donc cette «différence» à l'intérieur de laquelle, quoiqu'elle en veuille, se situe toute philosophie. L'intuition en a été si fondamentale, qu'elle a constitué bon gré mal gré, la forme intérieure de la métaphysique, mais c'est une forme qui s'est renouvelée sans cesse au cours de l'histoire. Plus ou moins heureusement, pour des raisons que nous reconnaîtrons plus tard comme essentielles, le mot a eu des sens divers, qui de plus, ont souvent interféré. Il a notamment signifié, et c'est le propre de l'onto-théologie, la relation entre l'étant qui demeure immobile et *repose en lui-même* et l'étant qui se transforme: tel le monde changeant au-dessous des idées platoniciennes. Enfin, éminemment, le terme s'applique *au plus haut Etant* qui est alors nommé l'Etre. Ici s'opère un étrange mélange avec la signification initiale de la transcendance que nous mentionnions d'abord, puisque dans les deux cas, le même mot *être* est utilisé [1].

Heidegger évoque dans *Sein und Zeit* la définition théologique [2] (au sens de la théologie chrétienne) de l'être et de l'essence de l'homme: «*faciamus hominem ad imaginem nostram et similitudinem*»[3]. Il constate que tout comme l'être de Dieu, l'*ens finitum* a été interprété au Moyen-Age à partir de l'ontologie antique. Pourtant l'originalité de l'inspiration n'a pas été entièrement recouverte. «La définition chrétienne sera sécularisée au cours des temps modernes. Mais l'idée de *transcendance*, à savoir que l'homme est quelque chose qui tend au-delà de soi, a ses racines dans la dogmatique chrétienne, dont on ne peut dire que l'être de l'homme lui ait fait problème au point de vue *ontologique*»[4].

Ainsi ce qui constitue le méta-physique de la métaphysique, la transcendance, se transformera d'âge en âge, surtout lorsque l'homme apparaîtra comme donneur du sens[5].

[1] *SF*, p. 18. Les mots mis en italique le sont par l'auteur lui-même.
[2] *SZ*, p. 48.
[3] Genèse I, 26.
[4] Notons ici que, si une évolution se produit dans l'œuvre de Heidegger, elle n'est à notre avis que de vocabulaire. Le mot ontologie en est un exemple. Nous avons déjà vu que l'ontologie est le propre de la métaphysique. Si ici Heidegger emploie ce vocable, il lui adjoint le qualificatif de «fondamentale». Plus tard, il abandonnera ces termes. Dans le texte qui nous occupe, le mot signifie que l'être de l'homme n'est pas mis en question comme «être».
[5] *SF*, p. 18.

Au point où nous en sommes, bornons-nous à considérer un instant les «transcendantaux» au Moyen-Age, époque où le mot fut créé. La scolastique parle d'eux non comme anticipateurs et constitutifs de l'expérience, mais au contraire comme se dégageant de l'expérience et en découlant. Ils ont trait au «transcendens»; l'être est purement et simplement le «transcendens» nous dit *Sein und Zeit* [1], mais chez les médiévaux, sont dits «transcendants» seulement un mode, une manière et une mesure *déjà tirés de la considération de l'étant* et à quoi est rapporté tout *ens qua ens* [2].

Nous retrouvons dans l'*unum*, le *bonum*, le *verum*, l'*hen*, l'*agathon* et l'*alèthes*. La question de l'être se développera en Occident à l'intérieur de ces notions et de l'espace qu'elles entr'ouvrent, sans que soit jamais posée par la scolastique la question de leur unité et de la temporalité originelle qu'elles impliquent. Tout étant, par exemple, est *unum*, un certain *étant*, celui-là et non pas un autre. C'est seulement parce que l'étant est un, identique avec lui-même, qu'il peut être dit tel ou tel. L'identité est alors attribuée à l'être de cet étant. Suivant ce processus, c'est d'abord à partir de l'étant que l'identité est définie tandis que dans la *logos-aiôn* d'Héraclite, l'être appartient à l'identité, dans l'unification originelle de l'instant.

Les transcendantaux n'ont d'autre mode que *generaliter consequens omne ens* (et ici *consequens* est opposé à *antecedens*). C'est le suppôt de l'être qui est interprété structurellement dans le cadre des transcendantaux, c'est à la substance toujours qu'ils se réfèrent. Ainsi, insiste Heidegger [3], les définitions les plus générales de tout étant comme tel sortent de l'étant. Mais c'est dire en même temps qu'elles dépassent – transcendent – ce qui appartient à tout étant et vont au-delà et c'est pourquoi on les appelle transcendantales.

Cette généralité ainsi revendiquée, en quoi consiste-t-elle? Comment l'Un, le Bon et le Vrai ne font-ils qu'un? Rien de tout cela n'est expliqué. Nous pressentons ce qu'il en est lorsque renversant les perspectives, nous échappons à l'ontologie et nous nous référons au *logos-aiôn*. Nous voyons alors s'ouvrir une autre di-

[1] *SZ*, p. 38.
[2] *SG*, p. 135, trad. p. 179.
[3] *SG*, p. 135, trad. p. 179.

mension: les transcendantaux s'appliquent non plus à l'étant, mais à l'être qui est un, bon et vrai. Ainsi la transcendance est l'*Ur-Geschichte* [1].

L'ambiguïté que nous relevons au Moyen-Age se trouvait déjà chez Aristote, où les fondements «transcendantaux» de l'étant sont mal distingués des causes spécifiques ontiques de cet étant, telles que les révèlent l'observation et la science. Ce que recouvre cette équivoque, c'est l'originalité même des principes transcendantaux qui, en réalité, sont constitutifs de l'expérience et ne se rapportent à l'étant que parce qu'ils permettent son apparition. Ils ne sortent pas de l'étant, mais le suscitent, en suscitant aussi l'être de l'homme. Si cette originalité est alors dissimulée, c'est en raison du mécanisme intellectuel de l'onto-théologie qui ne cesse de renvoyer *formellement* aux «premiers» principes et aux «dernières» causes [2], et à qui manque l'unité du tout. Quels rapports y a-t-il entre ontologie et théologie? La question n'est pas posée. C'est que l'être comme présence n'est même pas pensé [3] et qu'est perdu de vue ce qu'il constitue en tant que présence, le jaillissement unifiant qui fait exister l'un par l'autre le monde et l'homme [4].

[1] *WG*, p. 36.
[2] *WG*, p. 46.
[3] *N1*, p. 213.
[4] La question de l'unité des transcendantaux, qui sont pour la métaphysique les dernières déterminations de l'étant, est celle qui ne cesse de se poser à Heidegger. Il précise dans *Unterwegs zur Sprache*, 1959, p. 92, après l'avoir dit à Cerisy en 1955, qu'il fut éveillé à ce problème par la dissertation inaugurale de Franz Brentano sur: La signification multiple de l'être chez Aristote – *Von den mannigfachen Bedeutungen des Seienden nach Aristoteles*, Fribourg-en-Brisgau, 1862 (ouvrage qui lui fut donné à la fin de ses études secondaire au gymnase de Constance, par son compatriote et ami de Messkirch, Conrad Gröber, le futur archevêque de Fribourg, alors curé d'une paroisse de Constance).

De tout étant, – ce vase de fleurs sur ma table par exemple –, on peut dire *ce qu*'il est, un vase (*essentia*) et *qu*'il est, là, présent (*exsistentia*). Mais, dans le sillage d'Aristote, la Scolastique a aussi noté qu'on peut le concevoir comme une chose, – *res* –, comme un individu, – *unum* –, comme un quelque chose, – *aliquid* –, comme un bien désirable, – *bonum* –, comme un vrai, – *verum* –. A partir de quelle unité s'articulent ces différentes significations?

Dans l'ouvrage cité, Brentano retrace comment le Stagirite les voit ordonnées de quatre manières: *on kata sumbebèkos, on nôs alèthes, on tès katègorias, on dunamei kai energeia.* Echappe-t-on à l'énigme de ce rapport aux accidents, à la vérité, aux catégories et enfin à la puissance et à l'acte en disant, comme l'a fait la métaphysique, que le concept d'être est le plus général et indéfinissable? La réponse à la question de l'être doit-elle être une définition?

Nous reviendrons sur cet écrit de Brentano et son rapport à la perpétuelle interrogation de Heidegger concernant «le langage et l'être», dans un autre travail sur: *Mythos-Logos* ou *le parler du langage.*

CHAPITRE V

DESCARTES

C'est au sujet de Descartes que celui qui essaie d'entrer dans l'expérience heideggérienne ressent d'abord les plus vives difficultés. Il semble évident qu'il y ait chez Heidegger une injustice dans l'évocation du père de la philosophie moderne. Ayons pourtant la patience de suivre cette voie qui nous est tracée. Ne croyons pas, comme certains l'ont fait, que ce soit très particulièrement le maître de la philosophie française qui soit visé. Jamais aucun historien n'a montré à quel point bon gré mal gré les maîtres allemands en dépendaient. Les critiques adressées à Descartes ne sont qu'un hommage indirect à l'importance de son rôle. Heidegger dit sans doute qu'avec l'auteur des *Méditations* arrive le *Vollendung* de la métaphysique, c'est-à-dire à la fois son accomplissement et sa fin, mais la même expression se trouve étendue par lui à Leibniz qui achève cette préparation et à Hegel, Schelling et Nietzsche qui la réaliseront [1]. Philosophes français et philosophes allemands appartiennent à la même lignée, celle de la philosophie occidentale, née des Grecs.

Dès 1927, *l'Etre et le Temps* notait que l'ontologie grecque antique a pris la pensée humaine en cours de développement et ne correspond point à son origine puisqu'elle en est arrivée très vite à considérer le *logos-legomenon* comme un donné et à le traiter en conséquence. L'étant visé par ce *logos* était alors envisagé lui aussi comme possédant une existence en tous temps et en tous lieux [2]. Il en a été ainsi parce que cette «logique» n'était pas enracinée dans ce que Heidegger a appelé, dans la «langue encore hésitante et provisoire de *Sein und Zeit*» [3], l'analyse existentiale

[1] *VA*, p. 76, trad, p. 87.
[2] *SZ*, p. 160.
[3] *SG*, p. 146, trad. 199.

du *Dasein.* Le *Dasein,* c'est-à-dire ce lieu où en l'homme l'être se révèle, où ainsi, par l'homme, apparaît une autre dimension que celle de ce qui est simplement là [1]; une dimension qui, si elle ne vient pas de l'homme, ne peut pourtant s'ouvrir sans lui.

Dans ce que nous avons dit jusqu'alors de ce «même qui est à être et à penser», la part de l'homme, telle que nous l'entendons habituellement de nos jours, demeure masquée. A l'interrogation de la métaphysique: qu'est-ce que l'étant? qu'est-ce qui le rend étant? quelle est donc sa vérité? le Moyen-Age tout entier, orienté par une *exsistentia* devenue *actualitas* et interprétée à travers l'*essentia* avait répondu par une *certaine* conception de la vérité. *Omne ens est verum:* tout étant réel est vrai; il l'est en toutes circonstances. L'être et le savoir ne font qu'un. C'était parler du point de vue de Dieu et faire de Dieu non seulement l'étant le plus haut, mais celui en qui tout étant, à tout instant, trouve sa vérité. Cette idée d'un savoir «absolu», qui ne deviendra jamais que partiellement le nôtre, est le terme idéal qui dirigera à l'avance tous les efforts vers la vérité. Elle se trouvait déjà chez Platon et Aristote. Avec la Scolastique, la *veritas* comme *adaequatio rei* (*creandæ*) *ad intellectum* (*divinum*) garantit la *veritas* comme *adaequatio intellectus* (*humani*) *ad rem* (*creatam*). La vérité, par essence, désigne la *convenientia* continuelle, l'accord et l'harmonie des étants, en tant que créés, avec leur Créateur, un accord déterminé en tous temps par l'ordre de la création [2]. Il s'agit seulement pour l'intellect humain de correspondre aux idées divines. Tout cela est «métaphysique» et il est temps sans doute dans ce rapide survol de marquer que cet événement ne doit pas être envisagé sous un aspect négatif ou catastrophique. S'il retrace «le destin de l'être qu'est la métaphysique» (1950), Heidegger précise à maintes reprises que ce «destin, même pensé comme déclin, n'est pas une carence, c'est le plus riche et le plus ample avènement dans lequel l'histoire occidentale du monde se porte au-devant de la décision». «La rigueur d'aucune science n'égale le sérieux de la métaphysique» (1929), «elle est une phase privilégiée du destin de l'être, la seule qui se soit laissée jusqu'ici embrasser du regard» (1946). Comme l'a montré Jean Beaufret [3], ce que nous recherchons, c'est le dé-

[1] *Vorhandenheit* a chez Heidegger le sens de l'*exsistentia. SZ,* p. 42.
[2] *WW,* p. 8.
[3] Etudes philosophiques, 1960, n° 2.

roulement qui a conduit à la crise de civilisation que nous vivons. Ce qu'il faut retrouver, c'est comment l'accent a été mis unilatéralement tantôt d'un côté, tantôt de l'autre, jusqu'à cet *achèvement* où nous sommes encore pour une grande part.

La position médiévale s'est-elle transformée chez Descartes? Nous savons sans doute qu'il va privilégier le Moi. Plus tard Hegel écrira dans ses *Conférences sur l'histoire de la nouvelle philosophie* [1]: «Nous n'atteignons la philosophie des temps modernes et ne la commençons qu'avec Descartes. Avec lui, nous arrivons vraiment à une philosophie autonome qui sait qu'elle est autonome grâce à la raison et que la conscience de soi est le moment essentiel du vrai. Ici, nous pouvons dire que nous sommes chez nous et nous pouvons, comme le bateau après un long voyage sur une mer démontée, crier «terre» .... Dans cette nouvelle période, le principe de la pensée est la pensée surgissant de soi ...» [2].

Qu'en est-il en fait? Descartes a-t-il rendu à l'homme la place méconnue depuis des siècles qui lui revenait dans le *logos-aiôn* d'Héraclite? ou au contraire, assisterons-nous à la dissimulation toujours plus profonde du dévoilement originel qui est source de toute rencontre? Il ne s'agit pas, nous l'avons vu, d'une coincidence facile et vide mais d'une identité vivante, exigeant tout l'effort de l'œuvre à instituer, à commencer par cette première œuvre que nous sommes nous-mêmes.

I. INTERPRETATION NOUVELLE DE LA SUBSTANTIALITE DE LA SUBSTANCE

1. *La naissance du sujet au sens moderne*

Le tournant capital qui s'opère avec l'auteur des Principes, c'est la transformation de la notion de sujet et d'objet. La scolastique conservait jalousement l'*analogia entis* et, en considérant le monde comme *ens creatum*, en faisait un sujet et non un objet. Une table, une maison, un arbre gardaient pour elle les caractéristiques de l'*hupokeimenon*, c'est-à-dire du suppôt. Par là s'exprimait le trait essentiel de la présence de tout étant, la sub-

[1] Oeuvres complètes, XV, p. 328.
[2] *HW*, p. 118, trad. p. 109.

stantialité. Le *subjectum*, c'est ce qui est là, présent sous les «apparences». L'objet alors, si paradoxal que cela nous semble aujourd'hui, est ce qui est offert au simple regard ou présenté à l'esprit, *ob-jectum* ou *ens rationis*, telle par exemple une montagne en or. C'est par excellence, ce que nous entendons aujourd'hui comme concept subjectif.

Chez les Grecs, l'*antikeimenon* était simplement la façon fondamentale dont tout étant s'offre et peut s'offrir à un autre étant. Partout où des choses sont en relation, vont, viennent, surgissent et disparaissent, s'opposent ou passent les unes dans les autres, elles sont entre elles *antikeimena*. Sujet et objet ont donc originellement un sens très général qui exprime leur manière d'être. Tout étant est sujet et objet, s'extériorise et s'offre ainsi aux choses voisines.

La substantialité de la substance va recevoir maintenant une interprétation nouvelle et c'est ce changement qui constitue les temps modernes. La substantialité, nous l'avons vu, est depuis toujours, intimement liée à l'idée de présence. D'une part cette présence a été envisagée dès l'abord de manière ambiguë, à la fois dans le surgissement et dans la permanence. De l'autre, le surgissement, l'apparaître, peut être entendu de deux façons: ou l'apparaître vient de l'action des choses mêmes: *Vorschein*, disent les Allemands. C'est ainsi que l'envisageaient l'Antiquité et le Moyen-Age et c'est ce qui constitue leur «réalisme» [1]. Ou l'apparaître se fait par l'homme, dans l'objectivation et la représentation – *Anschein* –. C'est la façon dont le conçoivent les temps modernes. Il serait sûrement faux de dire que pour les Grecs ou les Médiévaux les problèmes de connaissance et de savoir ne jouaient aucun rôle et que les modernes ne voient pas dans la vérité un dévoilement des choses par elles-mêmes. Il n'en reste pas moins que, d'un côté, l'étant surgit en s'insérant dans cette zone éclairée qu'a ouvert l'apparition de l'être mais qui semble ici étendue au monde où l'homme peut rencontrer en tous temps tout ce qui est; de l'autre, la métaphysique moderne ne cesse de

[1] Cf. ce que dit à ce sujet le R. P. Van Breda dans sa communication sur la réduction husserlienne, 3ème Colloque de *Phénoménologie*, Royaumont, 1957. Lorsque Husserl a proposé sa Phénoménologie comme philosophie de l'intentionnalité, d'aucuns ont cru que le «aux choses mêmes» – *zu den Sachen selbst* – constituait le sauvetage de la chose en soi, telle que Kant l'a combattue et que l'empirisme l'a divinisée, mais aussi, il faut le dire, telle que la visaient certains Franciscains du Moyen-Age lorsqu'ils expliquaient: «l'acte de connaissance se termine *dans* l'objet».

trouver son sol véritable dans l'apparaître de l'étant, car c'est cet apparaître qui, dévoilé par l'homme, s'identifie à sa représentation.

C'est en effet ce mot «représentation» qui traduit la découverte de Descartes concernant l'apparaître et la présence du présent. Il s'agit pour le Moi de se représenter ce qui est et de se représenter en même temps soi-même à soi-même. Comment la chose rencontrée par le Moi prend-elle place en face de lui dans une présence? C'est qu'elle ne saurait être apportée au Moi qu'elle ne lui soit rapportée et représentée, qu'elle ne lui soit présente [1]. Désormais, nous aurons une image du monde. Toute époque de l'histoire ne comporte pas nécessairement une représentation du monde et n'en a même pas l'idée, car ce souci caractérise un moment de la pensée. Le Moyen-Age l'ignorait, comme en témoignent ses œuvres d'art dont la vérité tient à la correspondance immédiate de toutes choses à leur Créateur [2]. L'Antiquité n'avait pas non plus cette préoccupation d'une image du monde. Dans le *logos* originel, dans «l'instant» – *Augen-Blick* – qui marque l'ouverture du champ de présence et l'institution du temps, l'étant n'est pas étant seulement parce que l'homme le regarde, lui-même a regard à l'homme [3].

Au sein de cette dimension originelle, c'est le commun jaillissement de l'être et de la pensée qui suscite l'un pour l'autre et l'un par l'autre l'homme et le monde. Tout est pris dans une unité qui les rend inséparables et enveloppe jusqu'à leur combat, leur *polemos*. Tel était l'homme grec.

2. *L'homme comme mesure des choses*

Quand Protagoras dit: «L'homme est la mesure de toutes choses», il semble qu'il parle déjà comme Descartes. Pourtant il n'en est rien [4]. Pour lui, ce n'est pas à partir d'un séparé que l'homme détermine la mesure à laquelle toute chose devrait se soumettre. Ce qui est dévoilé à l'homme lui est bien rapporté, mais quel est leur rapport? Le livre B de la *Physique* d'Aristote nous a appris que la présence ne laisse pas ignorer ce qui est absent. La présence est aussi absence. Entre ce qui est présent et ce qui est absent s'établit une frontière qui à chaque instant

[1] *SG*, 3ème leçon, p. 45, trad. p. 79.
[2] *H*, pp. 83 et 94, trad. pp. 82 et 92.
[3] *id.* p. 96.
[4] *N2*, p. 135 ss et *H*, p. 96, trad. p. 94.

est la mesure de l'homme et de son destin. C'est le grand jeu de surgissement et de disparition dont parle Anaximandre. A partir de ce qui vient au langage, à partir de *genesis* et de *phtora* nous recevons un signe [1]. La délimitation de ce qui est dévoilé accorde l'homme à ceci ou à cela et, du même coup, conditionne son ipséité.

Il y a aussi chez Descartes une zone dévoilée par l'homme, mais chez lui il faut sans cesse en briser le cercle, le rompre et le dépasser, il s'agit de découvrir les perspectives ultérieures d'objectivation qu'il contient, de les conquérir avec méthode et d'aller de l'avant. Kant dira que l'homme se donne à soi-même sa loi, mais ce mot kantien atteint ce qui est déjà l'essentiel des temps modernes [2]. Il cerne la lutte «métaphysique» de l'homme nouveau pour conquérir sa liberté. Pour Protagoras, au contraire, le cercle de dévoilement loin d'avoir à être dépassé ne pouvait être que maintenu et protégé, car il correspondait à la perception du présent pour l'homme. Protagoras restait ainsi en un sens dans la ligne de l'*aiôn* d'Héraclite. Toutefois de sa formule un certain Platon est sorti, puisque l'*eidos*, l'aspect, qui est présence et dont provient l'*idea*, ne constitue pas autre chose que le cercle de dévoilement de l'étant. Mais l'accent mis sur la vision fait que l'idée, qui deviendra bientôt la catégorie, l'emporte sur le fait de prendre garde à . . . , sur le *noein* primitif. Là est le germe de ce qui a permis beaucoup plus tard à un Descartes de concevoir le monde comme représentation.

On objectera que pour lui une table, une maison, un arbre restent des suppôts – *hupokeimena* – et qu'il ne rend pas compte autrement de leurs attributs et de leurs mutations. On dira également qu'il conserve une claire conscience du fait que la représentation n'est pas incluse dans «l'immanence psychique». La «*realitas objectiva*», c'est-à-dire la choséité objectivée et représentée d'une chose, est, pour employer ses termes mêmes, moindre que la choséité de la chose, sa «*realitas actualis*» ou «*formalis*». Quoique *modus essendi*, l'être pensé de l'étant reste toujours un *modus essendi imperfectus*. C'est exact, mais, pour lui, ces suppôts demeurent radicalement dépendants

[1] *HW*, p. 316. *Dabei wir aus dem, was zur Sprache kommt, aus genesis und phtora, einen Wink empfangen*, trad. p. 279.
[2] *N2*, p. 143.

d'un sujet privilégié, le moi, qui va devenir le *fondamentatum absolutum inconcussum veritatis*. Là est l'option décisive de Descartes. Avec elle, la question qui conduisait la métaphysique: qu'est-ce que l'étant? qu'est-ce qui le rend étant? quelle est sa vérité? se transforme en celle du fondement inébranlable et absolu de la vérité. Bien que l'exigence d'adéquation soit conservée, il ne s'agit plus de dévoilement et de présence, mais de certitude. [1]

II. LA VERITE DEVIENT CERTITUDE

1. L'humanisme

Il est impossible d'évoquer la conception de l'homme chez Descartes sans référence au drame de l'humanisme. Dans la perspective où nous sommes, il apparaît en effet que l'humanisme ne représente pas un moment privilégié de l'histoire, mais une des périodes les plus sombres, celle où est perdu le sens de l'être et du sacré, c'est-à-dire de cette dispensation de présence qui constitue notre destinée et à partir de quoi nous avons à accomplir notre œuvre.

En un certain sens, nous l'avons vu à propos du principe de contradiction chez Aristote, toute métaphysique est déjà nihiliste. Oublieuse de ce qui constitue l'étant en tant que tel, c'est-à-dire apparu, elle est faite d'inquiétude et d'angoisse, car l'homme doit désormais fonder par soi sa propre existence. L'effort de l'homme pour subsister au milieu de ses semblables et des choses du monde va dominer de fond en comble la métaphysique. N'ayant plus que le sens ontique de lui-même, l'homme se trouve en proie aux autres étants. Il faut qu'il s'en défende. Il faut qu'il s'assure et serve de fondement au monde entier.

Pourtant si Descartes a préparé cette attitude, chez lui au contraire l'affirmation de l'étant est fondé sur une certitude de la foi qui exclut tout malin Génie. Bien qu'il se soit voulu d'une fidélité disciplinée à l'Eglise romaine, on peut rapprocher son attitude, en ce domaine, du libre-examen. Descartes traduit l'esprit de son époque qui, tout en restant attaché à la vérité de la Révélation cherche à se libérer de la contrainte qu'elle impose et voudrait fonder la possession de la vérité sur une certitude acquise par soi-même. De là vient en partie la prééminence accordée

[1] *VA*, p. 85, trad. p. 98.

au sujet. «La principale perfection de l'homme, écrit Descartes, est d'avoir un libre-arbitre et c'est ce qui le rend digne de louange et de blâme» [1]. Ainsi devons-nous choisir ce qui est vrai en le distinguant d'avec le faux «par une détermination de notre volonté». Les *Règles pour diriger l'entendement* et le *Discours de la méthode* n'ont pas d'autre but qu'éclairer notre choix. La méthode est nécessaire pour la recherche de la vérité, nous dit la quatrième *Règle*. Le Moyen-Age ignorait totalement la méthode ainsi comprise et plus encore ce que nous enseigne la *Quatrième Méditation: De vero et falso*.

L'erreur provient du fait que la représentation manque de certaines conditions d'indubitabilité et de certitude. Mais il n'en reste pas moins qu'à l'époque de Descartes le philosophe, qui en tant que penseur a si ouvertement réclamé et retrouvé son autonomie, reste assuré du salut de son âme, car il n'a pas cessé d'avoir la foi. Cela donne à sa position métaphysique un tout autre enjeu, et moins tragique que celui des siècles ultérieurs. La tâche nouvelle du philosophe se borne à se fonder comme liberté et à garantir son propre savoir. Dans cette perspective où l'homme se sait *medium quid inter Deum et nihil*, Descartes en arrive à privilégier le pouvoir d'errer, qui confirme le prééminence de la subjectivité. Car là où il n'y a aucune possibilité d'erreur, comme pour la pierre, il n'y a aucun rapport au vrai. Ou encore, pour l'Etre qui connaît de manière absolue, parce qu'il crée, la liaison au vrai est telle qu'elle exclut tout subjectivité, c'est-à-dire toute remise de soi à soi [2].

Plus tard, au cours du développement de la métaphysique moderne, la non-vérité sera chez Hegel un degré de la vérité: la subjectivité est devenue telle, dans sa conscience de soi, qu'elle conduit la non-vérité jusqu'à l'absolu du savoir où toute erreur et toute fausseté ne sont que des aspects de ce qui est vrai «en et pour soi». Le négatif appartient à la positivité de la représentation absolue [3].

La double menace qui entoure le philosophe cartésien est d'échouer dans sa liberté et de perdre toute certitude. Ce qui l'en préserve, c'est une évidence première à laquelle Descartes

[1] *Principes* I, paragraphe 37.
[2] *N2*, p. 196.
[3] *N2*, p. 197.

attribue la vertu à la fois de constituer la première certitude et de poser la première existence: le *cogito ergo sum.* Voyons comment Heidegger le présente.

2. Le cogito

La question de la certitude a pris le pas sur celle de la vérité. L'*ens creatum* est devenu l'*ens certum,* tout en restant sous la dépendance de Dieu.

Du même coup, la question de l'essence de la vérité se trouve déplacée: elle devient celle de l'essence de la connaissance. Qu'est la certitude? Comment est-elle? Quel est l'être sûr de soi? Qu'est l'indubitabilité? L'attitude présocratique est maintenant renversée. La vérité ne constitue plus l'espace de jeu de la connaissance. La connaissance n'est plus enracinée dans la vérité. Pour la pensée moderne, la vérité est définie à partir de la connaissance [1].

L'effort du philosophe consiste alors à retrouver une certitude par laquelle il puisse établir à la fois sa propre existence et sa propre pensée. Dans la fameuse nuit du dix novembre 1619, Descartes a la révélation d'une «science admirable». Il croit en avoir trouvé le point de départ dans son *cogito.*

Ce *cogito* nous semble une connaissance indubitable, claire et distincte. Descartes l'a constitué en premier «principe», celui sur lequel se fonde toute vérité. Faut-il en conclure, comme on l'a fait trop souvent, que le cogito nous révèle immédiatement son contenu authentique? Ce serait oublier que *l'essence de la connaissance et de la vérité est définie de façon nouvelle par cette phrase.* De même est transformé le sens de «principe». Les mots *cogito ergo sum* posent les conditions de leur compréhension [2]. Qu'était, pour Descartes, le *cogitare?* Comment, à travers lui, pensait-il l'être de l'étant et répondait-il à la question métaphysique de la vérité?

Penser, *cogitare,* c'est tout d'abord pour Descartes percevoir, saisir quelque chose au sens de se le donner, de le poser devant soi. C'est dans cet établissement de ce que nous rencontrons que ce dernier arrive à tenir debout, à prendre consistance [3]. L'*idea* grecque alors devient *perceptio.* Percevoir c'est désormais s'as-

[1] *N1*, p. 550.
[2] *N2*, p. 148.
[3] *SG*, p. 46, trad. 81

surer de ... Ainsi se traduit le *dominium ingenii*. L'idée, c'est l'objectivation non plus aberrante mais maîtrisée. Il s'établit un ordre d'idées méthodiquement conquis dans l'unité duquel toute représentation objective cherche à rentrer. Mais à la suite de Merleau-Ponty [1], il faut se demander comment l'intellectio et la perceptio peuvent se rejoindre de la sorte. Est-ce dans l'âme? Nous reviendrons plus loin sur ce point. Toute représentation est alors *compositio et cogitatio*, puisque c'est auprès du sujet, auprès de soi, que toute représentation doit trouver la garantie d'elle-même. Du même coup, il y a rassemblement de savoir dans le sujet qui est *con-scientia* [2].

Plus encore que celle de Platon, la philosophie de Descartes est fondée sur la vision, sur l'*idein*. Chez Platon l'idée est perçue au-delà mais à travers l'aspect – *eidos* – qu'offre la chose. Chez Descartes, c'est immédiatement qu'est vue l'idée au sens de représentation. Qu'il s'agisse des idées adventices, représentées parce qu'elles nous viennent des choses, ou des idées faites par nous-mêmes, représentées parce que nous les imaginons, ou encore des idées innées, représentées parce qu'elles appartiennent à toutes nos représentations, toujours, c'est notre vision qui est vue. Bientôt, tout se passera à l'intérieur de la conscience.

Mais ce qui peut être *cogitatum* pour l'homme ne peut lui être remis et représenté qu'autant qu'il est établi et assuré. L'homme, par lui-même, doit en être le maître; il doit le posséder à tout instant sans hésitation et sans doute. C'est ainsi que le *cogitare* est toujours *dubitare*, non pour tout mettre en question, mais pour atteindre l'indubitable. Le doute ici ne vise rien d'autre que la certitude de la représentation. Dans le concept de *cogitatio*, l'accent est toujours mis sur le fait que dans l'acte de représenter, le représentant rend déjà compte de ce qu'il se remet à soi-même c'est-à-dire le pose et l'affermit.

Enfin le *cogito* devient, dans cette conscience de soi, *me cogitare*. En répresentant quelque chose, je me représente moi-même à moi-même. Si je vois une cathédrale, que je la rêve ou que je me trouve en face d'elle, je suis inséparable de cette représentation, non par surcroît, comme si je devenais pour moi-même un nouvel objet qui rencontrerait l'objet d'abord visé. C'est *devant* moi que

[1] *La Structure du comportement*, p. 212.
[2] *HW*, p. 102, trad. p. 98.

tout apparaît et c'est dans cette apparition que je suis remis à moi-même. Cette perspective n'est intelligible qu'en mettant en lumière ce dont tout dépend pour Descartes: je me représente ce qui est dans *mon* horizon. C'est maintenant l'ipséité de l'homme qui constitue le suppôt ou l'*hupokeimenon*. L'ipséité est *subjectum* [1].

Savait-on avant Descartes que la représentation est rapportée au moi? Oui sans doute, mais ce qui est nouveau et décisif, c'est que ce rapport assume maintenant, en tant que tel, le rôle essentiel. *C'est lui qui décide de la présence.* C'est lui qui mesure l'ouverture où apparaîtra la représentation, «Par le mot de penser, j'entends tout ce qui se fait en nous de telle sorte que nous l'apercevons immédiatement par nous-mêmes; c'est pourquoi, non seulement vouloir, entendre, imaginer, mais aussi sentir est la même chose que penser» [2]. La représentation passe, en tout, au premier plan.

3. Le cogito sum

«Nous avons tant de répugnance à concevoir que ce qui pense n'est pas véritablement en même temps qu'il pense, que ... nous ne saurions nous empêcher de croire que cette conclusion: *je pense, donc je suis*, ne soit vraie et par conséquent la première et la plus certaine qui se présente à celui qui conduit ses pensées par ordre» [3]. Ce principe a suscité des discussions sans fin, dès son énonciation. Descartes, ses contradicteurs et, depuis lors, toute une littérature l'ont commenté, sans atteindre la clarté qu'il présupposait. Heidegger dit que ces obscurités proviennent de ce que nous ne pensons pas assez simplement. De même que le principe de contradiction a un contenu autre et joue un rôle différent chez Aristote, Leibniz, Hegel ou Nietzsche, parce qu'il ne vise pas tant la «contradiction» que l'étant comme tel et sa vérité – l'étant est et il n'est pas son non-être –, de même l'*ego cogito sum* est susceptible de multiples sens.

Qu'il ne soit pas une conclusion, malgré l'embarrassant donc – *ergo* –, la plupart des interprètes en ont convenu. Le «je» du «je suis» se donne d'emblée à soi, mais dans une représentation. Il

[1] *N2*, p. 155.
[2] *Principes*, I, 9.
[3] *Principes*, I, 7.

n'est «je» que parce qu'il se donne à soi-même. La certitude qui en résulte est bien au-delà d'une conclusion logique. Plutôt que conclusion, il y a inclusion immédiate. Dans la représentation du «je» est donnée mon existence. L'être est ici représentation [1].

Le *cogito sum* ne signifie ni seulement je pense, ni seulement je suis, mais mon existence dépend de ma pensée. Il s'agit d'un ensemble: *cogito sum*. Non seulement mon être est essentiellement défini par la représentation mais ma représentation décide de la présence de ce qu'elle représente. Ce sur quoi tout est ramené comme à son fondement inébranlable, c'est à l'*événement de la représentation*. A partir de cet événement se déterminent l'essence de l'être et de la vérité et l'essence de l'homme [2]. Le dévoilement originel – l'*alètheia* – est remplacé par la certitude de la *représentation*. Le *cogito sum*, en tant qu'il exprime pleinement l'essence de la *cogitatio*, pose du même coup la *cogitatio* comme le sujet authentique. Mais *cogitare* est toujours *me cogitare;* le moi représentant devient *un sujet dans le sujet*. Tout y est ramené. C'est pourquoi Descartes peut encore donner au *cogito sum* la forme *sum res cogitans*. Il ne faut pas en effet entendre cette formule au sens de: je suis une chose pensante, comme si l'homme, était un objet doté, de surcroît, de «pensée». Ce serait oublier que le *sum* se définit comme *ego cogito*. La *res cogitans* ou être de la *cogitatio* est *res cogitata:* le moi se pense lui-même. Et c'est cette *res cogitata* qui constitue la *res cogitans*.

Toutefois ce sujet dans le sujet qu'est le moi représentant est conçu comme substance. Descartes ici dépend de la scolastique moyennageuse, restant même, prétend Heidegger, dans l'élaboration de ces problèmes très en arrière de cette dernière [2]. C'est dans le même esprit qu'il divise l'étant dans son ensemble en substance infinie et en substance finie, et celle-ci à son tour, en *res cogitans* et en *res extensa*. Si brutale que soit la coupure qu'il établit entre la pensée et l'étendue, il ne cesse pourtant de les définir à partir du même principe. Dans l'un et l'autre cas, la présence de ce qui est présent, l'*ousia* antique est considérée comme substance et ici la substance est saisie à travers les cadres passés. Ainsi que tout grand penseur, Descartes, malgré son génie créateur, reste prisonnier du langage qui l'a précédé et où il est

[1] *N2*, p. 161.
[2] *N2*, p. 162, *SZ* 93.

né. La *res cogitans* opposée à la *res corporea*, comme une chose à une autre chose, n'est pas définie par lui dans son être si bien qu'il faut dire (dans le langage de *Sein und Zeit* qui parle encore d'ontologie), que «la théorie des idées claires et distinctes repose dès l'origine sur une indistinction ontologique» [1].

III. LE RENOUVEAU DE DESCARTES RESTE A L'INTERIEUR DE L'ONTO-THEOLOGIE

1. *La toute-puissance de l'être comme acte pur est brisée*

C'est dans cette conception de la substance que s'enracinent l'ambiguïté des temps modernes et la multiplicité des formes qu'ils vont revêtir. C'est donc une erreur de dire purement et simplement que par le *cogito* s'ouvre une ère nouvelle. Depuis qu'en effet l'être à travers l'*actualitas* était devenu réalité, diverses possibilités s'offraient à l'intérieur d'un monde ainsi délimité. Leurs luttes et leurs jeux réciproques composeront désormais notre histoire. La nature, chez Descartes, la *res extensa*, est envisagée en elle-même bien qu'œuvre d'un créateur. L'homme, posé aussi comme autonome, est dans cette nature, le principal acteur. Dieu, l'homme et la nature, substance infinie et substance finie, conçue déjà presque sans fenêtres, vont alors alternativement au cours des siècles ultérieurs constituer le réel déterminant, celui qui donnera la mesure et dont dépendra l'essence de la réalité [2].

L'*Aufklärung*, le positivisme, le classicisme, le marxisme, pour ne donner que quelques exemples, seront les figures successives d'un même débat.

Cette diversité provient de ce que chez Descartes le suppôt, l'*hupokeimenon*, reste équivoque dans sa réalité; il peut en effet être défini par la *cogitatio*. Sa réalité alors est donnée, c'est la nouveauté de Descartes, par la représentation. L'être de l'étant est conçu comme représentation. Mais la réalité du suppôt se confond également avec l'*actualitas* de l'*ens creatum*, conçue comme substance, en dépendance de la Première Cause. Cette dualité de perspective où s'affrontent, pour la première fois, le sujet et la substance met du même coup un terme à l'hégémonie

[1] *SZ*, p. 93.
[2] *N2*, p. 421.

souveraine de l'être comme acte pur à laquelle la scolastique rapportait tout [1].

Avec Descartes, l'être est pensé à la fois comme représentation et comme substance. Avec la conscience absolue du *cogito* qu'il instaure, il en arrive à croire qu'il est dispensé de toute question au sujet de l'être. Le sujet est conscience de soi. Ce qu'on tient pour vrai dès lors est assuré non plus par l'unique manifestation de l'apparaître qui est à la fois apparaître de soi-même et du monde, mais par la certitude du moi. Cette recherche se déroule dans un univers qui est celui de l'*actualitas*, pour parler latin. Ainsi s'esquissent les deux directions opposées du rationalisme et de l'empirisme, telles qu'elles s'affirmeront dès lors dans les philosophies de la subjectivité, c'est-à-dire dans les philosophies où un sujet privilégié, le Moi, fera apparaître devant lui un objet et le prendra, sous des modes divers, dans sa réflexion. Ainsi attesteront-elles, après Descartes, le conflit indompté chez lui, du neuf et de l'ancien.

M. Merleau-Ponty a noté dans son dernier livre [2] que, si multiples que soient les *Moi* éparpillés sur trois siècles, Moi de Montaigne, de Pascal, de Rousseau, de Maine de Biran ou enfin de Kierkegaard, ils restent tous apparentés. Une fois survenue la réflexion, une fois prononcé le «je pense», la pensée d'être est si bien devenue nôtre que si nous essayons d'exprimer ce qui l'a précédée, tout notre effort ne va qu'à proposer un *cogito préréflexif*.

2. *Deux ontologies*

Mais ce n'est pas là seulement qu'apparaît la richesse et l'ambiguïté de Descartes. Dans un cours inédit du Collège de France, en 1957 et 1958, l'auteur de la *Phénoménologie de la Perception* a mis en lumière, à travers les *Méditations*, un dédoublement de la notion de nature et l'existence juxtaposée de deux «ontologies». Dans les trois premières *Méditations*, il voit une philosophie de l'entendement pur et de la lumière naturelle, et, corrélativement, une ontologie de l'objet. Dans les trois dernières, une philosophie de l'homme incarné ou de l'inclination naturelle et une ontologie de l'existant.

[1] *N2*, p. 434.
[2] *Signes*, p. 192.

Ce commentaire de M. Merleau-Ponty qui, dans une ligne en partie husserlienne, s'attache aux différentes couches culturelles sédimentées dans l'idée de nature et en reste de la sorte à une recherche «généalogique», illustre ce que nous nous efforçons d'exprimer à la suite de Heidegger, ce jeu continuel de l'*essentia* et de l'*exsistentia* au sein de l'onto-théologie. Mais un passage de *Signes* [1] y contribue plus nettement encore, ne serait-ce qu'*a contrario*. Ce n'est pas le parallélisme entre la *res cogitans* et la *res extensa* qui frappe alors Merleau-Ponty. Il s'émerveille au contraire de l'accord étonnant qui, malgré les apparences irréductibles, les rassemble l'une et l'autre et il se demande quelle peut en être la source cachée. S'attachant à ce qu'il appelle le «grand rationalisme», par opposition au «petit rationalisme» de 1900 qui se ramène à l'explication de l'être par la science, Merleau-Ponty s'efforce de mettre en lumière le «secret» des dix-septième et dix-huitième siècles. Comment a-t-il pu exister alors une aussi extraordinaire harmonie entre la connaissance de la nature et la métaphysique? «Ce rationalisme a créé la science de la nature et n'a pourtant pas fait de l'objet de science le canon de l'ontologie. Il admet qu'une philosophie surplombe la science, sans être pour elle une rivale». Le pouvoir de la raison ne s'épuise pas dans la science. L'être n'est pas rabattu en entier ou aplati sur le plan de l'être extérieur. Il y a aussi l'être du sujet ou de l'âme et l'être de ses idées et les relations des idées entre elles, le rapport interne de vérité et cet univers-là est aussi grand que l'autre ou plutôt il l'enveloppe puisque, si strict que soit le lien des faits extérieurs, ce n'est pas l'un qui rend raison dernière de l'autre: ils participent ensemble à un «intérieur» que leur liaison manifeste.» Ainsi Descartes, Spinoza, Leibniz, Malebranche auraient connu un autre type d'être que celui de la chaîne des relations causales. Les problèmes que l'ontologie scientiste supprimera, en s'installant sans critique dans l'être extérieur comme milieu universel, ils n'auraient au contraire cessé de se les poser: relation de l'âme et du corps et du corps et de l'âme, action du corps sur le corps ou de l'esprit sur un autre esprit ou sur lui-même, insuffisance de la *connexion* (c'est nous qui soulignons) des choses particulières en nous et hors de nous pour expliquer ce qui sort d'elle ... D'où vient la cohésion du tout?

[1] *Signes*, pp. 185 et 187.

Chacun donne sa réponse personnelle mais, chez tous, «l'extérieur» est soumis à «l'intérieur» ... C'est, nous explique M. Merleau-Ponty, que dans un «infiniment infini» communiquent ou se soudent l'un à l'autre l'existence effective des choses *partes extra partes* et l'étendue pensée par nous qui, au contraire, est continue et infinie. Là réside le «secret» cherché. L'infini positif – Dieu – constitue la médiation entre l'extérieur et l'intérieur. Descartes n'écrit-il pas: «Par la nature, je n'entends autre chose que Dieu lui-même»? Dieu constituerait de la sorte la solidité productible sur laquelle reposent aussi bien ce que M. Merleau-Ponty appelle l'ontologie de l'objet que celle de l'existence. Nous dirions pour notre part qu'avec cette explication nous sommes en pleine onto-théologie cartésienne: dans un univers hiérarchisé, il y a, poursuit en effet M. Merleau-Ponty, au centre et comme au noyau de l'être, un «infiniment infini», que tout être partiel présuppose directement ou indirectement et dans lequel il est réellement et éminemment contenu. Ici s'enracine pour Descartes l'idée de la Vérité qui justement nous a menés à l'infini, ce «noyau de l'être» nécessaire au principe de toutes les connaissances sensibles qui ne se comprennent que comme cas particulier des relations intérieures dont est fait l'espace intelligible.

M. Merleau-Ponty signale qu'un aspect «négatif» a manqué à cette philosophie de l'infini positif dont la réalité touche au chosisme. Descartes l'aurait toutefois entrevu dans un éclair en décrivant l'esprit comme un être qui n'est ni une matière subtile, ni un souffle, ni aucune chose existante et qui demeure lui-même, en l'absence de toute certitude positive. Il aurait mis à jour de la sorte le «pouvoir de faire et de ne pas faire, qui, disait-il, ne comporte pas de degré, qui donc est infini dans l'homme comme en Dieu et constitue à proprement parler notre liberté. C'est un infini de négation, puisque dans une liberté qui est de ne pas faire aussi bien que de faire, *la position ne pourra jamais être que négation niée*». (c'est nous qui soulignons). Ce serait par là que Descartes devient le plus moderne des cartésiens et anticipe les philosophies du négatif.

Pareil négatif et pareille négation suffisent-ils à nous faire dépasser l'exclusivisme de «l'infini positif» qui nous semble illustrer magnifiquement l'onto-théologie?

Elève des Suaréziens, sans doute Descartes est-il éduqué à

penser par perpétuelle référence au néant. Aussi sa philosophie est-elle instable et exposée dans ses thèses mêmes à un renversement. C'est ce qui explique à nos yeux que Descartes localise l'infini tantôt dans l'essence infinie et lumineuse de Dieu, tantôt en nous-mêmes (cf. Réponse aux premières objections). L'infini ici se situe dans la liberté. Il consiste à rester entre le positif et le négatif, entre le oui et le non.

La même oscillation se retrouve chez Descartes à propos de Dieu et c'est dans cette perspective que Merleau-Ponty, contrairement à M. Guéroult, estime ne pas pouvoir concilier la définition de Dieu qui est celle des trois premières *Méditations* et où l'essence divine exige et comprend l'existence et la thèse des dernières *Méditations* où le Créateur des vérités éternelles est audelà de l'essence. La véracité divine est alors à entendre comme cohésion entre moi, mon corps et le monde.

Cette équivoque, poursuit M. Merleau-Ponty, est celle de toute la philosophie occidentale qui hésite à s'installer en Dieu ou en l'homme pour penser toutes choses. La conception de Descartes, conclut le professeur au Collège de France, est probablement que la philosophie est adossée à Dieu et qu'il faut penser à la fois selon Dieu et selon l'homme.

Si l'on se souvient de ce que nous avons dit à propos du Moyen-Age, la néantisation n'est pas le fait de l'esprit; elle ne provient pas de la négation, c'est la négation qui s'enracine dans la néantisation. Celle-ci correspond à cette énigme du mouvement qui est celle de l'être même [1], d'un être qui n'est plus seulement «l'être de l'étant». Ce qui dans l'être n'est pas passé à l'étant constitue véritablement le *rien* comme il constitue la *différence* sur quoi tout se détache.

Par ailleurs, peut-on dire que «l'infiniment infini» constitue la médiation attendue entre «l'extérieur» et l'intérieur»? Certes, il y a chez Descartes un problème quasi insurmontable d'harmonisation entre la *res cogitans* et la *res extensa* considérées l'une et l'autre comme des substances, mais ce n'est pas en dehors d'elles qu'il faut chercher le principe qui les unifie. La véritable unité de ce que l'on appelle «l'extérieur» et de ce que l'on appelle «l'intérieur», leur médiation, ne peut se trouver que dans l'apparaître même, puisqu'il est toujours indissolublement, comme

[1] *SZ*, p. 392.

l'a montré Parménide, apparaître de l'étant et manifestation de l'être, dans l'unité *phusis-logos* qui constitue chaque instant, dans le jeu *legein-noein* où se déploie la pensée. Si l'être est à entendre transitivement, ainsi que nous l'avons vu au sujet d'Aristote, s'il est «passage», si du même coup cette médiation qui est apparaître – *Lichtung* – est aussi néant (c'est-à-dire le ne-pas de l'étant et ainsi l'être encore expérimenté à partir de l'étant) [1], nous savons aussi que tout s'enracine dans l'anéantissement plus originel de l'être lui-même – *Nichtung*.

Mais comment Descartes le verrait-il puisque, même si sa *cogitatio* garde un reflet du *logos* originel, elle est avec toute la métaphysique sortie du temps et oppose être à non-être. Bien que Descartes reste suspendu à la «création continuée», il l'a en fait conçue de manière très unilatérale, comme l'a bien fait remarquer Merleau-Ponty (Cours du Collège de France 1958). Il en fait l'existence d'un monde contingent à tout instant mais il développe en même temps l'idée inverse: celle que les lois selon lesquelles le monde se conserve sont déjà inscrites dans sa structure sitôt qu'il est créé.

3. *Ratione et non réaliter*

Descartes a identifié «l'être comme étendue à l'être du monde». A quelles conditions l'homme pourra-t-il y accéder? *Ratione et non realiter*. Il n'y a pour l'auteur des *Méditations* qu'un seul accès au monde: c'est l'*intellectio* au sens de la connaissance physique et mathématique. La physique mathématique a pour caractéristique d'aller de certitude en certitude et de posséder chaque fois non pas l'être de l'étant auquel elle s'applique, mais l'avoir de cet être [2]. Ce qui est donc accessible à la connaissance mathématique, c'est *cela qui est*. A partir de cette connaissance du monde, on arrive à déterminer un être *remanens et capax mutationis*, celui que reconnaît la mathématique. Ce qui, à travers elle, est accessible de l'étant, est censé constituer l'être de l'étant. La mathématique détermine son objet et de cet objet fait l'être. Ici la véracité divine joue un rôle décisif. A ces vérités mathématiques, c'est la véracité divine elle-même qui sert de support. A partir de la IVème Méditation où il est fait appel à la

[1] *WG*, Avant-propos.
[2] *SZ*, p. 95.

garantie d'un Dieu dont le vouloir ne peut se confondre avec celui d'un malin génie, Descartes explicitera ce qui n'était encore en physique qu'un sous-entendu immotivé: la généralisation de principe aux choses corporelles de tout ce que les géomètres supposent en leur objet. Tout deviendra *res extensa* ... Ainsi est résolu le problème que posait le mode d'être des objets géométriques en qui l'*essentia* et l'*exsistentia* coïncident.

En partant donc d'une idée définie de l'être, marquée par le concept de substantialité, puis à travers une théorie de la connaissance mathématique fondée sur la certitude, on opère la déduction d'un «dehors» de l'être du monde. Non certes que la mathématique détermine l'ontologie de l'être mais Descartes se satisfait d'une ontologie dont les mathématiques s'accommodent particulièrement bien. C'est de la physique mathématique créée par lui avec tous ses présupposés que sortiront la science et la technique modernes.

Descartes reste dans l'élaboration ontologique de cette question très en arrière de la scolastique [1] et ne discute ni le sens de l'être inclus dans l'idée de substantialité à laquelle il a pourtant recours, ni la généralité du concept d'être. Ce sens demeure chez lui inexpliqué parce qu'il le tient pour évident. Non seulement Descartes ne pose pas la question de la substantialité, mais il déclare expressément que la substantialité en elle-même est inaccessible [2]. L'être ne nous affecte pas, c'est pourquoi il ne peut être perçu. «L'être n'est pas un prédicat réel», dira plus tard Kant qui répète seulement Descartes. On renonce à la problématique de l'être et l'on se contente de caractériser les substances. Bien que l'être soit réputé ne pas être accessible comme un étant, on ne l'exprime pas moins de manière ontique, au moyen de ses attributs. Cette ontologie ne permet pas d'atteindre le problème de l'être. Elle parle d'être et de possible, de causalité et de finalité, mais ce sont toujours des notions liées pour elle à celle d'un univers en acte, où tout est à tout instant étalé soit aux regards d'un Créateur, conçu lui aussi comme *ens realissimum*, soit à ceux d'une Raison souveraine.

En réalité, ce qui fait défaut à la pensée cartésienne, c'est la notion de monde, de l'*hen panta* au sein duquel vivaient spon-

[1] *SZ*, p. 93.
[2] *Principes* I, 52.

tanément les présocratiques. Le monde n'est ni la somme des étants, ni le cadre intérieur où ils seraient contenus, mais une Totalité toujours mouvante qui s'ordonne sans cesse dans le *logos* de l'instant. Cette unification nous conduit à saisir le monde à partir de son jaillissement et nous restitue de la sorte indissolublement le sens de l'être de l'étant, avec lequel elle ne fait qu'un. Ce fut l'apport de *Sein und Zeit*, après celui des conférences de Husserl sur le temps, de nous apprendre qu'une chose ne nous est jamais donnée en elle-même, «en soi», mais dans l'instant, à l'intérieur d'un monde, celui par exemple du biologiste, de l'historien, du poète ou du politique.

L'obscurcissement du sens de l'être chez Descartes à travers l'évidence ne l'a pas conduit seulement à se détourner de ce qu'implique l'apparition du moindre étant pour s'en remettre au *summum ens* de l'onto-théologie. Il a aggravé la conjoncture philosophique en faisant appel aux dispositions à notre égard d'un vouloir divin dont rien, sinon un certain sentiment que nous en avons, ne fonde l'immutabilité. La métaphysique immobile, par ce recours désespéré, manifeste la précarité même des principes intellectuels dont elle est née. Elle ne pourra indéfiniment se défendre du nihilisme introduit en elle à la suite de sa méconnaissance du temps, c'est-à-dire de l'ouverture d'où tout, au contraire, surgit.

CHAPITRE VI

LEIBNIZ

La philosophie de Leibniz aux dires de Heidegger s'est interposée sur le chemin de la pensée comme une véritable chaîne de montagnes qui en a muré l'horizon [1]. On s'étonne de trouver pareille critique au sujet de l'auteur qui apparemment a su, par excellence, composer les idées entre elles et donner de l'univers une vision aussi souple que rassemblée. Il est nécessaire de préciser la démarche de Leibniz en ce qu'elle a de singulièrement audacieux.

Nulle doctrine plus que la sienne n'est caractérisée par l'ambiguïté qui, dès l'origine, a marqué la notion grecque du mot «étant». Est-ce là un verbe? Est-ce là un substantif? Avec l'auteur de la *Monadologie*, le dilemme du *ON* est tranché comme un nœud gordien. A la suite de la prééminence accordée à l'unité, c'est le substantif et c'est même la substance qui est désormais privilégiée. Mais les temps modernes vont la marquer d'une empreinte nouvelle.

La substance est caractérisée comme unité

La substance chez Leibniz est caractérisée essentiellement comme unité. Elle est dite, d'un terme emprunté à Giordano Bruno, *monas*, monade. Dans le système de Spinoza, Dieu seul était substance et du même coup aurait mérité le nom de monade à deux titres, d'abord parce qu'il était l'unique substance et en second lieu parce que cet être était en lui-même éminemment un. Ce dernier trait a sans doute particulièrement frappé Leibniz et l'a émerveillé puisqu'il le situe au cœur de sa conception de la substance. Il a trop critiqué Spinoza en effet pour ne pas en rester profondément dépendant.

[1] *SG*, p. 83, trad. p. 120.

«Spinoza a prétendu démontrer qu'il n'y a qu'une substance dans le monde, mais ses démonstrations sont pitoyables ou inintelligibles» [1]. Leibniz estime l'avoir réfuté dans ce qu'on appelera après sa mort, la *Monadologie*: «C'est justement par ces monades que le spinozisme est détruit car il y a autant de substances véritables et pour ainsi dire de miroirs vivants de l'univers toujours subsistants ou d'univers concentrés qu'il y a de monades, au lieu que selon Spinoza, il n'y a qu'une seule substance. Il aurait raison s'il n'y avait pas de monades. Alors tout, hors de Dieu, serait passager et s'évanouirait en simples accidens et modifications, puisqu'il n'y aurait point la base des substances dans les choses, laquelle consiste dans l'existence des monades» [2].

Trouver cette base des substances dans les choses et l'avoir caractérisée comme monade, résume toute la démarche de Leibniz. Retracer son système, ce n'est qu'expliciter la notion d'unité telle qu'il l'a conçue avec une vigueur singulière.

I. LA REALITE NOUVELLE DE LA SUBSTANCE ET SON UNITE

Celui qui cherchait à tout concilier et que sa fidélité à Aristote poussait à critiquer Descartes ne pouvait à son tour, précisément en raison de Descartes, qu'aller au-delà d'Aristote. Toute sa vie, Leibniz s'est préoccupé d'analyser et de réformer la notion de substance. C'est dans un contexte inédit qu'il la situe quand il écrit par exemple: «La substance, dont la connaissance est la clé de la philosophie intérieure» [3].

1. Prééminence nouvelle de l'ontologie

En 1694, trois ans seulement avant d'employer pour la première fois le mot de monade dans une lettre à Fardella, Leibniz publie un opuscule de trois pages intitulé: *De primae philosophiae emendatione et de notione substantiae* [4]. Heidegger fait remarquer que la véritable correction de la philosophie première qu'apporte le maître de Hanovre a trait précisément dès cette date à la notion

[1] Ed. Gehrardt, VIII, p. 13.
[2] Gehr. III, p. 575. Lettre à Bourget.
[3] Gehr. III, p. 567.
[4] Gehr. IV, pp. 468–470. Dans *Nouveaux essais sur l'entendement humain*, Flammarion, 1921, pp. 490–492.

de substance. C'est un retour à l'étant qu'il préconise car il lui semble que les systèmes les plus récents l'ont perdue de vue et manquent de points de référence. «La cause de ces erreurs est une fausse idée de la nature de la substance en général. Descartes s'est élancé d'un saut à la solution des plus hautes questions avant que d'avoir expliqué les notions sur lesquelles il s'appuyait». C'est pourquoi cette science première qu'Aristote appelait déjà la *désirée* est encore à chercher. Mais avec Leibniz, elle va parvenir à sa réalisation. «L'importance de ces remarques paraîtra surtout par la notion que je donne de la substance *qui est si féconde qu'on en tire toutes les vérités premières et sur Dieu et sur les âmes et sur la nature des corps* . . .» Même une saine théologie suppose un préalable ontologique. A cette phase de la pensée, l'ontologie prend conscience de son autonomie et de son hégémonie décisives. Elle s'établit en système. Un certain équilibre qui avait été gardé tant bien que mal au Moyen-Age, que Descartes avait rompu en faveur de la théologie, bascule maintenant pour plus d'un siècle au profit de l'ontologie.

2. *La notion de force*

A coup sûr Leibniz, tout comme la métaphysique à ses diverses époques, ne cessera pas de chercher l'être de l'étant parce que, bon gré mal gré, un philosophe ne peut jamais rien chercher d'autre. Ce qu'il oubliera, tout comme la métaphysique qui l'a précédé, mais plus radicalement encore, c'est la différence de l'être et de l'étant, ou plutôt – car en cherchant seulement la différence de l'être et de l'étant on s'engage dans une itération indéfinie – le rien qui seul permet de pressentir l'identité et la différence, le même et l'autre ici en jeu. Au lieu de tout saisir dans l'instant où s'identifient et se différencient l'être et la pensée dans leur jaillissement vivant, il ramènera dès cette époque la réalité de l'étant au mouvement de celui-ci qu'il caractérise comme force. «Pour en donner un avant-goût, je dirai en passant que la notion de force, *virium seu virtutis quam Germani vocant Kraft, Galli la force* . . . apporte une très grande lumière à la véritable notion de substance en général» [1].

Cette force n'est pas plus la *potentia* et l'*actus* médiévaux que

[1] *De primae* . . . . . ., p. 469.

la *dunamis* et l'*energeia* aristotéliciennes [1]. C'est la *vis primitiva activa*. Alors que la puissance ne peut passer à l'acte sans une intervention du dehors, la force par contre est toujours en acte. Elle est essentiellement tendance et, à ce titre, elle est toujours donnée. Pour Leibniz, une chose est ou n'est pas. C'est en ce sens qu'il définit la substance, le *subjectum*. Le possible de Leibniz ne diffère, en effet, du réel qu'à la mesure de son plus ou moins grand enveloppement et développement. Toutefois la correspondant du Père des Bosses vient après la philosophie du *cogito* et pour lui cette dénomination de force a encore quelque chose d'extérieur et de confus. Elle ne suffit pas à caractériser un être autrement que du dehors et ne peut désigner une véritable substance. Mais c'est en les référant à son sens suraigu de l'unité de l'étant que Leibniz retrouvera certaines intuitions fondamentales de Descartes.

3. La représentation unificatrice

Il exprime cette exigence d'unité dans des textes bien connus: «Pour trancher court, je tiens pour un axiome cette proposition identique qui n'est diversifiée que par l'accent, à savoir que ce qui n'est pas véritablement *un* être, n'est pas non plus véritablement un *être*». Dans la lettre à Volder, il est plus catégorique encore: *«Quod si nullum vere unum adest, omnis vera res erit sublata»* [2]. L'initiative de Leibniz est de définir la force originellement comme *appetitus* et *perceptio*, en raison de sa conception de l'unité.

Heidegger remarque en effet que c'est de son unification que chaque chose selon Leibniz tient pour nous sa présence [3]. Il faut dire ici que c'est de son unité que l'étant reçoit chaque fois son étantité – *ousia, Seiendheit*. Il n'est étant que parce qu'il est un. Mais un pas de plus reste à faire dans notre analyse: c'est celui qu'accomplit Heidegger quand il poursuit avec sa rigueur coutumière: pour Leibniz cette présence, l'unifiant ne la confère à l'unifié qu'en se-la-représentant. Pareil privilège de composer le multiple dans le simple n'appartient en propre qu'à la représen-

[1] Cf. Aimé Forest: «La notion de substance chez Leibniz et chez saint Thomas», *Revue des Sciences Philosophiques et Théologiques*, 1923.

[2] Lettre à Arnauld, 20 avril 1687, Gehr. II, p. 97 et Lettre à Volder, 20 juin 1703, *id.* II, p. 251.

[3] *N2*, p. 437.

tation. «L'étant passager qui enveloppe et représente une multitude dans l'unité ou dans la substance simple n'est autre chose que ce qu'on appelle la perception». «L'action du principe interne qui fait le changement, le passage d'une perception à une autre, peut être appelé *appetitus*» [1]. Ainsi le principe d'unité conduit-il Leibniz à révéler comme toute intérieure la force dont il a d'abord parlé. Nous tenons là la définition première de la monade.

L'apparente simplicité de l'itinéraire de Leibniz ne doit pourtant pas nous cacher l'ambiguïté des concepts qu'il utilise et où se retrouvent les contradictions mêmes de la métaphysique dans son hésitation entre l'ontologie de l'objet et l'ontologie de l'existant dont parlait également à sa façon M. Merleau-Ponty.

La première équivoque concerne la suffisance de la monade. Elle est source de ses actions internes [2]. Elle n'a ni porte ni fenêtres; elle ne peut commencer ni finir que tout d'un coup. Elle repose en elle-même. Descartes avait écrit: «par substance, nous ne pouvons entendre rien d'autre que la chose qui existe de telle sorte qu'elle n'ait besoin de rien d'autre pour exister» [3]. En toute rigueur de terme, cette définition ne s'applique qu'à Dieu et Descartes le remarque aussitôt, en précisant que cette notion doit être employée analogiquement. Nous avons marqué que Descartes est tributaire des difficultés scolastiques et qu'il enveloppe sous un même mot les substances et leur substantialité dont il déclare qu'elle est inaccessible. Pareillement, Leibniz confond les monades comme étants individuels et ce qui les rend essentiellement monades.

4. *Ambiguïté du concept d'unité*

Cette ambiguïté est aussi celle de la notion d'unité [4], qui évoque ensemble «l'un» chaque fois défini concrètement par cette unité mais aussi l'unité définissante elle-même. Lorsque Leibniz pense la monade, il pense confusément l'unité comme structure essentielle des «unités» et ces unités elles-mêmes.

Cette équivoque, nous semble-t-il, atteint son sommet lorsqu'il présente chaque monade comme étant la source de ses actions internes. La monade tient de sa re-présentation, au sens que nous

[1] *Monadologie*, 14 et 15.
[2] *Monadologie*, 18.
[3] *Principes* I, 51.
[4] *N2*, p. 437.

avons précisé chez Descartes, la «réalité» du réel. Elle se présente comme la source de ses représentations et de cette «réalité». Nous sommes loin de l'accord *phusis-logos* vécu par Héraclite.

Au fond de ces diverses difficultés que nous venons d'évoquer rapidement réside un malentendu décisif. Toute la question, en effet, revient à savoir si Leibniz, en face des multiples étants, a gardé ou non le sens d'une dispensation de présence qui tout à la fois les fait surgir et, aux yeux de ceux qui les pensent, apparaître tels qu'ils sont. Un examen superficiel pourrait laisser croire que cette dispensation de présence est effectivement l'objet de l'harmonie préétablie.

En vérité, celle-ci en offre la pure contrefaçon puisqu'au jaillissement du *logos-aiôn*, elle substitue un système de rationalité consommée. Symbolisée par le principe de raison, qui est destiné à rendre compte de tout, elle prévient toute question et arrête tout étonnement, immobilisant le destin de la pensée. On se méprendrait toutefois sur le rôle de cette rationalité introduite par Leibniz si l'on y voyait autre chose qu'une conséquence irrécusable de son sens de l'unité.

II. L'UNITE LOGIQUE DE LA MONADE

La monade une fois posée, comment Leibniz parviendra-t-il à la penser et à la dire dans son unité constitutive? Tout en la pensant créee, il s'efforcera de la dire non sans se souvenir de la façon dont Spinoza a dit Dieu.

1. Inclusion du prédicat dans le sujet

Le point de départ de Spinoza était ainsi formulable logiquement: Dieu est la substance qui comme sujet inclut toutes les choses individuelles en tant que prédications qui lui sont propres. Tous les prédicats sont inclus dans le sujet comme dans leur support. Leibniz, si opposé au panthéisme de Spinoza, s'efforcera de faire de chaque monade un tout sans porte ni fenêtres. L'origine lointaine de cette conception du sujet se trouve dans la logique aristotélicienne [1]. La proposition est un jugement dans lequel quelque chose est énoncé comme tel ou tel. Cette énonciation

[1] Cf. chap. III. Aristote, rôle du *legomenon*.

détermine le sujet. L'inclusion du prédicat dans le sujet peut s'accomplir de plusieurs façons: ou bien le prédicat est tiré de l'essence du sujet: l'homme est un être vivant raisonnable; ou bien il lui survient par accident: l'homme a la peau brune. Dans le premier cas, l'énoncé opposé est absurde. Dans le second cas, il est possible. Il faudra attendre Hegel et la réversibilité qu'il établit dans sa proposition spéculative entre sujet et prédicat pour renouveler et dépasser la conception du sujet comme suppôt de prédicats.

Leibniz occupe une place prépondérante dans le développement historique de cette logique de la proposition. A cet égard, le texte de *Primae Veritates* que cite Heidegger dans *Vom Wesen des Grundes* [1] est typique. «Dans un énoncé identique, le concept de prédicat est toujours inclus dans le sujet. C'est en quoi consiste la nature de la vérité en général, c'est à dire la connexion entre les termes de la proposition, pour parler comme Aristote. Dans les propositions identiques, cette connexion et la compréhension du prédicat dans le sujet sont expresses. Dans toutes les autres, elles sont implicites. Elles doivent alors être dégagées par l'analyse des notions en quoi consiste la démonstration a priori».

2. *Que devient le contingence?*

La difficulté pour Leibniz est d'expliquer les vérités contingentes bien qu'il les reconnaisse ne pouvoir se passer d'explication. Spinoza, déjà, avait connu le même problème: «Si par exemple vingt hommes existent dans la nature, écrivait-il le 7 janvier 1666, (pour éviter toute confusion, je supposerai en même temps, qu'ils sont les premiers à exister dans la nature), ce n'est pas assez de chercher la cause de la nature humaine pour rendre raison (*ut rationem reddamus*) qu'il en existe vingt. Il faut chercher la raison de ce que vingt hommes existent ni plus, ni moins, car ... de tout homme il faut rendre raison et cause de ce qu'il existe et cette cause ... ne peut pas être contenue dans la nature de cet homme même. En effet, la vraie définition de l'homme n'enveloppe pas vingt hommes. C'est pourquoi ... la cause de l'existence de ces vingt hommes et par conséquent de chacun en particulier doit être donnée en dehors d'eux. D'où il

[1] *WG*, p. 10. *Opuscules et fragments*, édités par Couturat, 1903, p. 518.

faut conclure absolument que tout ce qui peut être conçu comme existant de manière multiple est produit nécessairement par suite de causes extérieures et non par la force de sa propre nature» [1].

Mais nous savons que pour Spinoza il n'y a contingence que du fait de notre ignorance puisque tout est nécessaire et qu'il n'y a pas d'*ordo* et de *connexio rerum* qui ne s'identifient à l'*ordo* et à la *connexio idearum*. «Une chose dont nous ignorons que l'essence enveloppe contradiction ou de laquelle nous savons bien qu'elle n'enveloppe aucune contradiction sans pouvoir rien affirmer avec certitude de son existence parce que nous ignorons l'ordre des causes, une telle chose dis-je ne peut jamais nous apparaître ni comme nécessaire, ni comme impossible et par suite nous l'appelons contingente ou possible» [2]. Mais ce qu'elle atteste avant tout, c'est notre ignorance.

Pour trancher le débat, s'en rapporter à la volonté de Dieu à la manière de Descartes serait faire de celle-ci, dit encore Spinoza, «l'asile de l'ignorance» [3]. «En philosophie, il faut tâcher de rendre raison, en faisant connaître de quelle façon les choses sont».

3. *Rien n'arrive sans raison*

C'est pourtant le parti que prend Leibniz mais avec une nouveauté décisive comme il l'explique dans le Cinquième Ecrit à Clarke [4]: «Et la perfection de Dieu demande que toutes ses actions soient conformes à sa sagesse et qu'on ne puisse pas lui reprocher d'avoir agi sans raison ou même d'avoir préféré une raison plus faible à une raison plus forte». Ainsi Leibniz préservait-il le principe qui se trouve dans le *Système nouveau de la Nature:* «En philosophie, il faut tâcher de rendre raison en faisant connaître de quelle façon les choses s'exécutent par la sagesse divine conformément à la notion du sujet dont il s'agit».

Comme il l'écrit encore à Clarke [5]: «Il y a des nécessités qu'il faut admettre ... Il faut distinguer ... entre une nécessité qui a lieu parce que l'opposé implique contradiction et laquelle est

[1] *Opera*, ed. Tauchnitz junior, Leipzig, 1844, lettre 39.
[2] *Ethique*, première partie, Proposition 33, scolie 1.
[3] *Ethique*, première partie. Appendice·
[4] Ed. Erdmann, 764, § 19.
[5] *Id.* § 4 et § 7

appelée logique, métaphysique ou mathématique et entre une nécessité qui est morale, qui fait que le sage choisit le meilleur et que tout esprit suit l'inclination la plus grande ...». «C'est la plus parfaite liberté de n'être point empêché d'agir le mieux».

Il n'en reste pas moins que Leibniz va s'efforcer de vaincre l'ignorance à laquelle faisait allusion Spinoza. Il y prétendra en attribuant une ampleur nouvelle au même principe aristotélicien suivant lequel le prédicat doit toujours être contenu dans le sujet. Cette règle en effet se retrouve selon lui en toute vérité affirmative universelle ou singulière, nécessaire ou contingente, tant intrinsèque qu'extrinsèque et là réside un secret admirable qui enferme la nature de la contingence, aussi bien que de la distinction essentielle des vérités nécessaires et contingentes. Le problème de la fatale nécessité des choses libres est levé.

De ces prémisses qu'on n'a pas assez considérées parce qu'elles semblaient trop faciles, nous dit-il, découlent des conséquences de grande importance. C'est de là en effet que naît aussitôt l'axiome reçu que rien n'est sans raison ou nul effet sans cause. Autrement, une vérité serait donnée qu'on ne pourrait prouver a priori ou qu'on ne saurait résoudre en propositions identiques, ce qui est contraire à la nature de la vérité qui est toujours identique, soit implicitement soit explicitement.

C'est à partir de cette maxime, rapportée en ces termes dans le texte cité de *Primae Veritates*, que Leibniz va d'une part définir la relation de Dieu au monde puisque Dieu embrasse tous les mondes possibles et réels; et d'autre part, la relation de l'étant individuel avec lui-même car tout homme est une unité dans laquelle sont incluses toutes ses actions.

C'est à partir de là qu'il faut comprendre la pensée de Leibniz sur la monade. Ces multiples substances individuelles s'accomplissent indépendamment les uns des autres d'après leur propre loi. Chez Spinoza, Dieu était le support de tout étant tandis que l'étant de son côté était chaque fois une explication de Dieu puisque Dieu s'y définissait et s'y concrétisait. La tâche de Leibniz était de montrer comment les substances individuelles dans leur suffisance, *autarcheia*, n'en restaient pas moins semblables à Dieu, à ce Dieu qu'il conçoit à son tour comme le support de l'ordre des substances.

Dieu et l'univers trouvent leur accord dans l'exigence de

rationalité en quoi se définit la ressemblance à Dieu de toute substance et qui sert de principe à l'harmonie préétablie [1].

4. *Unité des propositions identiques et des vérités contingentes*

Pourtant l'œuvre est ardue de résoudre, comme veut le faire Leibniz, en un tout la vérité des propositions identiques et celle des vérités contingentes. Dans ce dernier cas, en effet, la grande question se pose: pourquoi existe-t-il quelque chose plutôt que rien? C'est l'interrogation à laquelle la métaphysique ne peut plus se dérober depuis que Suarez a fait sortir l'existence du «néant». C'est la notion de possible renouvelée par Leibniz qui servira de médiation. Le possible, en effet, dont par ailleurs la notion de force nous a évoqué la nature, tend par lui-même à se réaliser. En termes logiques, l'existence tend à accomplir l'essence. Il y a dans toute existence, une exigence d'essence, *exigentia essentiae* [2]. Cette exigence d'essence, nous dit Heidegger, c'est déjà la *volonté*, l'être comme volonté. Chacun à leur manière, Kant, Hegel, Schelling et Nietzsche en découleront.

5. *Principe de raison suffisante et principe de contradiction*

Ainsi deux démarches de pensée s'affirment chez Leibniz: l'une, analytique, a pour objet de concevoir ce qui est inclus dans un concept, l'autre, synthétique, qui a pour tâche de déterminer quel est l'accord possible, dans un ensemble concret, d'une essence déterminée [3]. Même dans cette combinatoire, Dieu n'est pas libre au sens de libre-arbitre. Il est déterminé par un principe, celui de raison suffisante. Il est lié à sa sagesse, pour reprendre l'expression de Leibniz. Il lui faut créer le meilleur monde possible. Spinoza avait donné de la liberté de Dieu cette définition nécessaire: «la puissance de Dieu est son essence» [4] et «Dieu agit avec la même nécessité qu'il se comprend lui-même». Certes, ce n'est pas autre chose que la rationalité qui commande Dieu mais l'hégémonie de ce principe s'étend à la monade elle-même. On peut même dire que toute substance porte de quelque façon le caractère de la sagesse infinie et de la tout-puissance de

[1] Cf. Walter Schulz, *Der Gott der neuzeitlichen Metaphysik*, Neske, Pfullingen, 1957, p. 74.

[2] *N2*, p. 452 et p. 474.

[3] E. Boutroux. Edition de la *Monadologie*.

[4] *Ethique*, lère partie, proposition 34 (24)

Dieu. Elle l'imite autant qu'elle en est susceptible, car elle exprime, quoique confusément, tout ce qui arrive dans l'univers, passé, présent et avenir, ce qui a quelque ressemblance à une perception ou connaissance infinie; et comme toutes les autres substances expriment celle-cy à leur tour et s'y accommodent, on peut dire qu'elle étend sa puissance sur toutes les autres à l'imitation de la toute-puissance du Créateur [1].

Par quel biais le principe de raison suffisante rejoint-il le principe de contradiction? L'exemple fameux de César et du Rubicon nous le suggère. «Si quelqu'homme était capable d'achever toute la démonstration en vertu de laquelle il pourrait prouver cette connexion du sujet qui est César et du prédicat qui est son entreprise heureuse, il ferait voir en effet que la dictature future de César a son fondement dans sa notion ou nature, qu'on y voit une raison pourquoi il a plutôt résolu de passer le Rubicon que de s'y arrêter et pourquoi il a plutôt gagné que perdu la journée de Pharsale, et qu'il était raisonnable et par conséquent assuré que cela arrivât; mais non pas qu'il (soit) nécessaire en soi-même, ni que le contraire implique contradiction» [2]. Dès lors, si l'homme ne pénètre pas la rationalité de sa propre conduite, ce n'est pas qu'il échappe. C'est seulement qu'il est limité dans la clarté de sa perception.

En fait, c'est le principe de raison suffisante lui-même qui loin d'être subordonné au principe de contradiction comme on pourrait le croire de prime abord, le soumet à son hégémonie. Ainsi que le remarquait déjà Boutroux [3], séparé du principe du meilleur, le principe de contradiction comporte en chaque matière une infinité de solutions . . ., pourtant le réel doit être *ceci* ou *cela*. Il s'ensuit que les vérités dites nécessaires ne s'appliquent qu'au possible et non au réel.

Toutefois, par cette subordination Leibniz n'est-il pas sorti de la rigueur du principe logique auquel il voulait se tenir? Il n'était pas possible d'affirmer en effet dans cette perspective que le monde, tel qu'il est, est nécessaire métaphysiquement. Nous devons nous contenter de nous dire que son contraire correspondrait à une sagesse absurde. C'est Wolff et non point Leibniz, qui fera

[1] Gehr. IV, p. 434.
[2] Gehr. IV, p. 437.
[3] *Monadologie*, 76.

rentrer le principe de raison suffisante dans le principe de contradiction. Pourtant Leibniz n'avait-il pas d'abord donné à sa découverte le nom de *principe de raison déterminante*?

6. *Deux séries de manifestations, l'une «intérieure», l'autre «extérieure»*

Dans ce système si rigoureux, que devient le monde? Le dualisme de la *res cogitans* et de la *res extensa*, loin d'être dominé, est consacré par le système de Leibniz, puisque c'est toujours de «l'intérieur» que la monade correspond à tout ce qui paraît «extérieur». N'avons-nous pas dans cet «extérieur», l'annonce du «phénomène» kantien? Le monde sensible est coupé du monde intelligible et cette position dominera l'idéalisme jusqu'à la spéculation de Hegel et la révolte de Nietzsche. Leibniz a durci la distinction du sujet et de l'objet, de la forme et du contenu dans lesquelles nous vivons quotidiennement. Bien que tout provienne du dedans, on procède comme si en même temps et malgré tout, tout était encore vu du dehors: la preuve en est la correspondance qu'on s'efforce d'établir entre deux séries de manifestations qu'il s'agit d'harmoniser comme des horloges. D'un côté, s'offre la continuité psychique du Moi; de l'autre, une nature *partes extra partes*. Nous tenons là l'attitude implicite de la science moderne qui suppose continuellement un dedans et un dehors des choses, l'intérieur rendant toujours compte par son propre mouvement de l'extérieur. A cet égard, la synthèse d'un Père Teilhard de Chardin, si on la prend pour un test de l'esprit moderne, consacre cette perspective leibnizienne.

A coup sûr, pour surmonter cette dichotomie, on pourrait faire appel au Dieu de l'harmonie préetablie, mais comment ne pas apercevoir en Lui l'accomplissement du Deus artifex? C'est le planificateur par excellence. Comment serait-il autre chose d'ailleurs dans un univers où tout, jusqu'au possible, est déjà donné? Il n'y a plus lieu de s'étonner dès lors que, semblable à Dieu, la monade que nous sommes ait repris à son compte le grand rêve de planification et de planétisation dont un si haut exemple lui est offert. L'homme à son tour va devenir l'ingénieur de l'immense réserve d'énergie rassemblée dans l'univers; encore un pas et les énergies seront identifiées au monde lui-même – nous voici dans l'ère atomique – risquant de masquer la présence dont pourtant cette technique est encore une preuve car elle n'a pu s'instituer que comme rencontre de la pensée et de l'être à chaque instant.

Pour avoir donné la place que l'on sait au principe de raison suffisante, au *principium reddendae rationis,* le si religieux Leibniz parvient paradoxalement à la position d'un Dieu qui est plus que jamais *causa causarum.* En effet, cette raison dont il parle dans les *Vingt-quatre thèses métaphysiques* doit être, selon lui, dans quelque étant réel comme dans sa cause. L'*ultima ratio rerum* ne fait qu'un avec la cause première; d'un mot «ce que nous avons l'habitude d'appeler Dieu», *uno vocabulo solet appelari Deus,* à savoir l'*Ens necessarium,* cet étant qui est nécessairement ... ce n'est rien d'autre que cet étant nécessaire, support du principe de raison suffisante.

Une fois de plus, Dieu est invité à prendre les contours que lui a fixés à l'avance une métaphysique de l'étant et par lesquels elle prétend le définir.

CHAPITRE VII

KANT

De l'harmonie préétablie, l'auteur de la *Critique de la Raison pure* a précisément écrit qu'elle était la fiction la plus étonnante que la philosophie ait jamais conçue [1]. Avec Kant, le problème de Dieu prendra une forme tout à fait nouvelle. Il est classique de parler du piétisme qui est à l'origine de cette philosophie et du sentiment dévôt qui l'inspire. Toutefois, dans beaucoup de cercles, l'influence kantienne a joué dans un sens absolument contraire et le criticisme y passe d'abord pour une contestation abusive de notre connaissance de Dieu. En demandant raison de ses prétentions à la métaphysique traditionnelle, Kant en aurait ébranlé les assises et détruit un domaine qui paraissait bien établi, celui des preuves rationnelles de l'existence de Dieu. Ramener Dieu à un pur idéal de la raison correspondrait à une entreprise d'agnosticisme. Ainsi s'évanouirait la positivité de l'effort kantien tel qu'un Victor Delbos l'a décrit à son origine.

«*Le premier des phénomènologues*»

Qu'il s'agisse chez Kant d'une «métaphysique de la métaphysique» [2] et du même coup que les positions les mieux établies soient mises en question, Heidegger l'a montré avec une force peu commune; mais ce qu'il ajoute, c'est que Kant, qui inaugure «le dernier cycle de la métaphysique occidentale» [3] a retrouvé certaines intuitions premières antérieures même à Platon et que peut-être ainsi il a fondé de manière nouvelle ce qu'on lui reproche

[1] Réponse à un concours organisé par l'Académie de Berlin: «Quels sont les progrès réels de la métaphysique allemande depuis Leibniz et Wolff»? (éd. Meiner, V, 112) *WW*.
[2] Lettre de Kant à son disciple et ami, Markus Herz, 1781.
[3] *WW*, p. 103.

d'avoir démoli. Qu'il n'ait pas poussé jusqu'au bout ses intuitions de génie et qu'il soit resté en grande partie prisonnier des cadres de la pensée onto-théologique n'empêche pas qu'il soit à l'origine de l'effort philosophique d'aujourd'hui et qu'on puisse l'appeler: «le premier des phénoménologues» [1].

Ce que Kant rejette, c'est «le monopole des écoles» [2]. Avec lui, les système cessent d'être exclusivement envisagés comme un tableau de propositions. Ils deviennent événement. Cet évènement, c'est celui de la métaphysique. Mais pourquoi la métaphysique s'impose-t-elle comme événement? Parce que l'interrogation première qui arrête Kant est celle-ci: comment la métaphysique a-t-elle été possible? Plus précisément: comment *notre* métaphysique est-elle possible? Mieux encore: pourquoi y a-t-il une métaphysique plutôt que rien [3]? C'est sur un fond de rien que se détache pour Kant l'existence de la métaphysique. Il restera à voir comment il conçoit ce «rien».

La très forte structure logique de l'argumentation kantienne cherche à cerner ce fait essentiel, apparemment inexplicable mais, loin de le contester, ce qu'elle s'efforce c'est d'en trouver la raison suffisante conformément au principe que Leibniz a établi pour des siècles. Avec Kant, dans la métaphysique, ce n'est pas seulement le pouvoir de connaissance de l'homme qui est en cause, c'est l'homme tout court. Nous passons de l'évènement de la métaphysique comme donnée historique facilement constatable à l'*avènement* de la métaphysique dans l'homme. La pensée retrouve ainsi sa dimension de destin et perd du même coup ses prétentions à une connaissance inconditionnée. Elle est rétablie dans le climat tragique qu'avaient perçu les premiers Grecs. Cette révolution n'était possible que par un retournement quasi psychanalytique de la recherche philosophique: Quand donc l'homme acceptera-t-il de connaître non plus comme un esprit absolu, comme un dieu, mais comme un homme [3]? Certains critiques ont reproché à Descartes d'ambitionner, en prétendant découvrir l'ordre des raisons de toutes choses, une connaissance telle que Dieu seul la possède. Sans doute étaient-ils trop peu sensibles à l'aspect humain de l'aventure cartésienne. L'initiative

[1] *SZ*, p. 318 et Entretien de Cerisy-la-Salle (Manche), septembre 1955.
[2] Préface de la 2ème édition de la *Critique de la Raison pure.*
[3] *CRP*, Appendice: Amphibolie des concepts réflexifs.
[4] *CRP*, Amphibolie du concept de la réflexion (explication avec Leibniz).

de Kant est à cet égard si originale qu'on ne peut s'empêcher de la marquer comme une rupture avec toute la tradition philosophique depuis le platonisme.

Les trois questions que pose Kant: que puis-je savoir? que dois-je faire? que puis-je espérer? s'achèvent toutes dans une quatrième: qu'est-ce que l'homme? On demeure stupéfait qu'un aussi grand nombre d'interprètes de Kant n'aient pu voir dans sa doctrine qu'une systématique des conditions de la connaissance sans y déceler cette approche résolue et cette acceptation préalable de la condition humaine.

I. L'HOMME INSTAURANT TOUTES CHOSES

Kant a montré à quel point la pensée de l'homme est instituante. C'est elle qui instaure le monde. Le premier, il a marqué le lien entre la présence de l'homme et la présence des choses, renouant ainsi avec les Grecs un dialogue interrompu depuis des siècles. Lorsqu'il a cherché à se situer, il était pris entre les positions opposées de Wolff et de Hume. A la suite de Leibniz, Wolff avait identifié le principe de contradiction et le principe de raison suffisante. L'ordre logique des concepts devait reproduire l'ordre de procession des choses. Crusius, vers 1745, écrivait: «L'apriorisme wolffien est insoutenable, car nos concepts ont tous rapport à des expériences». Mais, dès avant Wolff, en 1709, Rüdinger dans le *De sensu veri et falsi* nous avait averti que le pur concept d'une chose ne peut garantir son existence et qu'à cet égard, le seul témoignage des sens est admissible. Fallait-il pour autant adopter les positions de Hume? Celui-ci, tirant son époque du «sommeil dogmatique», avait montré qu'on ne saurait trouver dans la «cause», la raison nécessaire de son «effet». La connexion établie serait donc purement empirique. Tout comme Newton avait découvert les lois de l'attraction universelle, Hume qui voulait être «le Newton de l'esprit humain», s'efforçait de déterminer le monde de combinaisons de nos impressions élémentaires [1]. Mais en face de ces liaisons contingentes, comment arrivons-nous à formuler des jugements synthétiques dont la nécessité est la caractéristique?

[1] Cf. E. Bréhier, *Histoire de la philosophie allemande*, Payot, 1921, p. 37.

1. De la constitution de l'objet par l'esprit

Kant ne va pas mettre en cause qu'il y ait de tels jugements dans le domaine de la science, ni qu'ils soient valables. Il part des mathématiques et de la géométrie newtoniennes et veut simplement essayer de fixer à quelles conditions pareille connaissance est possible. Elle ne se révèlera telle qu'à partir d'une certaine *activité de l'esprit*. Vico avait écrit vers 1710: «Nous démontrons les choses géométriques parce que nous les faisons et si nous pouvions démontrer les choses physiques, nous les ferions». Or cette spontanéité intellectuelle que l'on avait reconnue depuis longtemps dans les constructions du mathématicien, Kant l'applique aux objets de la physique. Les objets qui sont donnés à l'expérience sont eux-mêmes des produits de la construction de l'entendement [1]. Cette attitude, il va même l'étendre à toute la philosophie. La véritable science ne consiste pas à corriger nos perceptions les unes par les autres et ainsi à les rationaliser. Elle est impliquée dans la moindre perception, qui dans son jaillissement même est rationnelle. La perception redevient le point de départ de la métaphysique et Kant lui a restitué une sorte de plénitude et d'exactitude initiales. D'une certaine manière, il n'y a pas à dépasser la perception: On n'a pas besoin de la redresser pour atteindre ce qui est; elle nous le donne. Elle n'est pas une approche plus ou moins exacte du réel à moitié manquée, d'un réel qui serait au-delà. Elle est le réel. Elle est à la fois indissolublement et immanquablement l'esprit et les choses. C'est ce qu'explique toute la première moitié de la *Critique de la Raison pure* et c'est ce qui en fait avant la lettre une phénoménologie, où est surmontée la dichotomie de l'homme instaurant et de l'homme instauré. Mis en présence du phénomène nous ne devons pas chercher un autre monde, un arrière monde. Comme l'avait senti Parménide, la *doxa* est enracinée dans l'*alètheia*, les *dokounta* naissent de l'*eon*. L'objet s'objecte, c'est-à-dire il nous présente un visage, le visage que Platon appelait *eidos*. L'image, ici, est *exhibitio originaria*; l'expérience alors est le discours que nous adresse, dans le silence de la perception, le monde des phénomènes. Mais ce discours qui précède et vérifie tous nos propos est encore discours de l'homme.

[1] Ouvrage cité, p. 79.

Descartes [1] en était resté à une psychologie puisque pour chaque sujet, la perception du morceau de cire est «inspection de l'esprit». Mais en un autre sens, on peut dire aussi [2] que quand Descartes réfléchit sur le morceau de cire il y trouve après la réflexion, ce qui y était avant son doute. C'est la limite de son entreprise critique. Il rejoint ainsi «la vérité du morceau de cire». Pour Descartes, l'esprit passe au crible ses propres représentations, mais celles-ci sont sensées nous livrer en définitive l'objet déjà fait. C'est en quoi consiste l'activité de l'esprit, au lieu que pour Kant, l'esprit participe à la constitution de l'objet, le construit et que l'activité de l'esprit qui réfléchit sur la vérité sensible du morceau de cire, est elle-même un donné inséparable de l'objet. Là est la portée trans-psychologique de «l'unité originairement synthétique de l'aperception».

2. A sa position dans l'existence

La conception de la constitution de l'objet par l'esprit – de sa production – ne pouvait pas ne pas amener Kant à découvrir le problème de la position de cet objet dans l'existence. Il n'y a, disait Kant, pour une représentation synthétique et son objet que deux manières de coïncider. Ou bien c'est l'objet qui rend possible la représentation ou bien c'est la représentation qui rend possible l'objet. Ce sont les choses qui apparaissent ou c'est l'esprit qui fait apparaître les choses. Dans le premier cas, le rapport est exclusivement empirique et la représentation n'est jamais possible *a priori*. Dans le second cas, l'existence de l'objet le détermine cependant *a priori* en ce sens qu'elle seule permet de connaître quelque chose comme objet [3]. La liaison des éléments divers, dans laquelle Hume avait le tort de ne voir qu'une nécessité subjective issue de l'expérience, est pour Kant une opération issue de l'entendement qui n'est lui-même que la faculté de former des *liaisons* a priori et de ramener la diversité des représentations données à l'unité de l'aperception dans l'acte indivisible du «je pense» qui fait que toutes les représentations sont miennes. Tout dépend du «je lie». Telle est la forme moderne de l'*ousia*, de la *para ousia:* le *para* porte et tient l'être ensemble qui forme alors

[1] E. Bréhier, ouvrage cité, p. 51.
[2] C'est ce que Merleau-Ponty a marqué dans son cours au Collège de France, en 1956.
[3] *CRP.* Passage à la déduction transcendentale des catégories.

une unité. Mais le véritable règne – *Wesen* – de ce dévoilement demeure caché et oublié. Le fait de se trouver là contre – *gegen* – demeure l'essentiel à travers la re-présentation.

L'apparition alors devient question. C'est la raison de l'homme qui sera appelée à en rendre compte. Comment Kant est-il arrivé à cette situation du problème qui caractérise le criticisme? Nous le saisissons, dix-huit ans avant la *Critique*, à travers l'étude de 1763, intitulée: *De l'unique fondement possible d'une démonstration de l'existence de Dieu* [1]. C'est une tentative quasi désespérée pour reconstituer l'argument ontologique. Celui-ci symbolise la prétention de la métaphysique traditionnelle de déduire l'existant du conceptuel, l'être à partir du possible, ou plutôt l'*exsistentia* comme «réalité», de l'*essentia* comme «possibilité». Heidegger, dans un séminaire tenu à Cerisy-la-Salle, en septembre 1955, s'est attaché à commenter la préface de cet ouvrage qui a pour titre: «*Vom Dasein überhaupt*», autrement dit: «De l'existence».

3. Kant, prisonnier d'une philosophie de la représentation

Kant partant de nos représentations, découvre que l'existence n'est pas un prédicat assimilable aux autres: l'existence n'est pas avec le concept de Dieu dans le même rapport que la toute-puissance. Tous les prédicats proprement dits par lesquels on définit un concept laissent indéterminée la question de savoir si l'objet du concept existe ou non. L'existence n'est telle qu'à condition de n'être pas une simple détermination de la pensée [2]. L'existence apparaît comme position absolue d'une chose. Dans l'étude serrée qu'il a faite de ce texte, Heidegger a souligné certaines ambiguïtés inévitables sans doute au début d'une démarche philosophique mais dont Kant n'arrivera jamais à se dégager complètement, parce qu'il a posé le problème sur le plan d'une «définition» éventuelle de l'existence et parce que dans la *Critique de la Raison pure* l'acte de définir tiendra encore une place essentielle. Kant demeure prisonnier d'une philosophie de la représentation [3]. Il prend finalement pour point de départ

[1] Dans *WD*, p. 166, Heidegger marque que ce petit écrit a été de moins en moins prisé.

[2] Cf. l'analyse qu'en fait V. Delbos dans: *De Kant aux post-Kantiens*, Aubier, 1940, p. 27.

[3] Descartes, bien qu'il reste très dépendant de l'ontologie médiévale commence de

le monde des *Vorstellungen*, tel que Descartes et Wolff l'avaient élaboré et il constate alors qu'il est impossible de «définir» l'existence. Du même coup, elle ne peut venir que comme une position absolue de l'objet et de la représentation. On ne saurait trop remarquer que dans cette perspective la position absolue de l'existence est fondée sur la position relative de la proposition [1]. C'est ce que marque de manière étonnante le fragment suivant qui fut aussi cité par Heidegger à Cerisy: «En conférant à la chose le prédicat de l'existence, je ne lui ajoute rien, mais je joins la chose même au concept. Comme dans un jugement d'existence, je dépasse ainsi le concept, non point en passant à un autre prédicat que celui qui était pensé dans le concept, mais en arrivant à la chose même, avec les mêmes prédicats, ni plus, ni moins, si ce n'est que la position absolue sera pensée en plus de la relative (*complementum possibilitatis*) ...» [2].

Placé devant l'arbre en fleurs dans la prairie, dont successivement Husserl et Heidegger nous ont entretenus [3], Kant interpréterait ainsi son apparition: je dépasse la représentation arbre et j'ajoute la chose elle-même en tant que position. *L'existence est déterminée,* (cela ne veut pas dire créée), *par le seul concept immanent à la conscience.* Kant n'atteint jamais le sens du *Dasein* à partir de la saisie immédiate de l'existant lui-même. L'être est conquis à partir de la fonction de détermination de la proposition: cet arbre est là ... [4].

C'est parce que Kant, dès le début de sa recherche, n'a pas vu de solution au problème de la position absolue de l'objet, c'est-à-dire de ce que nous appelons la «réalité» [5], qu'il est entré dans

parler de la «réalité objective» des choses, ce qui signifie à la fois leur présence dans l'esprit et leur existence. A cet égard, il tourne en un usage nouveau et même contraire, le langage du Moyen-Age. A cette époque, comme nous l'avons déjà dit, la *realitas*, c'était l'*essentia*, la *quidditas*. La *realitas formalis*, c'était l'essence qui existe, tandis que la *realitas objectiva*, c'était cette même réalité en tant qu'elle est représentée par l'esprit.

[1] Dans la Dialectique transcendentale: *Des idées en général*, Kant précisera que la *representatio* est le terme générique qui comprend toutes les «idées»: *perceptio* ..., *sensatio* ... *cognitio*. Celle-ci est à son tour *intuitio vel conceptus* ..

[2] Kant, *Oeuvres complètes*, édition de l'Académie, volume 18, n° 6276.

[3] Cf. *Ideen* I et *WD*.

[4] *CRP*, Déduction transcendentale, § XIX: je ne peux me satisfaire de la définition que les logiciens donnent du jugement en général ....

[5] Tandis que le *Dasein* signifie chez Kant l'existence, la *realitas* est pour lui, selon sa propre traduction, la choséité-*Sachheit* et vise le contenu quidditatif de l'étant que circonscrit l'*essentia*. (*KM*, trad. p. 165).

la phase critique. Celle-ci lui ouvrira une nouvelle dimension: le transcendantal. Kant est dominé par une philosophie de jugement – il appelle ce dernier «la représentation d'une représentation» – et considère le concept comme un jugement raccourci, ce dont, nous le verrons plus loin, il ne parviendra pas à se départir.

Il n'en reste pas moins que pour avoir établi la vérité relative de la proposition, c'est-à-dire l'avoir située là encore par rapport à nous, Kant a bouleversé les relations entre le sujet et l'objet et brusqué la révolution cartésienne [1].

II. L'HOMME INSTITUÉ

On ne peut toutefois dire que l'homme fait le monde, qu'il le construit tel pour le connaître tel et le réduire à ce qu'il l'a fait, car, et c'est le second apport de la *Critique*, elle a marqué que l'homme instituant est lui-même institué. Il ne suffit pas d'insister sur le caractère spontané de la connaissance dans le kantisme, l'intuition y a la première place [2]. D'ailleurs, bien comprise, la réceptivité humaine est inséparable de la spontanéité, l'aspect «phénoménologique» de Kant l'a déjà prouvé. On explique souvent la finitude de la raison comme si la raison imposait abusivement, de manière «catégorique», ses lois au réel, par un décret et on oublie que cette finitude est au contraire la marque et la conséquence de notre dépendance et de notre participation originelles. Il y a chez Kant réceptivité de l'esprit. Il le déclare explicitement dans sa réfutation de l'idéalisme et dans toute la *Critique*, ainsi que dans l'*Opus Postumum*: la connaissence finie n'est pas intuition créatrice [3]. Ce qu'elle doit représenter immédiatement dans son individualité doit lui être d'abord donné. L'intuition finie se rapporte à de l'«intuitionnable» comme à quelque chose qui existe.

1. Il y a réceptivité de l'esprit

Si l'intuition finie est réceptrice, c'est que ce qui est à recevoir s'annonce, se propose. Par nature, l'homme doit être abordé par

[1] Emile Bréhier, ouvrage cité, p. 51.
[2] *KM*, p. 95, trad. p. 158.
[3] *KM*, p. 31, trad. p. 86.

ce qu'il peut intuitionner, bien plutôt que l'aborder. Kant écrit au début de la *Critique:* Quelle que soit la manière dont une connaissance peut toujours se rapporter à des objets et par quelques moyens que ce puisse être, cette manière en vertu de laquelle la connaissance se rapporte immédiatement aux choses et que la pensée se propose toujours comme moyen, c'est l'intuition. Mais cette intuition n'a lieu «qu'*autant qu'un objet nous est donné*»; cela n'est possible au moins pour l'homme, «qu'à la condition que le *Gemüt* en soit affecté de quelque manière».

C'est pourquoi il faut qu'il y ait des voies par lesquelles nous soyons atteints et affectés; ce sont les sens. Il ne convient pas de dire que l'intuition humaine est sensible parce qu'elle se produit à travers l'instrument des sens. C'est l'inverse qui est vrai: parce que l'homme est fini, existant déjà au milieu de l'étant, livré à celui-ci, il doit nécessairement recevoir l'étant, c'est-à-dire offrir à l'étant la possibilité de s'annoncer. Nous sommes ici dans cette perspective «d'anticipation» qui est proprement kantienne, comme elle est déjà phénoménologique. Il y a de quelque manière sensibilité parce qu'il y a finitude de l'intuition, mais le mot sensibilité atteint une dimension élargie. *Kant, ainsi, le premier, obtient un concept ontologique et non sensualiste de la sensibilité.* D'une manière plus générale, on peut dire en langage heideggerien: l'homme, dans la mesure où sa raison est finie, ne peut avoir un corps au sens transcendantal, c'est-à-dire métaphysique, que parce que la transcendance comme telle est sensible a priori [1]. C'est ce que, de son côté, marquera avec force l'œuvre de Merleau-Ponty. Ainsi les perspectives ont été à ce point renouvelées qu'il n'est plus possible de parler de spontanéité et de réceptivité sans les situer à l'intérieur de l'initiative kantienne.

2. *Les conditions de possibilité de l'expérience sont en même temps les conditions de possibilité des objets de l'expérience*

Le kantisme en effet n'a rien d'un humanisme, au sens où l'homme instaurerait le monde sans être lui même instauré. Kant a retrouvé dans une intuition fulgurante bien que trop brève le pressentiment des origines de la pensée et de l'*alètheia* primitive qui avaient été obscurcies chez les successeurs de Platon. La philosophie moderne, même quand elle s'opposera à lui, en de-

[1] *KM*, p. 157, trad. p. 228.

meurera obsédée. Chez Kant, réceptivité de l'intuition et spontanéité de la raison sont inséparables. L'essence métaphysique de la raison, nous dit-on, c'est la spontanéité, c'est le fait qu'elle naisse de soi-même – *von sich aus*. Mais en réalité, on n'a rien expliqué tant qu'on n'a pas atteint le cœur de cette spontanéité qu'on continue à considérer abusivement sur le mode de la causalité. Il se révèle à travers le *nous* à condition de l'entendre comme Parménide. Le *nous* naît en même temps que les choses. On aurait pu croire que Kant en avait conscience lorsqu'il écrivait: «Les conditions de possibilité de l'expérience sont *en même temps – zugleich* – les conditions de possibilité des objets de l'expérience». Mais, c'est Heidegger qui souligne ce *zugleich* car ce que Kant avait le privilège de toucher de la sorte, il ne le pensait pas encore. Il en donne une interprétation incertaine d'elle-même, comme nous le verrons pas à pas. L'unité originelle était appelée à s'exprimer dans les termes contraires de réceptivité et de spontanéité. Kant se contente d'un côté, de l'envisager sous un aspect objectif: elle a alors pour organe l'intuition qui reçoit les objets, passivement, et de l'autre côté, sous l'aspect subjectif: elle forme dans ce cas l'objet et lui donne sa signification d'objet; elle correspond donc à une activité.

C'est à travers une série de synthèses que s'opère chez Kant la position de l'objet; mais là encore, il ne peut s'empêcher de toucher à l'origine de toutes choses. Comme le souligne Heidegger, si, dans l'expérience concrète, se représenter quelque chose c'est laisser s'unifier plusieurs représentations en une seule, ce processus n'est possible que parce que l'Un est donné dès le début en même temps que le multiple. Cette unité s'exprime à travers trois synthèses qu'identifie, nomme et décrit *Kant et le problème de la métaphysique* [1]. Elles sont nécessairement imbriquées dans la pleine structure de la connaissance finie. La synthèse *apophantique* qui est la liaison du sujet et du prédicat, la synthèse *prédicative* qui est celle du jugement en tant que le jugement est la représentation de l'unité de conscience de représentations différentes. Mais à l'origine de toutes se trouve la synthèse *véritative*, celle où la pensée s'unifie avec l'intuition pour qu'un objet puisse se révéler. Un objet n'est donné à l'intuition que par la médiation de cette synthèse. Toutefois il serait trop tôt

[1] *KM*, pp. 34-35, trad. pp. 89-90.

de croire y saisir à son origine l'unité de la sensibilité et de l'entendement car cette synthèse véritative concerne uniquement la connaissance ontique. Or le principe même de la recherche kantienne postule que la connaissance de l'étant n'est possible que sur la base d'une connaissance préalable de la structure ontologique de l'étant à laquelle répond l'institution de l'étant par l'homme et qui est indépendante de toute expérience [1]. L'unité de la sensibilité et de l'entendement n'est pas le résultat de leur unification par l'homme comme s'il s'agissait d'agréger des éléments disparates. La synthèse précède leur jaillissement, c'est elle qui les laisse surgir dans l'unité. Ainsi la connaissance finie trouve-t-elle son essence dans la synthèse originelle des sources fondamentales. Dans l'Introduction à la *Critique*, Kant parle de deux souches de la connaissance humaine qui partent *peut-être* d'une racine commune mais inconnue de nous. Dans la conclusion de la même *Critique*, il affirme qu'il en est ainsi. Se situant ainsi dans l'a priori de toute connaissance, il fait appel aux deux éléments, intuition pure et pensée pure, qui la constitueraient.

Mais que signifie l'expression intuition pure? Comment concilier ces deux propositions: 1°: la connaissance finie de l'étant réclame pour être possible une sorte d'intuition indépendante de l'expérience. 2°: il n'y a chez l'homme d'intuition que réceptrice. Comment l'homme qui est fini et, comme tel, livré à l'étant et ordonné à la réception de celui-ci peut-il avant toute réception connaître l'étant, c'est-à-dire l'intuitionner sans être cependant son «créateur»? L'effort kantien ne va-t-il pas, malgré son inspiration directrice, se briser sur la condition même de l'homme?

III. L'UNITE DES SOUCHES FONDAMENTALES

La synthèse véritative pure s'opère à travers une puissance qui pour Kant est antérieure à la raison et à la sensibilité, qui est même leur tronc commun auquel nous avons fait allusion et qu'il appelle la force d'imagination – l'*Einbildungskraft* [2].

1. *Autour de la force d'imagination*

L'étude de ce principe kantien est cependant compliquée du

[1] *KM*, pp. 40–41, trad. pp. 96–98.
[2] *KM*, p. 117, trad. p. 183.

fait que Kant n'a pas toujours conféré à l'*Einbildungskraft* la même importance fondative, de telle sorte qu'il n'est pas possible de lui attribuer cette invention géniale sans être obligé d'expliquer pourquoi par la suite il a reculé devant ses conséquences.

Kant lui-même écrit: Il est nécessaire qu'il y ait deux troncs à la connaissance humaine qui *peut-être* jaillissent d'une racine commune mais inconnue. Ce sont la sensibilité et la raison; à travers la première, les objets nous sont donnés tandis qu'ils sont pensés à travers la seconde [1]. Et ailleurs, il poursuit: «Notre connaissance jaillit de deux sources fondamentales de l'âme; la première accueille les représentations, c'est la réceptivité des impressions. La deuxième est la faculté de reconnaître à travers ces impressions un objet: c'est la spontanéité du concept» [2]. «Et c'est parce que ces deux sources s'unifient, que peut jaillir la connaissance» [3].

Commentant ce texte, Heidegger précise que cette unification ne résulte pas de la rencontre de ses éléments; elle les précède et les laisse jaillir. Au début de la *Critique*, dans le premier texte cité, Kant dit que «peut-être» les deux troncs ont une racine commune. A la fin, il semble ne plus douter de l'existence de cette dernière. Seulement, ici comme là, il la dit «inconnue de nous». Et ceci est essentiel à sa métaphysique: «Elle ne conduit pas à l'évidence claire comme le soleil d'un premier principe. Elle nous mène dans l'inconnu» [4].

Nous découvrons mieux ainsi le sens de l'Analytique kantienne. Elle ne vise pas à décomposer la raison pure, elle ne la morcelle pas en ses éléments [5]. Elle délivre le noyau de l'ontologie en le faisant éclater afin de permettre sa germination. Elle dévoile les conditions qui laissent «germer» l'ontologie. Celle-ci surgit déjà comme un tout sous sa propre poussée interne. D'après Kant iui-même, cette germination intérieure surgie du dedans est le couronnement des efforts de la raison. Elle est ce qu'une raison fidèle à elle-même tire d'elle-même [6]. L'Analytique ne consiste ainsi qu'à laisser voir la genèse de la raison finie – qui se confond

[1] *Critique* ... A. 15, B. 29.
[2] A. 50, B. 74.
[3] A. 51, B. 75.
[4] *KM*, p. 41, trad. p. 97.
[5] *KM*, p. 45, trad. p. 101.
[6] *Critique*, A. 703, B. 731.

avec l'ontologie – à partir de son propre principe. L'essence de la raison finie se révèlera par la suite dans les œuvres de cette raison. L'*Analytique transcendantale,* en nous faisant remonter au principe de la raison finie, nous fait saisir celle-ci dans son élan, dans son projet et ce n'est qu'à l'intérieur de ce projet que l'essence de la raison nous est implicitement livrée. Elle est donnée par anticipation. C'est ainsi seulement que l'ontologie est rendue possible. Elle se construit dans le mouvement même par lequel est retrouvée la construction de la raison finie. Du même coup, la métaphysique est enracinée. Elle a un sol. Elle retrouve son chez soi qui est dans l'homme.

2. *L'enracinement du logos dans l'homme*

Ce que Kant redécouvre de la sorte, c'est ce que la tradition aristotélicienne avait laissé échapper: l'enracinement du *logos* dans l'homme. Parce que ce fait a été négligé, le *logos* est devenu *legomenon,* le dit, le montré comme tel, et parce qu'à son tour, celui-ci n'est rien d'autre que l'*hupokeimenon,* ce qui, dans tout abord, se retrouve déjà là comme existant au fond, comme fondement donné, le *logos en tant que legomenon* est devenu le fondement, la *ratio* [1]. Le *logos* est ainsi considéré comme un étant en face de l'objet lui-même ramené à être un second étant. C'est dans ce divorce mortel de la *phusis* et du *logos* que sont nées la Raison et les raisons, (*ratio sive causa* disait le Moyen-Age).

Le génie de Kant pressent comme par instinct l'insertion de la raison dans l'homme et de celui-ci dans la *phusis.* Mais les cadres traditionnels vont l'empêcher de faire porter à sa découverte tous ses fruits. C'est précisément cette ambiguïté de la *ratio,* devenue avec Leibniz souveraine, qui l'emprisonnera le plus étroitement. Il voit que l'imagination, source commune de la raison et de la sensibilité, est le témoin de la corrélation originelle entre ce qu'on appelle habituellement l'objet et le sujet. Ce qu'il aurait dû préciser, c'est en quel sens «l'objet» qui va apparaître au «sujet» surgit sur un fond de rien. L'imagination transcendantale a rapport à ce rien, qui est l'être même et ce sur quoi quelque chose peut être donné, mais à ce quelque chose c'est la force d'imagination qui, par son intuition du rien, confère la dimension transcendantale parce qu'elle seule est en état de laisser-venir,

[1] *SZ,* p. 34.

de laisser-être, de laisser-surgir quelque chose de quelque horizon et ainsi en le dévoilant, de le rendre vrai, *alèthes*. Elle seule fournit l'espace indispensable où quelque chose peut se manifester. La corrélation originelle, c'est la relation à, *Beziehung auf* ... c'est le fait de se tourner vers, *Zuwendung zu* ..., de se convertir à ..., ou plutôt l'imagination se tourne vers parce qu'elle est prise dans la corrélation originelle de chaque instant. Là est fondée son attitude de relation, son *Zuwendung zu* ... Toutefois, il convient d'ajouter aussitôt qu'elle y met sa note propre. Il s'agit pour elle, en effet, non pas de son rapport à un étant particulier, mais d'un rapport à l'objet en général = X = rien, *Nichts*. Nous verrons plus tard comment Kant entend ce rien. L'essence de la force d'imagination est donc cette attitude extatique d'une extase qui n'est plus évasive comme dans le platonisme, mais fondative, car loin de nous éloigner, de nous détacher du monde, elle nous y enracine.

3. Le temps

Pourtant et c'est un deuxième aspect qu'il faut souligner, ce rapport à l'objet, ce «pur rapport» qui suscite l'objet est aussi rapport du sujet à lui-même et le constitue. Cette affection de soi par soi correspond à ce que Kant appelle l'intuition pure du temps. Le temps comme tel a ainsi le caractère d'ipséité, de *Selbstheit*. Le temps, c'est la dimension horizontale de l'extase. Il n'est pas: il se temporalise. Sur ce point, Kant n'ira pas jusqu'au bout de sa découverte. Il aurait pu en effet, à travers l'ipséité, insister sur le lien entre le «je pense» et «le temps». Il ne l'a pas fait. Heidegger, en reconnaissant expressément qu'il explicite ce que Kant n'avait pu développer dans la cadre de sa philosophie [1], parce qu'il restait à l'intérieur de la métaphysique, a tenu à marquer sa dette essentielle envers le grand philosophe de Königsberg en écrivant: «Kant donne une définition réelle de la vérité transcendantale, c'est-à-dire il définit sa possibilité interne comme l'unité du temps, de la force d'imagination et du «je pense» [2].

C'est dans la deuxième édition de la *Critique de la Raison pure* que nous constatons une infidélité de Kant à lui-même: il tourne

[1] *VA*, p. 79, trad. p. 91.
[2] *WG*, p. 16.

court et revient sur son intuition première dont plus tard, à l'intérieur de l'idéalisme absolu, Fichte, Hegel et Schelling feront leur profit. Kant ramène alors la force d'imagination à n'être qu'une puissance comme les autres, sur le même plan que la raison et la sensibilité. Mais, nous dit Heidegger, ce recul est singulièrement instructif: il atteste que la métaphysique traditionnelle est fondée sur un abîme et qu'elle se refuse à le regarder en face.

4. *Oubli de la subjectivité du sujet*

L'inconséquence de Kant provient de ce que, dans la Déduction transcendantale qui est l'opération de participation originelle, celle qui éclaire la transcendance de la raison finie et sa possibilité d'atteindre ce qui est «en dehors» d'elle, il avait dès la première édition, mis l'accent sur le côté objectif de la Déduction transcendantale [1], et rejeté au second plan la subjectivité du sujet. Ce côté objectif, c'est l'analyse de l'objectivité de l'objet possible. L'objectivité se fonde sur une certaine possibilité de se-dresser-en-face, un *Gegen-stehen-lassen*, auquel correspond le fait de se tourner-vers, *Zuwendung zu*, qui constituera la subjectivité du sujet et fournira le côté subjectif de la déduction.

Tout l'apport de Kant et, en même temps, tout ce qui en lui reste traditionnel se retrouve dans cette *deductio*. Notons d'abord qu'il n'emploie pas le terme en son sens philosophique, opposé à *intuitio*, mais à la manière dont l'entendent les juristes [2], c'est-à-dire au sens de preuve des conditions requises à la possession d'un droit. Y a-t-il donc une contestation juridique à la base du problème de la possibilité intrinsèque de l'ontologie? Kant demande à la métaphysique traditionnelle de rendre raison de ses prétentions. Elle veut reconnaître rationnellement, c'est-à-dire par purs concepts, l'étant supra-sensible, l'âme – le sujet –, la Nature – le phénomène – ou Dieu – source de la chose en soi. Il faut faire le procès de la Raison pure; qu'elle apporte la preuve de la possibilité pour les concepts purs de se référer a priori à des objets, alors que ces concepts ne proviennent pas de l'expérience. C'est l'interrogation qui résume tout le criticisme: comment

[1] *KM*, p. 151, trad. pp. 221–222.
[2] *KM*, p. 82, trad. p. 143.

des synthèses a priori sont-elles possibles? L'ontologie devient problème. La vague évidence avec laquelle la métaphysique générale traitait jusqu'ici de l'*ens commune* se dissipe [1]. Comment se produit cette généralisation et donc ce dépassement qui mène à la connaissance de l'être?

Pas plus que ses devanciers, Kant ne répondra à cette question, mais son mérite est de l'avoir posée. Ainsi, comprenant assez mal Platon et Aristote, «méritant aux yeux des censeurs de l'histoire de la philosophie, la note: tout à fait insuffisant», [2] Kant, et lui seul, a renoué un dialogue créateur avec les Grecs et transformé de façon créatrice la théorie des Idées. Qu'elles soient pour lui des «représentations», que l'être reste *positio*, c'est ce qui maintient Kant à l'intérieur de la métaphysique. Pour Kant, la déduction objective doit faire apparaître la transcendance et expliquer ainsi la connaissance transcendantale. L'autre déduction – «subjective» – n'a pas à ses yeux le même prix car la question capitale demeure pour lui, car il en reste à la question: qu'est-ce que peut reconnaître la raison? et non pas: qu'est-ce que penser?

A coup sûr, la déduction transcendantale est comme telle en même temps objective et subjective[3]; elle est le dévoilement de la transcendance qui forme la conversion à l'objet essentielle à une subjectivité finie. Le côté subjectif de la déduction transcendantale ne peut donc jamais manquer – et chez Kant il ne va pas manquer – mais son élaboration explicite a manqué; elle est restée en arrière, inachevée. Si Kant s'était résolu à la pousser, il aurait dégagé *le côté subjectif du fondement de la métaphysique.* Sans doute, en définissant la déduction subjective, il dit nettement qu'elle doit remonter jusqu'à la force d'imagination «sur laquelle repose la raison elle-même». Il met bien la métaphysique dans l'homme. Il a bien vu que dans le mouvement de retour à l'origine, on n'en peut rester aux stades des constatations empiriques et psychologiques qui seraient tout juste bonnes à fournir quelques conclusions hypothétiques. Dans la Préface de la *Critique de la Raison pure,* il n'avait pas présenté comme accessoire cette tâche du dévoilement transcendantal de

[1] *KM*, p. 21, trad. p. 70.
[2] *WD*, p. 72.
[3] *KM*, p. 151, trad. p. 222.

l'essence de la subjectivité du sujet. Les pages qui préparent la déduction transcendantale parlent avec clairvoyance de «ce chemin qui n'est pas encore totalement tracé et s'enfonce dans l'obscurité». Kant a fui cette obscurité et n'a pas élaboré avec minutie une théorie de la subjectivité, bien qu'il sache que «la déduction des catégories touche au fondement de la possibilité de notre connaissance» [1].

Parce que Kant est resté en-deçà de ce qu'il annonçait, la subjectivité du sujet demeure pour lui structurée et caractérisée logiquement comme dans l'anthropologie et la psychologie traditionnelles [2]. En effet pour celles-ci, l'imagination est une puissance amoindrie à l'intérieur de la sensibilité: l'image est une sensation atténuée. En fait, ce qui est le cœur de la Critique – déduction transcendantale et schématisme – ce regard jeté sur l'essence transcendantale de la pure force d'imagination, ne sera pas assez puissant pour éclairer dans son ensemble et dans une nouvelle lumière la subjectivité du sujet.

Comment d'ailleurs, à partir du moment où elle est considérée comme une sensibilité inférieure, la force d'imagination pourrait-elle constituer l'essence de la raison? Que deviendrait le primat de la *ratio*, du *logos?* Même si l'on restitue à la force d'imagination sa pleine valeur, vouloir fonder sur elle la métaphysique, n'est-ce pas faire sortir le jour de la nuit? Par ses questions radicales sur la possibilité de la métaphysique, Kant dévoile à ses propres yeux cet abîme. Il découvre l'inconnu. Il va reculer, car non seulement la force d'imagination l'effraie, mais la raison pure comme raison l'a repris.

Pour expliquer ce changement entre les deux éditions de la Critique, on a dit que Kant était passé d'une interprétation psychologique, dans la première, à une interprétation logique dans la seconde [3]. Heidegger fait remarquer que Kant était trop métaphysicien pour en rester à ce plan de psychologie ou de logique. Les deux interprétations sont transcendantales, c'est-à-dire nécessairement à la fois objective et subjective. Mais dans le fondement subjectif transcendantal, la deuxième édition s'est décidée pour la raison pure contre la force d'imagination afin de

[1] *Critique*, A. 98.
[2] *KM*, p. 152, trad. p. 223.
[3] *KM*, p. 154, trad. p. 225.

sauver la souveraineté de la raison. Ce n'est pas que dans cette édition, la déduction subjective soit supprimée. Bien au contraire, elle prend une place plus grande que précédemment, mais elle se centre cette fois-ci sur la pure raison comme pouvoir de synthèse. La force d'imagination devient superflue. Et du même coup, l'approfondissement de la subjectivité du sujet est manqué.

5. *Retour à la notion traditionnelle de sujet*

Après avoir attribué à la raison pure ce primat, Kant va être fatalement amené à maintenir la notion traditionnelle de sujet [1]. Non certes que son expérience première qui est préphénoménologique ne soit très riche. Il a revécu ce que Heidegger appelle «l'expérience directe et simple de dire «je» [2]. L'apport de sa philosophie est double. Tout d'abord il voit l'impossibilité d'une réduction ontique du moi à la substance. Puis il considère le moi comme le «je pense»: dire «je», pour lui, c'est dire «je pense». Mais, comme nous venons de l'indiquer, il conçoit à nouveau ce moi comme sujet selon la métaphysique qui l'a précédé et en un sens qui ne convient pas ontologiquement. Le concept ontologique de sujet ne désigne pas chez lui le fait pour le Je d'être lui-même, d'être un *Selbst.* Il désigne seulement le fait d'être le même, d'être permanent et autonome comme une chose donnée. Définir simplement le moi ontologique comme sujet, c'est prétendre s'en saisir comme d'un donné. L'être du moi alors est réduit à n'être plus que la réalité de la «res cogitans». Bien que Kant cherche avec plus de rigueur que ses devanciers à établir le contenu du phénomène qui consiste à dire Je, il glisse sans cesse en arrière et revient à une ontologie de la substance dont les fondements ontiques lui ont pourtant paru insuffisants.

Cette philosophie du moi-substance ne peut dès lors s'accorder qu'à une philosophie de la représentation et Kant écrit: «Le Je est une conscience qui accompagne tous les concepts. Avec lui on ne se représente rien de plus qu'un sujet transcendantal des pensées ... La conscience, en elle-même n'est pas ainsi une représentation, mais une forme de celle-ci ... Le Je pense est

[1] «L'être sujet du sujet, c'est-à-dire la relation sujet-objet est la subjectivité du sujet ... La subjectivité consiste en la conscience inconditionnée de soi». *H*, p. 122, trad. p. 113.

[2] *SZ*, p. 319.

la forme de l'aperception qui tient à chaque expérience et la précède . . .».

6. *Kant a sous-défini le rapport entre ce qui est pensé et le moi*

Quand Kant dit «forme d'une représentation», il ne dit pas cadre, ou concept, mais ce sans quoi ni ce qui est représenté, ni le fait de le représenter ne seraient ce qu'ils sont dans l'esprit. Le moi, compris de la sorte comme forme des représentations ne fait qu'un avec le sujet logique des représentations. Il les relie, mais il s'y enferme. Nous restons dans une philosophie de la représentation où le moi pense ses représentations plutôt qu'il ne pense quelque chose à travers ses représentations. Kant pourtant rappelle souvent que le «je pense» a un contenu. Le Je n'est pas seulement «je pense», c'est «je pense quelque chose». Mais ce contenu pour Kant, ce sont les représentations. A l'objet de celles-ci, il n'attribue qu'une réalité empirique ontique. C'est de «l'empirique» qui «accompagne» le Je ontologique auquel il est «accroché». Il reste que, nulle part, l'auteur de la *Critique* n'approfondit ce rapport et cette dépendance. On se trouve simplement dans une sorte de concomitance entre le Je et ses représentations. Kant évite certainement de réduire le moi à la pensée, mais il a sous-défini – *unterbestimmt* – le rapport entre ce qui est pensé et le moi. Il n'a pas montré ce qu'il y avait d'essentiel entre l'un et l'autre. C'est pourquoi, bien qu'il ait pressenti la corrélation originelle qui existe avant toute distinction entre le sujet et l'objet, il n'a pas fait porter à cette découverte tous ses fruits. Il a préféré le monde clair de la raison et de ses représentations à cet abîme obscur d'où tout aurait surgi. S'écartant du jaillissement et du devenir primitifs, Kant a, du même coup, délié l'intuition du «je pense» et celle du «temps». A ce moi situé hors du temps, correspond chez Kant un univers de choses durcies. Pour ce *Selbst* immobilisé et ramené à un sujet logique, l'univers ne peut plus être qu'un catalogue d'objets. Mais cette méconnaissance du sens du monde n'est pas la conséquence d'une méconnaissance du sujet et de la force d'imagination. Elle en est plutôt l'origine. C'est ce que nous allons essayer de montrer maintenant.

IV. LE MONDE

Ce que Kant en effet a fui de la sorte, c'est le problème transcendantal du monde qu'il avait pourtant eu le grand mérite et l'originalité de soulever dès la *Dissertation* de 1770 et dont il devait faire encore un des points principaux de la *Critique*. La *Dissertation*, qui reste dans la ligne de la métaphysique traditionnelle, commence par discuter le concept de «monde» en donnant une définition formelle de ce qu'on entend habituellement sous ce mot: le monde est essentiellement conçu comme synthèse. «Dans le composé substantiel, tout comme l'analyse n'a pour terme que la partie qui n'est pas un tout, c'est-à-dire le simple, la synthèse ne s'achève qu'au tout qui n'est pas une partie, à savoir le monde». Le paragraphe deux donne les facteurs essentiels d'une définition de ce concept de monde: 1° La matière, (au sens transcendantal), c'est-à-dire les parties qui sont ici des substances; 2° La forme, qui consiste dans la coordination des substances et non dans leur subordination; 3° L'universalité, qui est la totalité absolue de ces parties [1]. Cette totalité absolue, bien que son concept ait quelque chose de quotidien et qui va de soi, surtout quand on en parle d'une manière négative, comme dans une définition, ne reste pas moins la croix du philosophe lorsqu'il réfléchit davantage. Cette croix, Kant aura lui-même à la porter avec une peine sans cesse accrue. Comment est-elle devenue de plus en plus lourde à ses propres épaules?

1. Le concept antérieur de monde

Kant a bouleversé la conception antérieure du monde. Celle-ci considérait dans le monde l'ensemble des choses «créées». De son temps, Baumgarten le définissait ainsi: le monde, c'est-à-dire l'*universum* (*pan*), est la série (multitude et ensemble) des êtres finis actuels qui n'est partie de rien d'autre. Le monde est la totalité de l'existant, entendu lui-même au sens d'*ens creatum* [2]. C'est une formule qui renvoie au climat de ce que Heidegger appelle l'onto-théologie: tout ce qui est constitue un ensemble étagé qui culmine dans son *Ur-sache*, première cause et première chose. L'interprétation du concept de monde dépend alors

[1] *WG*, p. 26.
[2] *WG*, p. 25.

directement de la compréhension et de la possibilité des preuves de l'existence de Dieu. Ce fait est plus net encore chez Crusius. Pour lui, le monde est une certaine liaison réelle de choses finies, qui n'est elle-même partie de rien d'autre à quoi elle appartiendrait en vertu de quelque liaison réelle [1]. Ici, le monde est opposé à Dieu, mais il est aussi différent de la créature individuelle, «non moins que de plusieurs créatures co-existantes et sans lien». Il n'est pas la simple somme des créatures qui ne serait que partie d'un ensemble avec lequel elle aurait quelque lien réel. A pareil concept de monde, il y a deux sources: l'une qui provient de la conception générale de la chose, et l'autre, de la liaison nécessaire de ce qui est à Dieu, autant qu'on peut la connaître. De telle sorte que toute cosmologie est préordonnée à une ontologie qui a pour objet la chose et à une théologie naturelle. Dès lors, le terme de monde désigne la totalité de l'étant considéré créé, dans son unité et sa liaison les plus hautes.

2. *Tout étant n'apparaît que sur fond de monde*

Le «monde» a joué dans la métaphysique traditionnelle le rôle de concept fondamental. La division classique était celle de *metaphysica generalis* (ontologie, qui a pour objet l'*ens commune*) et de *metaphysica specialis* (théologie, cosmologie, psychologie), concernant la totalité de l'étant, respectivement: Dieu, la nature, l'homme. La *Critique de la Raison pure* s'efforçait de donner un fondement à la métaphysique dans son ensemble. Le concept de monde y prend donc inévitablement une forme nouvelle puisque, prolongeant Leibniz, Kant renverse l'ordre traditionnel de la métaphysique, met l'ontologie à la base et place cette ontologie dans l'homme. La finitude des choses et des êtres était donnée auparavant par la démonstration de leur création. Celle-ci n'était envisagée trop souvent que sur un plan ontique: Dieu, le plus haut étant, était considéré comme un fabricateur d'étants. Avec Kant, les choses tirent leur finitude du rapport à *une intelligence finie qui a pour caractéristique de se les laisser donner*. Ces étants, sous l'angle où nous les recevons, Kant les nomme «phénomènes» et même «choses dans le phénomène». Ces mêmes étants, compris comme «objets» possibles d'un *intuitus* absolu, c'est-à-dire créateur, sont nommés «choses en soi». D'où ces «phénomènes»

[1] *Id.*

tireront-ils dès lors leur universalité, c'est-à-dire leur caractère de monde? D'une certaine universalité de l'intuition finie que Kant reconnaîtra dans ce qu'il appelle «les idées transcendantales». Du même coup, l'universalité du monde n'est pas réductible à la somme des choses finies, mais au caractère d'universalité qui enveloppe et constitue chaque chose finie. Chaque étant n'apparaît que sur un fond de monde [1]. On pourrait même dire que dans cette double apparition, chaque étant est le monde.

Le monde dont Heidegger parlera plus tard aura une tout autre ampleur puisque ce ne sera rien moins que l'être qui se manifestera de la sorte dans sa différence avec l'étant de chaque fois. Notre monde, pour chacun de nous, est ce à travers quoi toutes choses nous apparaissent: ce sera ce sens de l'être qui constitue l'ouverture du physicien, du sociologue, de l'artiste ou du théologien. Tous et chacun parlent en propositions. Mais il n'est aucune de celles-ci qui ne soient orientées par la «chose» unifiant chaque fois le monde du physicien, du sociologue, de l'artiste ou du théologien.

On n'en peut dire autant chez Kant pour qui c'est aux «principes synthétiques a priori» que nous devons la *Realität,* c'est-à-dire la réalité du réel, ce à quoi toute réalité doit d'être réalité. Mais cette réalité, Schelling notera plus tard que Kant l'entend misérablement et la maintient au vieux sens de choséité. Heidegger fait une remarque analogue [2], en constatant l'explication indigente du postulat de la réalité dans la *Critique de la Raison pure.* C'est là le paradoxe intérieur du système kantien du monde, mais c'est aussi un trait caractéristique de la métaphysique que, d'un bout à l'autre de son histoire, l'*exsistentia* n'y est jamais traitée, lorsqu'elle l'est, que d'une façon brève et comme une chose qui va de soi. Kant, à plusieurs reprises, se contente de dire: «l'être n'est pas un prédicat réel» [3]. Ce n'est pas ainsi en vérité qu'il peut sauver la notion de monde lorsqu'on songe à l'antique *phusis* grecque.

3. *L'intuition pure du temps et le monde*

Cette *Realität* ainsi définie par Kant à l'aide de principes

[1] *SZ*, p. 274.
[2] *VA*, p. 76, trad. p. 87.
[3] *CRP*, B. 626.

synthétiques a priori est donc tout sauf tirée de l'expérience puisque nous sommes d'emblée installés dans le divorce de la *phusis* et du *logos* et hors de l'instant. Kant, en effet, nous précise qu'elle est donnée à l'intérieur d'une intuition pure, celle du temps. C'est à l'intérieur de cette intuition du temps que va être transposé le paradoxe que nous venons de signaler et Kant, inventeur génial du temps, si l'on peut dire, va là aussi, comme dans le cas de l'imagination, laisser échapper sa conquête. Ce qui n'est pas pour nous étonner puisque l'imagination, comme dimension d'ouverture, est étroitement liée au temps.

A l'intuition pure du temps, explique-t-il, appartiennent originellement le changement et la persistance. Kant se représente un moi changeant, celui des représentations, et un persistant en dehors de lui. Il revient ainsi à la vieille division cartésienne des choses et de l'esprit, du physique et du psychique, et nous savons déjà de quel prix elle se paie puisque l'esprit à son tour devient chose.

Cette juxtaposition de choses données – *Vorhandene* – et existantes que Kant appelle «monde» est ontiquement et ontologiquement totalement différente du phénomène d'être-au-monde [1]. Heidegger critique brièvement cette position en disant: tant qu'on veut prouver un monde indépendant et extérieur, on n'y arrive pas [2]. Le scandale de la philosophie n'est pas que cette preuve ait manqué, mais qu'elle ait pu inlassablement et toujours être attendue et cherchée. Le monde dont on prétend en effet démontrer l'existence reste sous-défini.

Kant avait préféré au primat de l'*Einbildungskraft* celui de la Raison. Du même coup, il ne pouvait saisir ce que seule l'imagination transcendantale lui aurait révélé, le surgissement et le devenir indissociables dans l'instant de l'esprit et des choses. Le temps pour lui n'est plus qu'un cadre de la raison. Le recours à cet a priori rationnel confirme sa méconnaissance du véritable *proteron*, de la vérité transcendantale où est révélée l'unité du «je pense» et du temps.

4. *La nouveauté de Kant: L'homme citoyen du monde*

Toutefois il est impossible de méconnaître la transformation que

[1] *SZ*, p. 203.
[2] *SZ*, p. 205.

la démarche kantienne a opérée dans la métaphysique traditionnelle. En se reportant au transcendantal pour interpréter la notion de monde, Kant a rejeté une fois pour toutes les positions anciennes qu'il avait pourtant définies lui-même à ses débuts. Un pas considérable est fait pour remonter à l'unité originelle de l'être et de la pensée. Avec Kant, le monde n'est plus seulement une liaison ontique de choses en soi, mais la somme transcendantale (ontologique) des choses envisagées comme phénomènes; il n'est plus la simple «coordination» des substances, mais une «subordination» et une hiérarchisation montant jusqu'à l'absolu des conditions de la synthèse. Il n'est plus une représentation rationnelle, de conceptualité vague et indéterminée; il est défini comme Idée, c'est-à-dire en tant que concept synthètique de la raison pure et distingué des concepts de l'entendement.

Mais c'est surtout dans sa compréhension du monde au sens d'expérience de la vie que Kant est le plus original. A côté de la signification cosmologique surgit là la signification existentielle. Il précise alors que l'objet le plus important du monde, c'est l'homme, et la connaissance de l'homme, dès qu'il se saisit dans sa liberté, est connaissance du monde. Cette philosophie pratique n'entasse pas des expériences diverses, les plantes, les animaux ou les hommes sous les différents climats ou les différents pays. Elle est le sens de l'homme en tant que «citoyen du monde».

5. *Kant, successeur de Leibniz*

On ne saurait conclure cette esquisse de la pensée kantienne sans insister sur la persistance de l'influence de Leibniz malgré la révolution des points de vue. Nous assistons en fait à une évolution précipitée de l'onto-théologie. Chez Kant, comme chez Leibniz, il s'agit de rendre raison de ce qui est. Parce que Suarez a creusé plus encore l'abîme du néant aux flancs mêmes de l'être et que Leibniz en a été fortement marqué, le principe de raison suffisante est à l'arrière-plan de toute l'œuvre de Kant et de manière si évidente qu'il n'en parle pas. Sans ce principe, toute sa tentative critique n'aurait pas d'âme. C'est la Raison qui rend raison.

Kant cherche avant tout à définir la raison, non certes qu'il veuille lui imposer des bornes. Ce qu'il prétend, c'est en quelque sorte la faire rentrer dans sa propre forme et trouver dans ses limites la détermination de son jaillissement. Il recherche les conditions de possibilité de la connaissance. Mais ces conditions, il les envisage a priori. L'a priori kantien évoque le *proteron*, cette première présence dont nous parlait Aristote: «Il existe une sorte d'intellection qui saisit dans son regard la chose présente en tant que présente et du même coup, ce qui est subordonné à la présence, la montrant suivant ce qu'elle est» [1]. Les conditions de possibilité sont l'écho tardif du *proteron tè phusei*, de ce qui est «antérieur quant au dévoilement». A quoi se rapportent ces conditions qui rendent possible l'a priori? A ce à quoi se rapportait déjà pour Aristote le *proteron tè phusei*, au *ta saphestera pros hèmas*, à ce qui, pour nous, est immédiatement manifeste, plus immédiatement que ne l'est la *phusis*, l'être. La caractéristique de la démarche kantienne consiste à affirmer qu'une chose ne peut être déterminée en ce qu'elle est et en ce qu'elle est pour nous, que rapportée à la raison. Non seulement cette chose est objet pour un sujet, c'est-à-dire pour la raison, mais cette raison qui s'identifie au rassemblement des conditions de possibilité a priori n'apparaît qu'à titre de raison suffisante. Entre les mains de Kant, et après le passage de Leibniz, la vieille formule de Parménide: Le même, en vérité, est percevoir aussi bien qu'être, devient une maxime à trois termes qui se tiennent: percevoir, être et raison. La Raison pure est caractérisée par le fait de poser, c'est-à-dire de *livrer la raison suffisante de l'apparition de toute chose* [2]. Le principe de raison suffisante fonde désormais l'accord *permanent* de la pensée et de l'être. Il n'est plus question de *logos-aiôn*. La nécessité a changé de sens. Elle ne correspond plus à la *Dikè*, qui représente l'unification de chaque instant. La nécessité est dans la raison.

Les § 29 à 32 de la *Monadologie* nous préparaient à pareille conception. Heidegger fait remarquer que, dès ce moment, la raison s'est présentée comme un arbre, dont le tronc bifurque en deux branches. D'un côté, elle est Raison, de l'autre, elle désigne ce qui sous-tend les actes réflexifs qui nous fournissent, dit Leibniz, les objets principaux de nos raisonnements [3]. Ainsi la *ratio* nous parle en son dire doublement unique qui nomme comme in-

[1] *Métaphysique*, 1er chapitre du livre IV.
[2] *SG*, p. 127, trad. p. 170.
[3] *SG*, p. 164, trad. p. 214.

séparables la Raison et les raisons. Des actes réflexifs, Kant remontera à ce qu'il appelle les actes réfléchissants. Interprété comme finalité, leur contenu sera étendu aux conditions a priori des objets de l'expérience. En fait, ils n'exprimeront que le «système» kantien dans la ligne du «système» leibnizien, car ce qui avait commencé chez Kant en Analytique s'achèvera en Architectonique. Le monde ouvert s'est refermé. Pour avoir démoli le théologique, Kant n'en est pas moins resté logique et ontologique. La Raison est d'un côté *Vernunft* et de l'autre *Grund,* mais ces deux notions sont liées indissolublement sous le même mot et s'imposent à partir de Kant, à tel point que si elles nous faisaient défaut aujourd'hui, nous ne pourrions même pas comprendre le système kantien. Il restera toutefois aux successeurs du philosophe de Königsberg de préciser et d'étendre cette intuition première.

CHAPITRE VIII

DE KANT A SCHELLING

Kant, qui explicitement avait cru reprendre le *cogito* cartésien, était en fait remonté à une source plus originelle que Descartes. Premier des phénoménologues, il avait de façon nouvelle reposé le problème de la raison et de l'expérience. Renouant le dialogue avec les Grecs, il avait retrouvé le sens de la participation primitive et découvert à nouveau le lien entre la présence de l'homme et celle des choses. La critique nous avait conduits à l'air libre. Il avait mis en lumière la dialectique entre le fini et l'absolu, entre l'homme, le monde et Dieu et elle avait situé de façon décisive sa philosophie. Il avait bien vu que la «réalité» – *die Realität* – est tout sauf tirée de l'expérience puisqu'elle provient de principes synthétiques a priori, ou plutôt de cette première synthèse, la synthèse véritative, qui n'est que la *thesis* originelle. Il restait à expliquer cet a priori et à définir les rapports entre ce qui est pensé et le moi. Mais là, Kant avait tourné court.

1. L'immédiateté s'efface au profit de la médiation

Kant, en effet, est resté prisonnier de la systématique classique de la métaphysique. Il demeure en un sens l'héritier de Leibniz, pour qui l'être est devenu *volonté*, c'est-à-dire *exigence d'essence*. Chez Kant, cette volonté est celle de la raison; chez Hegel, elle sera celle de l'esprit; chez Schelling, celle de l'amour et enfin chez Nietzsche, volonté de puissance [1]. Ainsi pour l'auteur de la Critique, la thèse représentative de l'objet, du *Gegenstand*, demeure chez lui seulement un moment de la synthèse. Dans cette synthèse – ici, synthèse et conscience de soi sont des concepts réciproques – la manifestation la plus proche de la présence, le jaillissement le plus pur s'efface au profit de la

[1] *N2*, p. 452.

médiation qui relie – *verbindet, verknüpt* – *Verstand, Vernunft* – plusieurs «représentations» [1] ou plusieurs éléments à l'intérieur d'une même «représentation», dans le contexte de l'objectivité. C'est que Descartes est passé par là une fois pour toutes, restant à l'orée de la pensée moderne comme *rosa*, la rose à l'aurore de notre enfance studieuse: il faut être conscient de soi.

Si donc Kant a bien vu que l'ontologie se trouve dans l'homme, qu'elle se construit dans le mouvement par lequel est retrouvée la construction de la raison finie, il a manqué l'explicitation de la subjectivité, du côté subjectif du fondement de la métaphysique. Il n'a pas assez approfondi le rapport existant entre l'empirique qui accompagne le «je» ontologique et ce «je». Cette anticipation qui donne le concept et qu'il nomme «réflexion» [2], il n'en a pas découvert le sens transcendantal, c'est-à-dire ontologique, car il n'a pas vu le lien entre le «je pense» et le temps. Il n'a pas atteint l'activité originelle qui constitue toute pensée et du même coup, n'a pas surmonté tout dualisme. Prisonnier de la systématique de l'Ecole, il n'a pas eu la force de poser la question «qu'est-ce que la métaphysique». Il ne s'est pas demandé: «qu'est-ce que penser», en restant le plus souvent à cette autre interrogation: «comment la science et l'expérience sont-elles possibles? Que peut reconnaître la raison» ? Il a ainsi mérité le reproche du jeune Hegel, de vouloir apprendre à nager sans se mettre à l'eau, de vouloir reconnaître un chêne sans savoir ce qu'est un arbre et de faire du même coup, de la nature – en laissant la chose en soi comme un rocher sous la neige – une nature morte, la coquille sans vie de l'objectivité. Sans doute avait-il, d'une part, réfuté vigoureusement l'idéalisme – le scandale de la philosophie et de la raison humaine, c'est qu'on ne puisse admettre qu'à titre de croyance l'existence du monde extérieur – et de l'autre, avait-il écrit dans la *Critique de la Raison pure* [3], «la nécessité absolue dont, comme derniers porteurs de toutes choses, nous avons besoin de façon indispensable, est le véritable abîme de la raison humaine», et avait-il reconnu que l'essence de la dialectique se trouve dans ce nœud de pensées inextricables qui emprisonne la raison. Mais il n'avait pas cherché

[1] J. Beaufret, *Le poème de Parménide*, p. 69.

[2] *Critique de la Raison pure*, analytique transcendantale. Livre II, chapitre III, appendice: de l'amphibolie des concepts réflexifs.

[3] *B*. 241.

plus avant pourquoi ces pensées s'imposent et il en était resté à une description. Il avait découvert une transcendance, mais sa spéculation s'était contentée de la constater: elle n'allait pas jusqu'à la «poser». Avec une grande modestie, il la considérait finalement en dehors de ses prises. Mais du même coup, la puissance de la raison restait intacte, limitée seulement à des domaines définis. Kant lui interdisait sans doute ce dogmatisme qui, par voie de conclusion, veut parvenir seul à l'existence, mais la raison elle-même n'était pas contestée. Ainsi, reconnaissant Dieu comme le concept final de la raison, compris en elle si l'on peut dire, il n'avait pas montré le *comment* de la chose. Revenu à la notion de Dieu reçue de la tradition, il n'avait pas progressé méthodiquement jusqu'à elle.

C'est pourquoi, dans l'histoire de la métaphysique, de ce qui a été jusqu'à maintenant le destin de la pensée occidentale et de toute philosophie, la philosophie transcendantale de Kant reste malgré tout une théorie de la connaissance, dont l'élément fondamental demeure la représentation. Hegel l'a noté: la pensée critique demeure un moyen pour arriver à l'objet. Si toute philosophie cherche, comme nous l'avons déjà dit, à répondre à l'unique question posée une fois par Aristote: «qu'est-ce que l'étant», la présence de celui-ci demeure pour Kant l'objectivité, posée par et pour le fait de représenter ou «d'apprésenter» et le transcendantal kantien n'est qu'une autre forme de cette vérité dont l'homme doit rendre compte à l'homme. En le posant comme condition d'intelligibilité, Kant se rattache à Leibniz et à son *principium reddendae rationis sufficientis*, dont il écrit qu'«il est une indication digne d'être remarquée sur des recherches qui restent encore à faire en métaphysique» [1]. Il l'a discuté lui-même dans un passage capital de la *Critique de la Raison pure* sous le titre: «Du principe fondamental le plus haut de tous les jugements synthétiques».

Pensant que les formes antérieures ne suffisent pas à rendre compte de la stabilité de la science, Kant en crée une. Le *Grund* de Leibniz, la *causa* du principe de causalité se transforment ici en *conditions de possibilité*. Ces dernières vont devenir le leitmotiv de l'œuvre de Kant. Son transcendantal sera une nouvelle

[1] *Über eine Entdeckung* ... 1790 (éd. Cassirer, tome VI). Cité par Heidegger *WG*, p. 16.

structure de la raison qui sert à rendre raison. La Critique, les trois Critiques, de la raison pure ou théorique, de la raison pratique et de la raison «technique» ou jugement, n'en font qu'une. Elles s'efforcent toutes, au sens grec de *krinein*, de distinguer, de discerner, de détacher la raison de ce dont elle surgit, de mettre en lumière la forme de cette présence et de la situer ainsi dans ses limites. Mais ici «limite», encore une fois, n'est pas comprise au sens de «borne», de ce en quoi finit quelque chose. Comme chez Aristote et tous les Grecs, elle n'est pas ce qui sépare, mais ce qui rassemble. Ce que Kant cherche avec toute la métaphysique, c'est ce qui rend possible l'étant comme tel dans son ensemble. Tout ce qui est – nature et liberté – ne sera étant pour l'homme que par rapport à la raison.

Kant va donc chercher, et c'est son mérite, ce qui rend un objet, objet, l'objectivité de l'objet, autre nom ici de l'être de l'étant. Mais il va le chercher, et c'est sa limite, comme si quelque chose n'était étant pour l'homme que par rapport à la raison. Le sujet pour lui, c'est la *ratio*, le rassemblement des conditions a priori de la nature et de la liberté, rassemblement qui n'existe que comme restitution de la *rationis reddendae sufficientis*. Le domaine de la subjectivité est devenu celui de la *ratio* au sens de *Grund* et de *Vernunft*.

Cette expérience de l'étant en tant qu'objet est celle de toute la philosophie moderne et il est indifférent alors de caractériser l'être comme objectité ou comme volonté. Les deux termes expriment la même chose [1]. Dans la perception, par la perception, cette philosophie s'oppose à l'étant et croit ainsi s'emparer de l'absolu. Leibniz a bien vu ce *percipere:* comme *appetitus*, il tend d'abord vers l'étant et le saisit dans une volonté de puissance qui présage celle de Nietzsche. Il l'emporte en soi, le pénétrant de part en part dans le concept. Si le *representare* retrouve ensuite la présence, ce n'est que dans ce *percipere* et par rapport à lui. La représentation – *Vorstellung* – se définit comme la remise au «je» qui perçoit de ce qui apparaît. Pour la perception et la *cogitatio* de la conscience, la perception reste une objectivité et la vérité reste certitude. Il n'est jamais question que de savoir et de connaître. «La tâche de Descartes avait été de choisir parmi les différentes manières de représenter celle qui seule convient à la

[1] *SG*, p. 115, trad. p. 156.

connaissance absolue. La tâche de Kant aura été de mesurer la nature et les limites de cette connaissance absolue lorsqu'elle a été une fois choisie» [1]. Mais avec eux, nous n'avons encore qu'une métaphysique et une ontologie fondées sur la vérité comme certitude de la représentation. On s'égare donc, dit Heidegger, en faisant de la «théorie de la connaissance» une explication du fait de connaître ou une «théorie» de la science. Elle «n'assure» en effet quelque chose qu'après avoir préalablement donné à l'être la signification d'être objectif et représentable. «La «théorie de la connaissance» est ainsi le titre de l'impuissance croissante de la métaphysique moderne à connaître et son essence et le fondement de cette essence. Parler à son sujet de métaphysique de la la métaphysique fait partie du même malentendu. Il ne s'agit en réalité que d'une métaphysique de l'objet, c'est-à-dire de l'étant comme objet, de l'objet pour un sujet» [2].

2. *Après lui, la raison devient à soi-même son objet*

Le dessein de Kant sera repris par l'idéalisme allemand qui le délivrera de ses échecs et de ses imperfections afin de l'accomplir, tout en restant à l'intérieur de cette même perspective de la métaphysique. Avec lui, la volonté fondamentale qui depuis le début dominait la philosophie, volonté d'absorber l'être dans la pensée, touche à sa fin. Fichte, Schelling et Hegel vont désirer que la réflexion dont Kant avait fait usage dans sa philosophie critique se réfléchisse en elle-même. La raison devient à soi-même son objet. L'unique problème sera celui-ci: comment la raison peut-elle poser son contenu, c'est-à-dire se poser elle-même?

On va chercher à supprimer de plus en plus la distance qui dans la vie irréfléchie sépare l'esprit de lui-même. On va poursuivre la coïncidence parfaite de soi avec soi, afin que l'Esprit s'apparaisse pour ce qu'on croit qu'il est, le fondement dernier et la fin ultime. L'idéalisme allemand, c'est la méthode de réflexion absolue par laquelle la connaissance assume tout étant dans le concept et ainsi, parvenue à soi-même et devenue consciente de soi, se conçoit comme la forme et le contenu de l'être. Les idéalistes vont rechercher comment peut se constituer la pure subjectivité et s'efforcer de

[1] *HW*, p. 118, trad. p. 110.
[2] *VA*, p. 75, trad. p. 86.

résoudre ainsi le problème de la médiation de soi. L'immédiateté des présocratiques était depuis longtemps déjà perdue et perdue à jamais. Mais à partir de l'idéalisme allemand, l'immédiateté de la vie pré-idéaliste va elle-même devenir impossible, que nous le voulions ou non. Tous les post-hégéliens pourront être des anti-hégéliens, car, pour parler comme Kant, la «connaissance du monde» au sens d'«expérience de la vie» l'emportera sur «le savoir d'école» [1]. Il n'en restera pas moins que cette vie qui prend sa revanche sur une pensée devenue totalitaire ne sera plus assumée par l'homme comme si Hegel n'était pas venu.

En schématisant, on peut dire que jusqu'alors la pensée s'était accomplie comme pensée à l'extérieur d'elle-même. Elle se développait sans cesse comme définition de l'objet. C'est là qu'elle se jouait vraiment et ce qui était authentique, c'était l'être, pris en dehors d'elle, d'une façon souvent réaliste. Mais ce mouvement portait en lui la tendance à s'emparer de l'être de l'objet et à l'absorber. C'est ainsi que l'être en est arrivé à être toujours plus être dans la pensée et Berkeley a pu dire: *esse* = *percipi* [2]. Cette tendance spontanée à faire apparaître de plus en plus l'objet *dans* la pensée, se fonde sur ce que la pensée *se sait* en tout ce qu'elle accomplit.

Une fois que l'objet est ramené à une œuvre de pensée, l'opération même qui l'a construit nous le livre. Kant, restant dans le domaine de la représentation et bien qu'il donne au *percipi* un sens transcendantal, demeure finalement dans cette perspective. C'est sur elle qu'insistera Hegel. En se sachant dans tout ce qu'elle accomplit, la pensée découvre sa force de transcendance. Plus elle transcende, c'est-à-dire plus elle nie les données de la conscience naturelle pour les assumer sur un autre plan, plus elle est elle-même. Ce mouvement anime tout l'idéalisme allemand. La philosophie n'existera pour Hegel que là où le se-penser-soi-même du savoir absolu constitue purement et simplement la réalité, ce qui arrive dans la logique spéculative et comme logique spéculative. C'est ainsi que s'accomplit pour l'auteur de la *Phénoménologie*, l'assomption de l'être dans la pensée de l'Esprit devenue l'absolue réalité. Le commentaire qu'il

[1] *Anthropologievorlesung*, p. 72, cité par *WG*, p. 32.

[2] Heidegger fait remarquer dans *VA*, p. 236, trad. p. 283 que Berkeley, donnant la prééminence à la pensée sur l'être, il faudrait dire *percipi* = *esse*.

donne de la sentence de Parménide est significatif: «la pensée et ce à dessein de quoi il y a pensée, c'est le même. Car sans l'étant – *das Seiende* – en quoi elle s'exprime, tu ne trouveras pas la pensée car elle n'est rien et ne sera rien sans l'étant. Ceci est l'idée principale. La pensée se produit et ce qui sera produit est une pensée. Penser est ainsi identique à son être; car il n'est rien en dehors de l'être, cette grande affirmation» [1].

3. Fichte refuse de partir de la connaissance naturelle

Depuis qu'elle existe la philosophie a cherché à saisir tout étant dans la pensée selon un rapport intelligible et nécessaire des choses. Mais c'est avec le jeune Fichte, la «lumière de Kant» et l'inaugurateur de l'idéalisme allemand, que cette attitude prend sa véritable signification. Fichte reconnaît que Kant «n'a possédé la vraie philosophie que dans ses résultats et non dans ses principes». Il va pour sa part, et Schelling l'en louera [2], chercher à s'émanciper de cette connaissance pure et naturelle dont Kant, bien qu'il ait eu l'idée d'un entendement «architectonique», était toujours parti. Fichte veut joindre à la connaissance de la vérité celle de ses sources. Si en 1794 dans son *Discours de la Méthode*, cette *Wissenschaftlehre* où science signifie philosophie, il veut dissiper le savoir bourgeois de l'homme de la rue, savoir inférieur et provisoire, réaliste et empirique, c'est qu'il veut atteindre une réflexion dans laquelle la raison se prend elle-même comme objet. Il parvient ainsi à une science entièrement produite par la pensée pure, une «science de la science», l'idée totalement développée du produit de la science, «l'épistémologie de notre épistémologie», comme l'a montré M. Hyppolite lors du second colloque de Phénoménologie, à Krefeld, en novembre 1946. La raison en elle va saisir tout étant et constituer comme la somme des étants. L'opuscule de 1794 est l'exposé du projet d'une telle science avant sa réalisation effective puisqu'évidemment cette philosophie n'est pas achevée dans son exécution; cette totalité ne peut encore se révéler entièrement au penseur. Celui-ci doit, du moins, se confier à la nécessité immanente d'un ordre de la raison et doit toujours plus chercher à la dévoiler. La *Wissenschaftlehre* définit ce projet et cette visée comme tels. Fichte veut réserver à la fois «le savoir

[1] *Oeuvres complètes*, tome XIII, 2ème édition, p. 274 (édition allemande).
[2] *Oeuvres complètes*, tome 11, p. 369.

absolu, apodictique de ce projet et le caractère ouvert d'une entreprise inachevée» [1].

Que Kant vieilli et malade proteste en 1799 contre la philosophie de Fichte, ceci est une autre histoire dans laquelle nous ne pouvons rentrer ici. Qu'il suffise de dire que, selon le mot de Heidegger à Cerisy, sans cette protestation Hegel et Schelling n'auraient pas été ce qu'ils ont été. L'idéalisme allemand, s'épanouira dans la ligne tracée par Fichte et ainsi redressée. Il s'accomplira plus tard lorsque Schelling, à la fin de sa vie, posera la question: «mais pourquoi y a-t-il la raison? pourquoi pas la déraison» [2]?

4. Schelling, la médiation de soi

Au cours du séminaire de Cerisy dont il a déjà été fait mention, Heidegger, parlant d'un «père de sa pensée» – avec toutes les restrictions qu'il faut mettre à ce terme, car notre époque n'est plus celle de l'idéalisme allemand – a catégoriquement refusé l'opinion courante qui veut que l'influence de Kierkegaard ait été sur lui décisive. Par contre, il s'est référé à Schelling. Dès *Vom Wesen des Grundes* [3] et surtout dans les *Holzwege* [4] il avait indiqué les *Recherches sur l'essence de la liberté humaine* comme un des livres capitaux de l'histoire de la pensée, à côté de la *Monadologie*, de la *Critique de la Raison pure*, de la *Phénoménologie* de Hegel et de *Ainsi parlait Zarathoustra*.

Dans cette perspective il nous faut rompre avec la représentation habituelle de l'idéalisme allemand [5], qui donne le jeune Fichte, le jeune Schelling et Hegel comme trois étapes successives du développement de ce mouvement auquel n'appartiendraient plus ni le Fichte tardif, ni le dernier Schelling. Il faut voir qu'au contraire le système de Schelling, dès 1809, peut être rapproché de la *Logique* de Hegel ou de la *Wissenschaftlehre*. Pour les trois philosophes, qui ne sont pas les «monades» que

[1] J. Hyppolite, même communication du Colloque de Krefeld.

[2] *Oeuvres complètes*, tome 10, p. 252 et tome 13, p. 247. «Car je puis toujours demander: pourquoi y a-t-il la raison et non pas la déraison? D'un point de vue absolu, il serait possible qu'il n'y ait aucune raison, ni aucun être raisonnable...». L'impossibilité de fonder l'être raisonnable dans la raison se trouve démontrée pour Schelling par le fait que la raison ne peut prouver son effectivité.

[3] P. 8.

[4] P. 233.

[5] Cf. Richard Kroner, *Von Kant bis Hegel*, Tübingen, 1921, 2 volumes.

présente Jaspers [1] et dont les continuels échanges se situent à une hauteur bien souvent méconnue, ce qui est en question, c'est le problème de la subjectivité ou en d'autres termes de la médiation de soi. C'est la manière dont se révèle le contenu de la raison. Mais Schelling pose plus radicalement la question, comme le fera aussi Nietzsche en un tout autre sens. Il se place à la pointe de la réflexion absolue. Il cherche quelle est cette puissance qui se pose elle-même.

Hegel s'occupait de la constitution de la raison par rapport à l'étant qui doit être transcendé – *aufgehobene* – dans et à travers la pensée. Or, au point décisif de son système, là où il aurait dû expliciter sa conviction que la pensée est créatrice d'elle-même, là où il aurait dû démontrer qu'elle est activité absolue, la preuve manque. C'est ainsi qu'à la fin de leur vie, Fichte [2] et Schelling, en réfléchissant au problème de la pure constitution de soi de la raison, sont allés plus loin que Hegel. Ils ont posé une question que ce dernier ne pouvait dépasser. Schelling dont nous nous occuperons plus spécialement, a cherché quelle était cette puissance qui se pose elle-même, ce pouvoir-être auquel il faut s'attacher une fois qu'on a fait de la raison la somme des étants. «Pourquoi y a-t-il la raison?» Cette raison qui s'est posée elle-même se demande quelle force, quelle activité elle a médiatisée en s'accomplissant. Sans doute Schelling n'est-il pas arrivé du premier coup à cette interrogation. Dans cette longue vie commencée dès 1793 par une publication sur le mythe de la Genèse et qui ne s'achèvera qu'en 1854 avec la *Philosophie de la Mythologie et de la Révélation*, plus de cinquante années appartiennent en un sens à la période de préparation, bien que les *Recherches* de 1809 contiennent en un autre sens l'essentiel. Seuls les quatre derniers tomes des œuvres complètes constituent vraiment la philosophie positive, quoiqu'aussi les *Ages du monde* de 1815 et la *Présentation de l'empirisme philosophique*, édités dans les œuvres complètes en 1836 mais donnés à plusieurs reprises entre 1820 et 1830, l'esquissent déjà. L'unique différence, c'est que la distinction claire et nette entre philosophie positive et philosophie négative n'est pas exprimée, ou plus exactement que ces

[1] *Schelling, Grösse und Verhängnis*, Pfifer, München, 1955, p. 281.
[2] Cf. les inédits récemment publiés.

qualificatifs ne sont pas employés. «Cette séparation, écrit-il dès 1827, c'est Kant qui l'a introduite» [1].

5. Interprétation classique de Schelling

De quoi s'agit-il dans cette distinction? N'est-ce pas ce qu'elle indique qui a déterminé l'interprétation classique de Schelling? Celui que l'on a appelé le «Protée de la philosophie» aurait d'abord été idéaliste et c'est ce qui aurait constitué sa philosophie négative. Puis, parce qu'il n'aurait pas dominé cette méthode, il serait revenu à une phlosophie pré-idéaliste de la réalité, à une philosophie positive. Durant la première période, après un temps de préparation dominé par Fichte, il y aurait eu le grand moment de l'«idéalisme objectif» du système d'identité, opposé à l'«idéalisme subjectif» du système fichtéen. Puis une nouvelle recherche, inspirée cette fois-ci par le panthéisme si fréquent à toute époque en Allemagne, par la théosophie de la Nature de Jacob Boehme, d'Oetinger et de Baader. Après avoir ainsi conçu le monde comme un tout d'évènements vivants, après avoir selon Jaspers versé dans la Gnose, Schelling aurait découvert la liberté relative de l'homme qui l'aurait conduit à la liberté absolue de Dieu. Il aurait alors fait une philosophie de la foi ou du sentiment religieux, telle celle de Jacobi, avant d'en arriver au dernier stade, celui de la reconnaissance du Dieu transcendant. Ce moment serait aussi celui du rejet absolu d'une philosophie de la raison, celui d'une radicale opposition entre raison et réalité. Comme les autres post-hégéliens, Schelling aurait philosophé alors sur un sol «réel» qui aurait été pour lui le Dieu personnel comme il est pour Marx la conscience de classe, pour Kierkegaard l'expérience intérieure et pour Nietzsche, la volonté de puissance.

6. Un seul et même mouvement

Telle est l'actuelle présentation de Schelling. Or il semble aujourd'hui qu'on puisse en faire une reprise très différente. Une lecture attentive des textes suffit. Ce long itinéraire philosophique est sans doute difficile à suivre, ces écrits sont parfois obscurs. Comme tous les précurseurs, Schelling souvent ne maîtrise pas pleinement ce qu'il pressent. Au sujet du système d'identité, par exemple, il s'égare lui-même donnant des définitions en appa-

[1] Tome 10, p. 75.

rence contradictoires à quelques pages de distance. Pourtant ces oppositions se comprennent lorsqu'elles sont replacées dans l'ensemble du développement. En exposant d'abord la «partie réelle» du système, esprit et nature – dans les écrits de 1801 à 1806 considérés comme représentatifs de la théorie de l'*Identität* (à l'exception toutefois de *Philosophie et Religion* en 1804) – puis la «partie idéelle», nécessité et liberté, il peut donner l'illusion de marquer une coupure entre les deux périodes. En fait, dans la préface des *Recherches sur l'essence de la liberté humaine* en 1809, il indique qu'il y avait urgence à s'occuper d'abord de l'opposition: nature-esprit. Il reste que cette réflexion, accomplie quelques années plus tard, dégage plus clairement l'opposition que ne pouvait le faire Schelling au moment par exemple du *Système de philosophie générale* de 1804.

Il faut pourtant, croyons-nous, reviser les conceptions devenues classiques et contester cette défaveur qu'a valu à Schelling la critique de Hegel lorsque, sans le nommer, elle l'a, dans la Préface de la *Phénoménologie*, rejeté une fois pour toutes dans la nuit de l'absolu où toutes les vaches sont noires. Les idéalistes tardifs, tels Weiss ou le fils de Fichte, plus théologiens que philosophes ont eux aussi donné une image fausse de Schelling en le tirant à eux. Du début à la fin de sa vie, il ne s'agit en effet jamais pour Schelling que d'une haute réflexion de la raison sur elle-même. A travers les reprises et une certaine évolution, l'auteur de la *Philosophie de la Mythologie et de la Révélation* n'a jamais eu qu'une seule expérience qu'il cherche à élaborer de manière intelligible: celle de la pure activité rationnelle qui ne peut rendre compte d'elle-même et est pour nous mystère. Qu'il cherche à construire le Moi, les deux essais ne seront pour lui que deux voies pour tenter de saisir la subjectivité comme telle. Schelling sera ainsi conduit à renverser la signification et la valeur de cette subjectivité. Il en viendra à la considérer «objectivement», c'est-à-dire qu'il ne la verra plus telle qu'elle se trouve dans un «sujet» ontique ou empirique et telle qu'elle est constituée par la constitution de celui-ci. C'est ainsi que l'avaient vue ses devanciers qui avaient cherché un «sujet» à cette activité et l'avaient nommé: Esprit, Moi ou Raison. Hegel, nous venons de le dire, n'a jamais songé à dénouer l'activité de la pensée réflexive que nous en avons. Pour Schelling au contraire, la raison va peu à peu se considérer elle-même dans son activité, sans «sujet», faire sans facteur, comme «pensée pure», car «celle-ci demeure, abstraction faite de son être dans un quelconque sujet» [1].

Ainsi, à travers les deux philosophies négative et positive, dans le passage de l'une à l'autre qualifié, en termes très idéalistes, de «négation de la négation», il n'y a chez Schelling qu'un seul mouvement par lequel la raison médiatise son contenu, la pure activité sans connaissance, l'absolu qui se définit lui-même. Sous cet angle, on s'aperçoit que Fichte et Hegel ont toujours été considérés par Schelling comme des moments à assumer, à intégrer et à dépasser. Les longues années de préparation sont une seule et lente explication avec leur idéalisme qui le conduira peu à peu à son propre point de vue. C'est pourquoi les discussions entre eux nous les font réciproquement retrouver, encore que puissent nous égarer l'esprit polémique dans lequel elles se déroulent, les incompréhensions réciproques, la vanité de Schelling et sa contradiction irritée du «rationalisme panlogique» de Hegel. Hegel et Schelling ne se revirent qu'une fois après leur rupture, en 1829 à Karlsbad; mais ils ne parlèrent pas de philosophie. Hegel mourait deux ans plus tard. L'opposition de Schelling à son égard se fit beaucoup plus vive après sa mort.

La réponse donnée par Schelling à la question de la constitution de soi de la pure subjectivité n'est pas séparable de la voie qui l'y a conduit. Il faudrait suivre lentement ses différentes étapes pour découvrir comment se transforme en lui la compréhension que la raison a d'elle-même. D'abord sûre de soi, elle expérimente son impuissance dans le fait impensable de son existence, de son *Dass*. Elle renonce alors à vouloir se posséder en pensant. Mais justement, dans ce renoncement, elle se possède et s'accomplit totalement, se concevant de manière très idéaliste comme «médiation de soi médiatisée». La raison qui s'est posée elle-même se demande quelle est cette force, cette activité qu'elle a médiatisée en s'accomplissant. La connaissance négative qu'elle prend d'elle-même cache en soi une connaissance positive. En échouant, elle se découvre subjectivité finie. Non pas finie en face d'un domaine de l'être qui lui serait inaccessible, mais finie en elle-même. La pensée ne peut aller jusqu'à son fondement, mais ce fondement la précède et elle en provient.

[1] Tome 13, p. 62.

Ainsi, lorsqu'en 1841, le vieux philosophe de 66 ans est nommé à l'Université de Berlin, chargé de ces conférences que le théologien Paulus retracera méchamment et que Jaspers qualifiera de farce et d'échec, lorsqu'avec sa belle tête blanche aux yeux bleus, sa tabatière d'argent à la main, il aura pour élèves Kierkegaard, Rosenkranz, F. Engels, J. Burckardt, il prononcera dans son discours d'entrée ces mots énigmatiques: «Importun, je sens que je dois l'être en partie. N'a-t-on pas dit que j'étais «construit», que l'on savait de la manière la plus précise ce qu'il en était de moi. Maintenant, il faut recommencer et se mettre à nouveau en face de moi. On verra alors quelque chose dont on n'a rien su... [1].

7. *Echec de la raison à rendre compte d'elle-même*

Ce quelque chose que nous nous efforcerons un jour de retrouver n'est au fond que la reconnaissance par la raison de son échec à rendre compte d'elle-même. Mais cette reconnaissance ne cesse de se poursuivre en termes de raison. Schelling ne recherche pas une nouvelle immédiateté, ni un empirisme, au sens étroit d'empirisme opposé à raison, ni une expérience intérieure. Il refuse le contact mystique et critique de Boehm et Jacobi. «La philosophie de ce dernier, écrit-il, est comme ces fils de la Vierge qui volètent au printemps» [2]. «Ici se trouve la limite entre théosophie et philosophie dont le respect doit être sacré pour l'homme de science» [3]. Dieu lui-même ne sera d'abord chez Schelling que le contenu de la raison. Celle-ci et elle seule constituera le thème sous lequel sera traitée la création et, ici comme là, l'historicisation s'appellera: remémoration – *Erinnerung*. Schelling posera Dieu avec la raison contre la raison immédiate et objectivante.

Il faut suivre cet effort au travers, en particulier, du mystérieux système des «puissances». Il sera expliqué surtout dans la philosophie positive mais déjà utilisé dans la philosophie négative. Faut-il voir en elles, comme on l'a dit en interprétant Schelling de manière réaliste, les causes réelles et concrètes du monde? Dès le début, au moment de la philosophie négative et plus spécialement de la «science de la raison pure» encore très

[1] Tome 14, p. 361.
[2] Tome 8, p. 177.
[3] Tome 8, p. 207.

proche de Fichte, si Schelling les présente: objet, sujet, et sujet-objet, comme les trois forces qui viennent à bout du processus de subjectivation du monde, si elles font apparaître la structure intérieure de cette subjectivation et en se développant donnent le concept de ce qui est «avant l'être», c'est qu'elles sont les *concepts dynamiques de la raison pure* [1] ou plutôt les manières d'apparaître du contenu de la raison. C'est ainsi que plus tard, elles deviendront des sortes de définitions immanentes de Dieu. Si le Dieu réel est l'objet de la philosophie, cela ne conduit pas à une maîtrise de la raison sur Dieu. C'est au contraire Dieu qui brise la raison et lui donne une sorte d'essence négative.

Nous pressentons déjà qu'il ne faut pas voir au début un Schelling «idéaliste» et à la fin, un Schelling «réaliste», si vagues et dangereux que soient ces mots en philosophie. Il faut aller au-delà de l'opposition qui paraît continuellement surgir dans cette œuvre entre, d'une part, un système de la réalité et de la liberté, et de l'autre une philosophie des puissances de la raison. Il ne faut pas se demander si la vraie place de Schelling est dans la raison comme lieu des puissances ou dans la réalité de la vie comme lieu de Dieu [2]. Dieu n'est pour Schelling ni ce que présuppose la vie, ni une vérité de foi «existentielle». Dieu est une nécessité de pensée qui se donne à travers cette construction des «puissances». La question qui se pose alors à Schelling – comme au Fichte vieillissant auquel il faut aussi rendre justice et à la lumière duquel il faut aussi interpréter la philosophie de jeunesse – est la suivante: comment Dieu se rapporte-t-il à la raison qui se laisse expliciter comme cosmos rationnel? ou encore: comment la pensée en tant qu'absolue surgit-elle de son fondement qui est à la fois son «autre» et sa possibilité?

Toutefois, avant de poursuivre cette recherche sur l'idéalisme, nous voudrions citer une page de Heidegger qui a constamment orienté notre interprétation. Ce texte se trouve dans le paragraphe 43 de *Sein und Zeit:* «La réalité comme problème de l'être». Il

[1] Tome 13, p. 57. Dans sa correspondance, édition Plitt, 3, p. 241, Schelling ne cesse d'affirmer qu'elles ont leur propre vérité sans aucun rapport à la réalité. Cette «science de la raison pure» est désignée par lui comme sa métaphysique et à la fin de sa vie, il lui attribue encore une signification essentielle. Ailleurs, il écrit à leur sujet: «les principes de la méthode sont donnés. Les développements en diverses directions sont affaire de temps» (Lettres, éd. Plitt, 3, p. 209).

[2] Ces questions ont été posées par W. Schulz: *Die Vollendung des deutschen Idealismus in der Spätphilosophie Schellings.*

contient de précieuses définitions de ce qu'on appelle couramment: «réalisme» et «idéalisme». Heidegger vient de dire qu'avec le *Dasein* – c'est-à-dire l'être humain qui est plus que l'homme, qui est l'ouverture, en l'homme, de l'être qui le constitue «être-au-monde» –, l'étant intérieur au monde est déjà ouvert. Il constate alors que cet «énoncé existentiel-ontologique» semble s'accorder avec la thèse du réalisme affirmant qu'un monde extérieur est réellement donné. Il accepte en effet les résultats du réalisme en reconnaissant que l'être de l'étant intérieur au monde est donné – *vorhanden* (Heidegger a précisé ailleurs [1] qu'il donne à *Vorhandenheit* le sens de l'*exsistentia* classique). Mais, poursuit-il, cet énoncé se distingue fondamentalement de tout réalisme en ce que celui-ci tient cette «réalité» du monde comme ayant besoin de preuves et comme démontrable. Ces deux points sont précisément niés dans l'énoncé existentiel. Ce qui distingue du tout au tout ce dernier d'un réalisme, c'est l'incompréhension ontologique de celui-ci. N'essaie-t-il pas en effet d'expliquer la réalité ontiquement, par un ensemble d'actions *réelles* entre des (choses) *réelles?*

En face de ce réalisme, écrit Heidegger, l'idéalisme si insoutenable qu'il soit, a une supériorité fondamentale – à condition toutefois de ne pas se méprendre sur lui-même et de ne pas se poser comme un «idéalisme psychologique». Lorsque l'idéalisme met l'accent sur le fait que l'être et la réalité ne sont que «dans la conscience», cette phrase signifie que l'être ne peut jamais être expliqué par l'étant. Mais cette compréhension de l'être demeure elle-même inexpliquée. On ignore comment elle est possible et ce que signifie le *Sein* du *Dasein*. Ainsi l'idéalisme bâtit l'interprétation de la réalité dans le vide. Que l'être ne soit jamais explicable par l'étant et que la réalité ne nous soit donnée que par la compréhension de l'être, tout cela ne nous dispense pas de nous interroger sur l'être de la conscience et sur la *res cogitans* elle-même. La thèse idéaliste a pour conséquence de présenter l'analyse ontologique de la conscience comme une tâche préalable et indispensable – mais elle ne s'en acquitte pas. C'est seulement parce que l'être est «dans la conscience», c'est-à-dire est compréhensible au *Dasein* que celui-ci peut comprendre et mener au concept ces caractères de l'être tels que «l'indépendance», «l'en-soi»,

[1] *SZ*, p. 42.

et la «réalité» en général. S'il en était autrement, l'étant indépendant ne serait nullement accessible, il ne pourrait avoir aucune signification. Sa rencontre à l'intérieur du monde serait impossible.

Si, par «idéalisme», on entend traduire le fait que l'être n'est jamais explicable par l'étant, mais qu'il est pour tout étant le «transcendantal», c'est dans l'idéalisme et en lui seul que se trouve l'exacte problématique philosophique. Mais alors, Aristote n'était pas moins idéaliste que Kant.

«Si, par contre, l'idéalisme signifie le fait de ramener tout étant sur un sujet ou une conscience qui se définissent surtout en ce qu'ils restent indéfinis dans leur être, en ce qu'ils ne sont caractérisé que négativement, que comme «non chosifiables», alors cet idéalisme n'est méthodiquement pas moins naïf que le réalisme le plus grossier».

CHAPITRE IX

HEGEL

Plus que tout autre penseur, Hegel nous permet d'atteindre ce que Heidegger appelle l'onto-théologie. L'étape qu'il ouvre est particulièrement importante. Elle met en lumière les oscillations réciproques entre ontologique et théologique qui composent l'histoire de l'être. Parce qu'il fait passer l'ontologique dans le théologique ou inversement, le théologique dans l'ontologique, et parce qu'il réalise ainsi *en un certain sens*, l'unité impensée des deux disciplines, on peut dire que Hegel achève la métaphysique inaugurée par Platon. Comme métaphysique, celle-ci ne pense pas vraiment l'être car elle ne l'atteint, ici et là, qu'au sens de l'étant comme tel: le recours aux premiers principes – ontologie – et aux dernières causes – théologie – laisse l'être impensé [1], comme il laisse du même coup dans l'obscurité la distinction de deux présences: *essentia et exsistentia*, et ce qui constitue réellement, dans l'instant, l'unité de l'ontologie et de la théologie. En métaphysique, la théologie tient de l'ontologie l'essence de l'étant et l'ontologie, qu'elle le sache ou non, rapporte l'étant comme existant au premier principe que lui présente la théologie [2]. Hegel ne fait pas autre chose lorsque, s'opposant à Kant, il écrit dans la discussion avec M. Krug: «L'intérêt de la philosophie aujourd'hui, est de poser à nouveau Dieu, d'abord et absolument, à la pointe de la philosophie, comme le seul fondement de tout, comme l'unique *principium essendi et cognoscendi* ... On l'a assez longtemps posé à côté d'autres êtres finis, ou tout à fait à la fin, comme un postulat d'où surgit une finitude absolue» [3].

Toute la *méta*physique connaît l'étant comme tel en le dépas-

[1] *WG.* p. 46.
[2] *N2*, p. 348.
[3] *Premiers écrits*, Lasson, p. 149.

sant pour le saisir dans son «étantité» – *Seiendheit.* Telle est pour elle la transcendance. Chez Kant, le dépassement de l'étant vers ce qu'il est dans sa qualification – *Washeit* – constitue le trancendantal. Kant a limité critiquement l'étant comme objet d'expérience; le transcendantal, alors, s'annonce comme l'objectivité de l'objet. A partir de là, l'ontologie pose la transcendance comme le transcendantal. La théologie, elle, a au contraire toujours conçu la transcendance comme le Transcendant [1]. Le tremblement de terre de la Critique a contesté l'atteinte de ce Transcendant et ébranlé l'architecture théologique du monde, même si, après avoir démoli les prétentions de la métaphysique rationaliste, Kant les a admises régulativement [2] et les a retrouvées dans sa philosophie pratique. Hegel a beau jeu alors à pourfendre cette infinité malheureuse, ce monde ... qui tombe en morceaux et ces deux absolus, «le ciel étoilé au-dessus de moi et la loi morale en moi», entre lesquels il voit Kant comme l'âne de Buridan ... Il subit, au contraire, l'influence de Spinoza et admire la manière dont celui-ci part de l'absolu et voit tout sous l'angle de la substance. Il veut lui aussi commencer avec cet absolu mais il va aller plus loin que Spinoza. Pour que la vérité soit tout entière système, il entreprend la tâche de renouveler la notion de substance par un approfondissement de celle de sujet. «Selon ma façon de voir qui sera justifiée seulement dans la présentation du système, tout dépend de ce point essentiel: appréhender et exprimer le Vrai non comme *substance,* mais précisément aussi comme *sujet*» [3].

Ici, justement, Kant avait préparé la voie: le transcendantal explique «la pensabilité de ce qui est pensé» que recherche Hegel. Il a, en ce sens, renouvelé la métaphysique qui finissait par n'avoir devant elle qu'un catalogue d'objets. La constitution de l'objet apparaît désormais dépendante du sujet. La méthode transcendantale est liée à l'objectivité de l'objet, c'est-à-dire à l'être de l'objet d'expérience, mais dans son rapport au sujet [4]. Dès lors l'être – ce que la métaphysique appelle l'être: l'étantité de l'étant,

[1] *N2*, p. 348.

[2] *Critique de la Raison pure*, B. 644.

[3] Préface à la *Phénoménologie de l'esprit*, trad. Hyppolite, p. 17. Cf. ce qui est dit plus haut au sujet d'Aristote, chap. III de ce travail: en métaphysique, substance et sujet ont finalement le même sens, provenant l'un et l'autre de l'*hupokeimenon*, de l'être comme fondement.

[4] *SG*, p. 195, trad. p. 251.

ce qui le rend étant, sa présence – en apparaissant comme objectivité, se définit dans le domaine de la subjectivité de la Raison et là seulement. Au début des temps modernes, la subjectivité avait été interprétée comme le représenter se représentant. La vérité, devenue certitude, avait entraîné une transformation de la présentation. Chez les présocratiques, celle-ci, en tant que *noein*, encore tenu dans le *legein* malgré son activité, laissait le présent comme tel se donner dans son *eidos*, dans l'aspect qu'il offrait. Il y avait une distribution de présence au sens où nous l'avons dit: nous sommes toujours déjà au milieu de la présence.

Pour Descartes, au contraire, le représenter n'est plus saisi immédiatement dans sa plénitude; il se trouve démembré. Ce qu'on en retient d'abord, c'est la *perceptio*. Réduit à l'un de ses éléments, il est situé désormais *dans* l'homme devenu sujet privilégié. A la perception de satisfaire aux exigences d'une représentation claire et distincte. On ne va à l'objet que par l'idée. C'est par l'idée claire et distincte qu'on accède à la présence du présent puisqu'elle la révèle et s'y identifie. C'est ainsi que l'étendue est l'essence des choses et la pensée l'essence de l'esprit. En mettant l'accent sur la représentation, Descartes se trouve à l'origine de l'*en soi* et du *pour soi*. La notion d'en soi est le concept vide d'une pensée orgueilleuse de sa réflexivité critique [1]. Lorsque l'homme représente, cela est pris comme un mouvement qui part de l'homme, sort de lui et saisit les choses.

Chez Leibniz, cette tendance se renforce puisque la monade va passer de perceptions confuses en perceptions de plus en plus claires *sous sa propre nécessité interne* et que la qualité de représentation correspond à une perspective sur le monde de plus en plus adéquate [2]. Ainsi le sujet s'habitue-t-il à trouver en lui-même la norme par laquelle il jugera du réel et il n'y a de réel que celui qui répond et fait droit aux conditions posées au-dedans du sujet. C'est là où tout se décide. C'est là où siège le tribunal, qui se donne sa propre loi, qui *est* cette loi [3]. L'apparition des choses est déjà comparution devant le tribunal de l'homme.

[1] Eugen Fink, *Sein, Wahrheit, Welt*, La Haye, M. Nijhoff, 1958, p. 30.

[2] § 11, 12, 14 et 15 de la *Monadologie*: les changements naturels des monades viennent d'un principe interne ... Il faut qu'il y ait un détail de ce qui change ... L'état passager qui enveloppe et représente une multitude dans l'unité ... n'est autre chose que la perception ... L'action du principe interne est l'appétition.

[3] *N2*, p. 298.

Avec Kant, un pas nouveau s'accomplit. Nous sommes sur le chemin qui conduit à Hegel et à la subjectivité absolue. Non certes que Kant admette celle-ci comme telle. Toute sa démarche explicite s'oppose à pareille conception puisque ce qu'il cherche à déterminer, ce sont les conditions de possibilité des objets de l'expérience. Toutefois, en fixant *a priori* ces conditions et en les identifiant aux conditions de possibilité de l'expérience telles qu'elles apparaissent *dans* le sujet, il tend à rendre raison de l'étant par la Raison.

Le terme de cette évolution est atteint lorsque la Raison, devenue divine, ne fournit plus simplement les conditions de *possibilité* de l'étant mais est son apparition même. Elle est l'Idée absolue. La conscience de soi, thème fondamental de la métaphysique moderne, exerce maintenant une hégémonie sans contrôle et sans frontières. Chez Hegel, son règne s'identifie à celui de l'Absolu. Oubliant la réserve de Kant et le sens si vif qu'avait celui-ci des limites de notre condition, Hegel absolutise le transcendantal, c'est-à-dire pour lui, le pense spéculativement.

Le fait pour la représentation d'être affirmée et posée, c'est-à-dire le fait pour celle-ci d'être, appartient déjà chez Descartes à une démarche de la pensée et, du même coup, est située dans ce qu'on appellera plus tard le domaine de l'«idéal» [1]. Pour Hegel, d'une manière incomparablement plus méditée et préparée par Kant, l'être est la même chose que la pensée. Non qu'il ne parte d'abord de l'être. Pour lui, comme pour toute la métaphysique, la chose de la pensée demeure l'être: «L'Idée absolue seule est l'*être*, la *vie* incorruptible, la *vérité* se sachant et *est toute vérité*» [2].

[1] *VA*, Moira, p. 235, trad. p. 284.

[2] *ID*, p. 38, cf. la fin de la *Science de la Logique*. Hegel emploie le mot être de façon multiple et pourtant unifiée. L'être est d'abord pour lui, en un sens pré-kantien, la pure catégorie du «ceci», «l'immédiateté indéfinie», «l'étant», qui dans sa représentation immédiate devient objectif à la conscience. Cet objectif est représenté unilatéralement, sans considération du fait de représenter et de celui qui représente. Il est donc pour lui «la réalité encore non vraie». Hegel interprète dans cette optique l'*einai* des Grecs, comme l'objectivité de la représentation immédiate d'une subjectivité non encore parvenue à soi-même.

Mais l'être n'est jamais pour Hegel seulement cela. Nous verrons que cet immédiat indéfini devient le Concept absolu. Ces annotations permettent à Heidegger de préciser qu'il emploie lui-même le mot être aussi bien pour ce que Hegel appelle avec Kant: objectivité – *Gegenständlichkeit* et *Objectivität* – que pour ce qu'il représente comme le véritablement réel et la Réalité de l'Esprit (cf. *H.*, trad. p. 130). Il nous l'a dit à propos de Parménide: ce à quoi nous réfléchissons, ce qui nous appelle à penser, c'est le *legein* originel, le pli d'où nous tirerons ce que nous appelons «être» et ce que

L'être pour lui est l'affirmation de la pensée qui se produit elle-même. L'être est identique à la pensée, c'est-à-dire à ce qu'elle énonce et affirme, et c'est en ce sens que Hegel commente la sentence de Parménide où il voit le commencement, encore trouble et indéterminé sans doute, de ce qu'est la démarche philosophique. Pour Hegel, la philosophie est présente là seulement où le savoir absolu qui se pense lui-même est la réalité purement et simplement [1].

Ainsi s'achève, alors qu'il était déjà amorcé chez Kant, l'extrême retrait de ce que Heidegger appelle l'être. La manifestation de l'être dans l'instant ne fait, en effet, même plus question: la fondation complète de l'étant comme tel se trouve à la fois décidée et incluse dans le domaine entièrement parcouru et mesuré de la *Ratio* comme raison et subjectivité [2]. L'être disparaît au profit de ce qu'on appelle «la condition de possibilité», qui appartient à la raison et à la fondation, au sens rationnel de ces deux mots [3]. Il n'y a plus rien à chercher au-delà. La philosophie transcendantale est, finalement, une philosophie de l'immanence. Hegel absolutise cette immanence.

I. L'ABSOLU QUI NOUS CHERCHE

Toute cette génération idéaliste et préromantique a eu, en Allemagne, le même point de départ: la reconnaissance par l'intuition intellectuelle de la totalité du monde, saisie dans une réflexion inlassable [4]. Le destin de tous les préromantiques, philosophes ou poètes, a été commandé par la difficulté de préciser ce qu'ils ont entrevu et de transposer, comme en musique, l'intuition du Tout en un mouvement qui enveloppe le Tout. C'est ainsi que le mouvement sera le concept fondamental de la philosophie de Hegel. Celui-ci a rencontré concrètement les mêmes

nous appelons «étant». Dans le pli, dans l'étant pensé, dans ce que nous trouverons chez le premier Husserl comme «noème», l'être et la pensée sont à la fois identiques et différents.

[1] *Cours d'histoire de la philosophie*, Oeuvres complètes XIII, 2ème édition, p. 274.

[2] *SG*, p. 150, trad. p. 196.

[3] *SG*, p. 183, trad. p. 237.

[4] Nous avons vu, à propos de Parménide, ce qu'on peut appeler la préhistoire de la métaphysique, des Eléates au platonisme et à l'aristotélisme: la liaison du problème ontologique et du problème cosmologique, l'être conçu comme une totalité réalisée et, partant de là, les concepts traités comme des parties du monde. Nous y reviendrons plus longuement dans un autre travail sur *Mythos-Logos*.

obstacles que Schelling et a d'ailleurs découvert sa propre dialectique dans la philosophie de la Nature de son ami. Il était schellingien au moment où il écrivit la *Différence des systèmes de Fichte et de Schelling* et sa *Realphilosophie* d'Iéna, en 1804, était encore consacrée à la recherche du concept dans cette *Naturphilosophie* qui saisit le Tout et l'Un – *Hen kai Pan* – à travers le principe d'identité entendu comme proposition spéculative. L'obscurité de cette «intuition intellectuelle», fondement de la connaissance métaphysique, est grosse de malentendus [1]. Hölderlin, qui trouve dans le mot de «nature» la clé de l'unité du monde, garantie par la divinité, remarquera plus tard de ces années de jeunesse de Schelling: «Les savants qui par la force de leur esprit ne font que des distinctions générales, retournent vite à la pureté de l'être. Ils tombent alors dans une indifférenciation d'autant plus grande qu'ils croient avoir suffisamment distingué la non-composition à laquelle ils ont fait retour. Ils la conçoivent comme ayant la constance de l'éternité, s'étant laissé prendre au degré le plus inférieur de la réalité, à l'ombre de cette réalité» [2].

Très vite, cette indifférenciation n'échappe pas à Hegel. Il n'y voit qu'une nuit où toutes les vaches sont noires et s'en dégage progressivement. Mais la polémique entre les deux amis, qui devint l'occasion de leur rupture, est plein d'injustices. Le problème en jeu est le dépassement du dualisme: forme-contenu. Hegel accuse, à tort, l'identité schellingienne d'aborder le contenu de la philosophie d'une manière extérieure. La discussion se poursuit entre 1804 et 1807, en particulier dans la Préface de ce qui sera appelé plus tard *Phénoménologie de l'Esprit* et aussi en 1820, dans la Préface de la *Philosophie du Droit*. La Totalité et l'Unité, Hegel les découvre dans le concept de l'Esprit absolu pris comme point de départ de sa Phénoménologie. L'Esprit absolu est le Concept, c'est-à-dire la forme de la pensée se pensant elle-même.

Il apportait à ses recherches, au moins au début, une sensibilité analogue à celle de Schelling. Alors que l'affectivité intellectuelle de Kant lui marquait surtout l'inaccessibilité de l'In-

[1] Schopenhauer, par exemple, en tirera une conception des Idées comme intuition simple qui contribuera à égarer le jeune Nietzsche.

[2] Cf. Ebauches d'*Empédocle*. Dans sa vieillesse, Schelling a senti le danger de la même manière. L'identité du début du siècle n'est-elle pas qu'un jeu de représentations? Est-elle capable de ramasser en elle la «réalité»? C'est pour surmonter cette difficulté qu'il oppose à la philosophie négative, la philosophie positive de la Révélation.

conditionné, celles de Schelling et de Hegel leur en soulignait la familiarité et la quotidienneté. C'est cette disposition qui les amène l'un et l'autre à rechercher dans ce qui apparaît une manifestation de l'Absolu. Cet Absolu prend chez Hegel des noms différents. De son propre aveu, c'est le christianisme qui a apporté au monde l'idée de «l'Absolu comme Esprit»: «Que le Vrai ne soit réel que comme système ou que la substance soit essentiellement sujet, est énoncé dans la représentation qui exprime l'Absolu comme Esprit» [1]. Après avoir, au temps du séminaire de Tübingen, mis au premier rang l'Amour [2], subordonné la philosophie à la religion et donné, avec toute la tradition métaphysique, à l'Absolu le nom de Dieu, «le commencement est en Dieu, nom traditionnel de l'Absolu . . .», Hegel semblera inverser les rapports et soumettre tout au Savoir absolu [3].

En quels termes le fait-il? Suivons-le à travers ce qui fut plus tard appelé *Introduction* à la *Phénoménologie de l'Esprit* et qui en constitue en réalité le début. Ces pages jettent une très grande lumière sur le dessein de Hegel et, par le commentaire des *Holzwege*, sur celui de Heidegger. Comme Fichte dans la *Wissenschaftlehre* – Système de la Science –, Hegel nomme la philosophie science car, pour lui, elle est parvenue à son accomplissement. L'Absolu, la lumière de la vérité même nous éclaire par ce rayonnement qu'est la Science. «Le devenir de la science en général est ce que présente cette Phénoménologie de l'Esprit, écrit-il dans la Préface [4]. Le savoir, tel qu'il est d'abord, ou l'esprit immédiat, est ce qui est dépourvu de l'activité spirituelle; c'est la conscience sensible. Pour parvenir au savoir proprement dit ou pour engendrer l'élément de la science qui est pour la science son pur concept, le savoir doit parcourir péniblement un long chemin».

C'est par une critique de Kant que Hegel trouvera sa propre voie: la connaissance n'est-elle qu'un moyen ou qu'un milieu pour s'emparer de l'Absolu? La Science a-t-elle besoin d'une introduction? Faut-il faire une critique de la connaissance avant d'affronter la chose même, c'est-à-dire pour Hegel «la connais-

[1] *Phénoménologie* I, Lasson, p. 17, trad. p. 22.

[2] *L'esprit du Christianisme et son destin.* Hegel croit alors que la Totalité n'est pas pensable.

[3] En fait, le rapport de l'homme à l'Absolu n'est pas immédiatement explicité chez Hegel et c'est un des points qui déterminera la recherche de Kierkegaard. Ainsi ce dernier appartient-il aussi à la métaphysique de la subjectivité.

[4] Trad. p. 25.

sance effective de ce qui est en vérité»? Non, répond-il, car pour que l'Absolu soit absolu, il faut que ce soit lui qui soit déjà en soi et pour soi près de nous et veuille y être. Il est déjà là. Cet être auprès de nous, *Parousia*, est en lui-même, la façon dont la lumière de la Vérité nous illumine. «Qu'est-ce que le Romantisme allemand, disait alors von Arnim? Ce n'est pas d'abord chercher l'Absolu; c'est découvrir que c'est l'Absolu qui nous cherche». Il y a dans l'Absolu une volonté de parousie. En elle se fondent les propositions qu'avance sans preuves Hegel: l'Absolu seul est vrai, le Vrai seul est absolu. L'être est maintenant pensé au sens de la réalité absolue prise comme volonté de savoir ou, chez Schelling, volonté d'amour [1], même s'il faut rejeter l'enthousiasme qui, comme un coup de pistolet, commence *immédiatement* avec le savoir absolu [2]. Le problème est devenu: comment la connaissance saisira-t-elle en elle-même cet absolu qui veut se manifester?

II. HISTOIRE DE LA FORMATION DE LA CONSCIENCE

Descartes a découvert et même a foulé, sans la voir vraiment, une terre nouvelle: la conscience de soi. Dans la certitude inébranlable de ce qu'elle pense, la pensée trouve son *fundamentum inconcussum*. Même le doute n'est pour elle qu'une adhésion positive à la certitude qui, implicitement et sans être jamais mise en question, est une Foi en la véracité divine. Désormais, la philosophie s'installe sur ce sol qui, avec Hegel, et déjà avec Kant, va devenir l'inconditionnelle certitude du savoir de soi. En fondant critiquement la métaphysique, Kant cherche comment la subjectivité transcendantale peut se confirmer elle-même. C'est une question qu'il aborde *de jure* et qui conditionne à ses yeux la déduction transcendantale. Ce n'est rien moins que la justification en droit du sujet pensant qui s'est révélé lui-même essentiellement, le jour où son cogito n'a pas réclamé d'autre fondement qui lui-même [3]. Le savoir devient inconditionné car délié de toute condition extérieure et se suffisant à lui-même. Il n'y a rien à chercher au-delà, disions-nous plus

[1] *HB*, p. 44, trad. p. 135.
[2] *Phénoménologie*, préface, trad. p. 25.
[3] *HW*, p. 226, trad. p. 202.

haut. Il ne dépend plus de la présence ou de l'absence immédiate de l'objet, de l'*antikeimenon* qui, chez les Grecs, lui offrait son visage et avait aussi regard à lui, le conditionnant en un sens. Il est libre de l'*illuminatio* scolastique, du rayon de présence ou d'absence institué par la Création et la volonté divine [1]. Il est savoir omnipotent, en tous temps et en tous lieux [2]. Cet auto-détachement de la certitude de soi qui la délie de la relation à l'objet, c'est sa puissance d'absolution [2]. L'absoluité de l'absolu est constituée par la perfection de ce détachement.

A quels signes Hegel reconnaît-il l'Esprit absolu? En suivant les différentes étapes qui mènent à la conscience de soi. Après avoir reproché à Kant de ne pas l'avoir fait, il va chercher d'une manière nouvelle ce qu'est l'Absolu, ce que sont la connaissance, la vérité, le sujet et l'objet. Nous aurons alors son *itinerarium mentis in Deum* tel que peut l'entendre l'idéalisme absolu [3]. Hegel semble au début rejeter les ambitions de la philosophie critique puisqu'il prend l'Absolu comme un donné. «Nous avons toujours déjà vu – *vidimus* – et l'épreuve vient trop tard». En fait, il prépare la véritable épreuve, celle qui ne sera plus la vérification d'un moyen, mais qui découvrira ce qu'est la connaissance si elle doit être autre et davantage.

1. La conscience naturelle

Spontanément la conscience naturelle croit atteindre les objets dans leur vérité. Non seulement elle passe par l'opinion, la *doxa*, prise au sens de ce qui ne concerne que l'apparence, mais elle aime y rester. Elle aurait pourtant à découvrir que ses prétendus objets ne sont pas son objet *réel*. Nous sommes ici arrêtés par le langage de Hegel: il oppose naturel et réel. La conception commune ne voit-elle pas dans les deux la même chose [4]? Hegel ne nie pas que la Nature soit quelque chose de réel; il n'en fait pas une pure abstraction. Mais, parce qu'elle est pour lui l'étant qui est sans effort, elle ne peut être la *Réalité du réel*, c'est-à-dire ce qui constitue la présence de l'étant et qu'il conçoit sur le mode de la subjectivité s'apparaissant à elle-même.

[1] *VA*, p. 252, trad. p. 305.
[2] Troisième paragraphe de l'Introduction à la *Phénoménologie*.
[3] Cinquième paragraphe de l'Introduction à la *Phénoménologie*.
[4] Introduction à la *Phénoménologie*, sixième paragraphe.

S'il emploie la distinction du naturel et du réel, c'est donc par rapport au savoir et à la conscience qui, sous forme de subjectivité, est devenue, en elle-même, l'apparaître. Le premier sujet qui surgisse est la conscience naturelle. Il est présent et, du même coup, en rapport à lui, l'objet est présent. Ce savoir naturel est vivant dans toutes les figures de l'esprit et, par ailleurs, il ne faut nullement le confondre avec la conscience sensible, car la conscience naturelle reçoit aussi de cette manière, comme un objet, tout ce qui n'est pas sensible, le rationnel, le logique et le spirituel. Sa représentation ne regarde que d'un côté: elle s'accroche seulement à l'étant, oubliant le fait de représenter et celui qui représente. Elle ne se meut que dans un monde d'étants, sur le même mode qu'eux, s'enchaînant à eux et prétendant pour elle à la vérité. Elle se cache l'inquiétude qui la pousse à aller au-delà car, en fait, même pour agir ainsi, il lui faut déjà avoir en elle la connaissance implicite de l'étant *comme* tel, de ce qui le rend étant. Sans cela, elle ne comprendrait jamais rien et ne pourrait rien rencontrer. Mais elle ne s'attache pas à ce *comme* ... et c'est pourquoi elle est «seulement concept», c'est-à-dire concept au sens classique, la représentation, l'idée de quelque chose en général. Lorsqu'elle dit «arbre», elle se représente une plante à laquelle elle attribue un tronc, des branches, des feuilles, etc. Elle «définit» le concept pour l'atteindre. Pourtant si la conscience naturelle *n*'est *que* concept du savoir, précise Hegel, c'est que l'idéation qu'elle constitue n'a pas vraiment saisi son idée. Elle définit, mais à partir d'où définit-elle? se pose-t-elle même la question?

Que lui manque-t-il donc? D'être elle-même concept, d'être son propre concept, c'est-à-dire «d'être conçue par l'absolu et conception de l'absolu».

2. *Le savoir réel*

Quel est le nouveau concept, lorsque la présentation de l'apparaître réalise ce qui était «seulement concept»? Moins que jamais, il ne s'agit de prendre ce savoir réel, cette connaissance absolue comme un moyen [1]. La connaissance naturelle concernait l'apparaissant. Ce qui est en jeu pour le savoir réel, c'est l'apparaître, le rayon de l'absolu qui nous touche, la lumière de

[1] *HW*, p. 150, trad. p. 137.

la vérité qui nous éclaire. La conscience naturelle, elle aussi, était placée dans cette lumière, mais elle ne la voyait pas comme lumière. Le savoir réel, lui, *partout et toujours*, se représente l'étant dans ce qui le rend tel, dans son *ousia*. En présentant l'apparaître, il amène le réel à sa réalité, sans pourtant éliminer ce qui était apparu, dont s'occupait seule la connaissance naturelle. Il ne se sépare donc pas du savoir naturel, il le sauvegarde au contraire et le conduit à sa vérité.

Entre ses deux savoirs, qui pourtant *n'en font qu'un*, oscille toute philosophie, fondée dès l'origine sur la distinction de la présence et du présent ou, avec Platon, sur celle du sensible et du suprasensible. L'histoire de la métaphysique est celle d'un dualisme ontique-ontologique ou, plus tard, avec Kant, d'un dualisme empirique-transcendantal (a priorique) [1] qui se double alors de l'autre dualisme: concept-intuition. La métaphysique, en effet, s'attache tantôt à *ce qui* apparaît – *ti estin* –, matière ou contenu, tantôt au fait *qu*'il y ait un apparu – *hoti estin* –, une forme, privilégiant ou bien la *doxa* ou bien l'éminente dignité du *noein* qui seul atteint l'essentiel. Le génie de Hegel lui fait surmonter cette dichotomie, surtout celle qui s'est cristallisée dans la distinction d'*essentia* et d'*exsistentia*. Mais en mêmet emps, il supprime complètement ce que cette distinction, jamais parvenue en métaphysique à sa pleine clarté, avait pour tâche d'exprimer. Tout comme Schelling, il la supprime par le recours à l'Absolu dont on part *toujours*. La présence de cet absolu surgit différemment chez l'un et l'autre penseur et c'est ainsi qu'on trouve chez eux deux conceptions différentes de la subjectivité du sujet. Pour Hegel, elle est donnée à la conscience dans le savoir. Pour Schelling, la séparation n'est plus entre conscience et savoir, mais entre savoir et activité. Chez lui, elle ne peut plus se savoir sans expérimenter son impuissance et être renvoyée au mouvement dont elle surgit et qui est celui d'un Autre, de la volonté d'amour d'une Autre. Schelling écrit alors: «Ce qui est doit avoir une relation au concept. Mais, poursuit-il, cette unité n'est pas à fonder simplement dans la pensée. Dans cette unité,

[1] Le transcendental kantien n'est pas la même chose que ce qui s'est appelé tout au long de la métaphysique, *proteron*, *a priori*. Chez Kant, il est *seulement* l'a priori définissant l'objet comme objet. Cf *N2*. p. 466.

la priorité n'est plus du côté de la pensée: l'être est le premier et la pensée la suit» [1].

Ainsi Schelling demeure lui aussi à l'intérieur de la métaphysique, oubliant le troisième terme: la vérité, le dévoilement qui suscite l'un pour l'autre, dans l'instant, ce que nous appelons: être et ce que nous appelons: pensée. C'est toujours en effet le vieux problème de l'*adaequatio rei et intellectus* qui est en question. Nous avons déjà noté qu'en métaphysique, cette formule est à double entrée: est-ce la chose qui doit correspondre à l'esprit? est-ce l'esprit qui doit correspondre à la chose? le savoir correspondre à l'objet? ou l'objet correspondre au savoir?

L'idéalisme allemand et spécialement l'auteur de la *Phénoménologie de l'Esprit* répondent à leur manière à cette question et remettent en lumière l'originelle correspondance de ce qui fut appelé *phusis* et *logos*. Ils le font, comme toute métaphysique, en un certain sens, et c'est leur pauvreté. Mais ils conduisent la pensée métaphysique à une dimension nouvelle et c'est leur génie. Ils développent et portent à l'extrême ce que celle-ci portait en elle dès sa naissance, avec l'atteinte de la vérité comme adéquation, *homoiosis*. Ce qui est ici en jeu, en effet, c'est le problème de la *réflexion*. Que cette philosophie de la réflexion absolue où la vérité est déterminée par sa réciprocité à la conscience de soi soit la dialectique, nous le verrons plus loin. Cherchons d'abord comment Hegel, à travers sa présentation du savoir apparaissant, découvre que la conscience est devenir, qu'elle est mouvement circulaire dans cette distinction et cette comparaison qui la constitue. Le passage de la conscience naturelle au savoir réel et le continuel retour de l'un à l'autre que retrouve Hegel, c'est ce que nous a déjà enseigné le *legein-noein* de Parménide, comme aussi le Platon de la caverne et des rapports entre l'éducation et la non-éducation, *paideia* et *apaideia*. Il n'y a pas seulement progression de l'un à l'autre savoir: il y a cercle, car la fin est déjà au commencement; l'Absolu, dit Hegel, est déjà près de nous.

Ici surgit le problème du négatif, car ce qu'annonce nous toutes ses formes ce mouvement circulaire, c'est toujours une certaine présence du négatif au cœur de l'être. Nous l'abordons à partir de

[1] Oeuvres complètes, tome II, p. 587.

Kant car le dialogue entre les deux philosophes court tout au long de l'œuvre hégélienne. La conscience naturelle se prenait immédiatement pour le savoir réel et tenait son objet pour la vérité. Découvrir en passant d'une figure à l'autre qu'elle ne l'est pas et perdre cette vérité, n'a d'abord pour elle qu'une signification *négative*. Ce qui lui était d'abord apparu semble réductible à rien. L'objectivité de l'objet n'est représentée dans la philosophie transcendantale qu'à partir de l'ancien objet et ce faisant est proclamée de façon négative et de plus en plus négative comme l'*in*-objectif. Ainsi, précise Hegel, la philosophie trouve une occupation en magnifiant l'impuissance à penser de l'opiner ordinaire [1].

C'est qu'en effet Kant, le premier, a découvert la négativité intrinsèque et constitutive du concept. Les antinomies de la Raison pure l'ont arrêté. Il mesure que la raison, livrée à elle-même, tombe dans la contradiction. Elle dit à la fois: le monde n'a pas de commencement dans l'espace et le temps et le monde a un commencement. Toute substance est composée de parties simples. Aucune chose composée dans le monde ne l'est de parties simples ... Dans la perspective objective qui est celle de Kant – et là est la limite de son entreprise,car, ce génie critique reste lié à l'objet – cette contradiction est insoluble puisque les objets métaphysiques nous sont refusés et que la Raison doit s'en tenir à l'intuition afin de la rendre compréhensible: la Dialectique transcendantale est vide. Elle n'exprime que le jeu de la Raison et de l'absolu. Elle est livrée à la vanité du discours.

Kant ainsi ne développe pas l'intelligence de sa découverte, à savoir que le moi *in*-objectif constitue la subjectivité du sujet humain et représente ainsi le point le plus haut de la philosophie transcendantale. Il n'analyse pas en lui-même le domaine de la conscience de soi qu'il met pourtant au cœur de sa philosophie: «... l'unité primitivement synthétique de l'aperception, l'unité du *je pense* ou de la conscience de soi ...». La formation de la connaissance n'apparaît chez lui qu'en fonction de la connaissance de l'objet. Ce qui n'est pas objet, est *rien* et Kant ne peut définir ce rien. Il l'appelle X, objet transcendantal. Ailleurs, il en fait un *ens rationis*.

C'est ainsi qu'il manque dans la déduction transcendantale

[1] *HW*, p. 165, trad. p. 149.

des catégories – qui est formée par cette unité synthétique de l'aperception – l'aspect *subjectif* du fondement de la métaphysique. Il en reste à des constatations empiriques et psychologiques. Quoiqu'il accentue l'impossibilité de ramener ontiquement ce Moi, qui accompagne toutes nos représentations, à une substance, il le conçoit toujours à nouveau comme sujet et la subjectivité du sujet demeure pour lui structurée et caractérisée logiquement comme dans l'anthropologie et la psychologie traditionnelles.

Or le concept de sujet ne caractérise pas l'ipséité du Moi, mais seulement l'identité et la permanence d'un donné toujours déjà là [1]. Que l'ipséité du Moi – le *Selbst* – s'enracine au contraire dans le rien, cela reste étranger à Kant comme cela le restera aussi finalement à Hegel, malgré le recours répété de ce dernier à la «négativité absolue».

Hegel veut pourtant dépasser ce point de vue et s'attaque de front au problème de la contradiction dont il désire, comme Héraclite, découvrir la valeur positive. Il ne s'agit plus de laisser la contradiction seulement dans l'esprit. C'était trop de tendresse pour les choses que de ne pas voir qu'elle s'y trouve aussi. Elle est la racine de tout mouvement et de toute vie. Elle se dévoile comme ce qui unit et fait durer. Il faut donc anéantir le principe de la logique habituelle qui impose de l'éviter.

Comment découvre-t-il que la contradiction et le négatif ne sont plus seulement le jeu de la raison et de l'absolu mais représentent le jeu de l'absolu lui-même en tant que Raison et Idée? Au dixième paragraphe de l'Introduction que nous commentons, Hegel décrit la conscience en termes nouveaux. Il voit en elle «deux déterminations abstraites»: le savoir et la vérité. Ces déterminations sont abstraites car elles résultent d'un regard sur la conscience qui se détourne de l'ensemble de son apparition et en analyse successivement les divers moments. La conscience est ainsi prise telle qu'elle se présente, immédiatement et donc unilatéralement, à la représentation naturelle [2].

Lorsqu'elle s'imagine que le savoir, «l'être-pour», c'est ce

[1] *SZ*, p. 320. Que Kant recherche ce qui permet la synthèse ontologique à l'intérieur de la seule «logique transcendantale» est un paradoxe puisque, pour lui, l'intuition constitue l'élément premier de la connaissance. Nous y reviendrons dans un autre travail sur l'imagination.

[2] *HW*, p. 152, trad. p. 139.

qu'elle pense, ce qu'elle connaît, qu'elle appelle d'abord concept au sens traditionnel, alors la vérité est pour elle son objet, «l'essence» ou «l'en-soi». Il faut que le savoir corresponde à l'objet.

Mais en un autre sens, la situation se renverse: ce que nous nommions d'abord savoir et vérité passent ainsi l'un dans l'autre. L'essence n'est pas seulement «en soi»; elle est aussi «pour» la conscience. D'où une première ambiguïté. Dans la conscience et à travers elle, il y a un objet pour le sujet *dans* le sujet. Disons de suite qu'Husserl redécouvrira aussi cet objet dans la conscience, l'objet pensé, le noème. Ce fut ce qu'il légua à Heidegger qui, dans *Sein und Zeit,* reconnaît ce que son travail doit aux *Recherches Logiques.* Chez Hegel, ce qui devait d'abord être mesuré, le premier objet, devient mesure et le savoir éprouvé se transforme en objet. Le Vrai, présenté dans la conscience est alors «l'en-soi» du su, le concept au sens nouveau qui ne doit plus correspondre à l'objet mais auquel l'objet doit correspondre.

Dans le premier cas, l'objet est «pour» la conscience et la vérité est «l'en-soi». Le savoir est le concept, c'est-à-dire la présentation de quelque chose comme quelque chose. Dans le second, le savoir est l'objet «pour nous», dit Hegel; cela signifie alors: nous, les philosophes, qui avons accompli le renversement une fois pour toutes et considérons continuellement l'apparaître dans son apparaître. Ce «pour nous» est déjà l'amorce du système hégélien, du Savoir porté à l'absolu de manière constante et étendu à l'ensemble de ce qui est, du savoir où la présence finit par se confrondre avec l'ensemble de ce qui est apparu, avec la somme des étants, où dans l'Idée absolue l'identité entre eux est complète. Alors est perdue cette *différence* de l'être et de l'étant dans laquelle pourtant, sans qu'il le voie clairement, Hegel comme tout homme se trouve toujours déjà situé et sans laquelle il ne comprendrait jamais rien.

Pour atteindre ce que manifeste d'abord le génie de Hegel, mettons provisoirement le «pour nous» entre parenthèses et contentons-nous de rappeler ce qui a été déjà dit: le *renversement,* le passage continuel de la conscience naturelle au savoir réel et du savoir réel à la conscience naturelle ne s'accomplit pas par notre volonté; Hegel emploie toute sa puissance méditative à montrer que nous devons, lors de la présentation du savoir apparaissant, laisser de côté nos idées et nos pensées afin que reste le «pur acte de regarder». Mais cet abandon, ce laisser-être qui est un faire éminent, c'est le retournement dans la *skepsis*, dans le regard de l'Absolu lui-même qui inspecte et respecte ce qu'est l'étant et comment il est étant en tant qu'étant. La voie vers cette réflexion absolue a été ouverte par l'idéalisme transcendantal de Kant dont le retournement s'exprime à travers la «révolution copernicienne». Plus tard, la «réduction phénoménologique» en sera une transposition. Ce domaine du retournement est aussi l'une des structures fondamentales de la poésie d'Hölderlin. Sous une forme ou l'autre, la plupart des idéalistes et préromantiques allemands ont accompli cet *Umkehr*. Il a souvent été pour eux rupture. Seule la conceptualité extraordinaire de Hegel lui a permis de l'insérer dans son Système. Il est clair que chez lui la *skepsis* se meut et se tient dans la lumière du rayon de l'Absolu, qu'elle appartient à la Parousie de l'absoluité de l'absolu. Laisser notre être lui appartenir est tout ce que nous avons à faire. Ainsi notre être lui-même appartient à l'absoluité de l'absolu.

La conscience naturelle a un savoir immédiat de l'objet. Elle est en même temps savoir implicite de son savoir de l'objet. Objet et savoir sont pour la *même* conscience qui est cette distinction, cette comparaison des deux. «*La conscience se donne son critère en elle-même*»; c'est, après «*la conscience est son concept*» et l'expliquant, la seconde définition de la conscience par Hegel. Que le savoir corresponde à l'objet et l'objet au savoir, telle est la double épreuve et nous avons la troisième définition: «*la conscience s'éprouve elle-même*». La conscience naturelle a une représentation naturelle de l'objet *comme* objet et du savoir *comme savoir*. Chaque fois, les deux, la mesure et le mesuré, tombent dans la conscience et la livrent à elle-même. En elle, savoir et objet sont dédoublés et ne peuvent pourtant jamais être l'un sans l'autre. Le savoir est «l'être pour la conscience» et la vérité est «l'être du savoir en soi». Il y a donc dans la conscience quelque chose qui elle-même et quelque chose qui n'est pas elle-même, qui se distingue d'elle, l'objet de conscience. Le su est la conscience, mais il est en même temps su en lui-même. La conscience est en soi cette distinction qui n'en est pas une. *Etre au sens d'être conscient, c'est se tenir dans le pas encore du déjà, de telle sorte que le déjà se déploie dans le pas encore* [1].

[1] *HW*. p. 167, trad. p. 151.

Comment Hegel en arrive-t-il à cette position spéculative? L'ambiguïté de la conscience, qu'il souligne, représente la façon qu'elle a d'être l'autre sur le mode de ne l'être pas. Trois phrases en témoignent les trois définitions: la conscience *est* son concept, la conscience *se donne* la mesure, la conscience *s'éprouve* elle-même, car chaque fois le verbe de la proposition est équivoque. La conscience est pour soi son concept et ne l'est pas. Elle l'est de telle sorte qu'il le devient et qu'elle se trouve en lui. La conscience donne son critère et ne se le donne pas. Elle le donne dans la mesure où la vérité de la conscience provient d'elle-même, d'elle-même qui advient en son apparaître comme certitude absolue. Elle ne se le donne pas, car elle retient toujours à nouveau le critère qui, comme objet non vrai, à chaque moment ne cesse jamais de résister et ainsi se dérobe toujours à nouveau. Enfin, elle s'examine elle-même et ne s'examine pas, car elle est ce qu'elle est à partir de la comparaison de l'objectivité et de l'objet; mais en même temps, la conscience naturelle s'obstine dans sa conviction et continue sans cesse à faire passer son vrai, sans aucun examen, comme le Vrai absolu.

La conscience *est* en soi cette distinction qui n'en est pas une. Il y a une unité originelle du mesuré et de la mesure. Cette unité, cette identité n'est pas entendue au sens d'une identification vide mais comme l'harmonie de ce qui est à la fois distinct et unifié. Elle est la figure du développement de la conscience en tant que celle-ci *est* elle-même la comparaison et l'examen à partir desquels surgissent ce que nous appelons sujet et ce que nous appelons objet. Cette unité est pour Hegel l'unité du Concept. Elle *est* l'être de l'étant au sens du savoir s'apparaissant à lui-même. Elle est la Réalité absolue, à la fois le réel et l'idée absolue. «L'objet propre de la *Phénoménologie*, c'est la réalité effective – *Wirklichkeit* – cette catégorie de la Logique qui désigne l'unité concrète de l'essence et de l'apparence, cette manifestation qui ne manifeste qu'elle-même et éprouve sa nécessité non dans une intelligibilité séparée mais dans son propre mouvement et développement» [1]. Ou encore, dans la Préface des *Principes de la Philosophie du Droit*, de 1820: «Dans sa signification la plus concrète, la *Forme* est la Raison comme connaissance conceptuelle, et le *Contenu* est la Raison comme essence substantielle de

[1] Préface de la *Phénoménologie*, trad. Hyppolite, p. 24.

la réalité morale aussi bien que naturelle: l'identité consciente des deux est l'Idée philosophique».

Hegel s'étant placé d'emblée dans l'Absolu, *das Unbedingte,* c'est-à-dire pour lui, selon la compréhension moderne, dans la vérité de l'étant dans son ensemble [1], retrouve un Logos qui n'est pas seulement faculté logique de l'homme, mais réalité absolue ou évènement incessant de l'être. Si le mouvement, nous l'avons vu, est le concept de base de sa philosophie, il retrouve chez Hegel, dans une unité grandiose, aussi bien le devenir du savoir que le surgissement et l'auto-révélation des choses, elles-mêmes en devenir. Ainsi est surmonté le dualisme *phusis-logos,* celui de l'être et de la pensée. Ce dépassement se produit dans le passage du concept habituel au Concept philosophique qui est aussi passage de la proposition habituelle à la proposition spéculative. Nous occupons-nous donc de proposition et de jugement? C'est que nous restons malgré tout *à l'intérieur* de la métaphysique et plus spécialement des philosophies de la subjectivité où – on s'en souvient – la représentation a le premier rôle. Seul est certain ce qui est ramené au sujet. Les formations de la proposition nous posent dans les dimensions qui définissent l'être [2]. L'être est déterminé par la pensée. C'est pourquoi finalement cet apparent surmontement du dualisme le creusera plus que jamais.

Chez Kant, l'être est en fait position: la position absolue de ce qu'il appelle *dasein* et qui est l'*exsistentia* classique, n'est atteinte qu'à partir de la proposition relative. Chez Hegel, il en est de même; mais il s'agit d'une autre proposition, et c'est ainsi que l'interprétation de ce que la métaphysique appelle «être» est autre. On pourrait évidemment nous objecter que la proposition dépend au contraire de l'interprétation de l'être, mais nous avons là un cercle où les contraires ne s'opposent plus comme dans la logique traditionnelle. Le rapport entre «être» et «proposition» peut justement être rendu particulièrement clair dans la philosophie hégélienne.

La conscience, disions-nous, dans cet examen et cette comparaison qui la constitue, est devenir et mouvement circulaire. En elle, le savoir et la vérité vont passer l'un dans l'autre. L'*être est pensée.* Telle est la proposition spéculative qui est pour Hegel

[1] *N1*, p. 100.
[2] Cf. Colloque de Cerisy-la-Salle, septembre 1955.

l'être lui-même; le mouvement du *est* constitue ce que Hegel appelle le devenir. Il est le Concept de l'être et de la pensée. Et c'est en cela qu'est surmonté le dualisme. La structure parménidienne être-étant-pensée est retrouvée. Nous sommes au-delà des divisions de la métaphysique où l'être est atteint par opposition à autre chose: être et devenir, être et paraître, être et pensée, être et devoir [1]. Le devenir du réel déploie et accomplit la réalité du réel.

Avec la proposition spéculative, nous sommes vraiment dans l'*effort du concept,* dans le travail – *die Anstrengung des Begriffs* – dont parle Hegel [2] ou plutôt dans l'exigence que le Concept lui-même pose, car c'est lui qui est en travail et la méditation de l'homme ne fait que le suivre. Lorsqu'il aura remis Hegel «sur ses pieds», c'est ce même *travail* que Marx nommera *praxis*. Pour lui, l'essence de la réalité ne sera plus dans l'esprit absolu se saisissant soi-même, mais dans l'homme se produisant lui-même et produisant ses moyens de vie [3]. Ainsi dans leur opposition, ils restent l'un et l'autre à l'intérieur de la métaphysique et Marx demeure singulièrement à l'intérieur de la philosophie de Hegel. Leur Totalité est une Totalité à partir de l'étant; c'est l'être de l'étant apparu: «Vie et règne de la réalité, c'est toujours le processus de travail en tant que *dialectique,* c'est-à-dire *en tant que pensée,* puisque l'effectivement productif de toute production reste la pensée, qu'elle soit prise et mise à exécution comme pensée spéculative-métaphysique ou comme pensée scientifique-technique, ou comme mélange grossier des deux» [4]. Toute production est en elle-même déjà réflexion, toute production est pensée. Tout se passe dans l'apparu à la conscience.

III. LA DIALECTIQUE ET L'IDEALISME SPECULATIF

«Ce mouvement dialectique, poursuit Hegel [5], que la conscience exerce en elle-même, en son savoir aussi bien qu'en son objet, dans la mesure où pour elle jaillit le nouvel objet vrai, est proprement ce qu'on nomme expérience».

[1] *EM* et *WM*, p. 10.
[2] *Principes de la pensée, Arguments,* 4ème trimestre 1960.
[3] Préface de la *Phénoménologie,* trad. p. 50.
[4] *Principes de la pensée,* p. 33.
[5] Début du 13ème paragraphe de l'Int. à la *Phénoménologie.*

L'expérience est l'histoire de la formation de la conscience, telle que, dans la *Phénoménologie de l'Esprit,* Hegel la présente sous ses diverses figures. Elle n'est nullement un itinéraire qui s'éloignerait pas à pas de la conscience naturelle pour déboucher dans le savoir réel. Ces deux savoirs se commandent mutuellement: il y a un apparu et cet apparu évoque l'apparition qui l'a fait apparaître, mais aussi l'apparaître oblige l'apparu à se manifester dans sa vérité. Entre, *dia,* se trouvent les paroles de ce qu'ils se sont assigné d'être. En ce dia-logue, la conscience s'adresse sa vérité. Le *dialegein* – rassembler – est un *dialegesthai* – se rassembler. Nous sommes sans doute avec Hegel, dès le début, à l'intérieur de l'absolu, mais cela ne dispense pas de mettre en lumière les différentes figures de la conscience et de les recueillir. Parce que la conscience est à la fois révélation et rassemblement, elle est dialectique.

Toutefois, avant de l'être en ses diverses figures, elle l'est déjà en elle-même. L'expérience, alors, est la reconnaissance de ce qui apparaît en ce qu'il apparaît, du *on hé on,* de l'étant comme tel. En elle, est pensé le *comme* qui est tout ce que nous avons à comprendre. La conscience, avons-nous dit, est dans l'acte de représenter l'objet, *distinction* entre ce qui, depuis les temps modernes, est appelé l'en-soi et le pour-soi, entre la vérité et le savoir. Mais elle est aussi *comparaison* de l'objet avec son objectivité, du savoir avec sa sciabilité. En elle, le sujet et l'objet sont deux mais ne peuvent être l'un sans l'autre. Objet et savoir sont pour la *même* conscience et ce *même* doit nous rappeler le *to auto* de Parménide. Le *comme* ... exprime l'appartenance mutuelle, l'identité qui est aussi différence de la pensée et de la chose pensée. Là est la source véritable de toute dialectique.

C'est ici que s'enracine, dans le développement des figures de la conscience, tout ce qui est *position* et *négation,* tout ce qui est de l'ordre du dire et de la proposition. Il est donc juste, mais secondaire et dérivé, de définir la dialectique à partir de ce qui est *posé* en elle, de ce qui par elle est développé, divulgué, extériorisé; un premier sujet, un objet qui devient second sujet, ou encore, une thèse, une antithèse, une synthèse. Il en est de même pour la *négation.* Si la conscience peut être définie comme négativité absolue ou comme négation de la négation, dans le recueil et l'intériorisation de ses figures; si Hegel atteint l'essence de l'Esprit comme Concept dans le se-concevoir en tant que saisie du non-moi et retour au moi, ce qui est la radicalisation du *cogito me cogitare rem* ou plutôt du *cogito cogitationes*, tout cela s'enracine dans le *dia* du logos originel, dans la relation du Même avec lui-même, du savoir et de la vérité qui dans la conscience sont le *Même* tout en *ne* l'étant *pas*.

Mais Hegel pense-t-il cette identité et cette différence? C'est la question que pose Heidegger [1]. Grâce à la dialectique et particulièrement à celle de Hegel, le négatif apparaît au cœur de l'être. Mais le néantir où s'enracine toute négation, est-il pour autant dévoilé dans sa manifestation, dans son *Wesen* – au sens verbal [2]? Nous touchons ici à la fois l'apport génial de l'idéalisme allemand et ce que, comme toute métaphysique, il manque finalement.

1. Dialectique et métaphysique

C'est qu'en effet la dialectique, et bien qu'elle semble à beaucoup une découverte de Hegel, est en un sens aussi vieille que la *méta*physique. Si le savoir ontique constitue le savoir qui concerne l'étant, la connaissance naturelle, si le savoir ontologique au contraire est celui qui a trait à ce qui rend l'étant étant, à son *ousia*, toute dialectique s'enracine dans le dialogue entre les deux formes de savoir. Depuis l'origine, qu'elle le veuille ou non, la métaphysique a distingué la présence et le présent ou, avec Platon, le sensible et le supra-sensible. Ce qui pour elle est présence de l'étant – *Seiendheit* – ne vise que la présence de *ce qui* est présent. Dans la comparaison qu'inclut l'identité, il y a pourtant aussi une distinction trop vite estompée. C'est à elle que fait allusion Heidegger lorsqu'il parle de *différence* de l'être et de l'étant.

L'effacement de la différence règne depuis qu'avec les Grecs, le paraître s'épanouissant, la *phusis* est atteinte comme *idea*, comme paradigme. Le jaillissement de ce qui apparaît tend à s'effacer au profit de l'aspect offert – *eidos* – et offert de façon de plus en plus stable. L'*eidos* figure tout apparaissant, le fait advenir à la vision et l'informe. Il est ainsi *morphè* et Hegel l'appelle encore le «formel», bien que pour lui, nous venons de

[1] Cf. *ID*, *passim*.
[2] *HB*, p. 44, trad. p. 156; *WM*, p. 26.

le voir, la forme soit le contenu: *Sein ist Denken, l'être est pensée.* C'est en cela qu'il accomplit – *vollendet* – la métaphysique.

Dans cette dernière, l'évidence l'emporte désormais d'autant plus que, par ailleurs, le *logos* n'est plus l'apporter à apparaître, en quelque sorte l'offrande, l'*hermèneia* où s'enracine toute herméneutique. Il devient apophantique. La dialectique sera une dialectique du discours. Le *logos* semblera alors laisser surgir l'étant dévoilé et ne concerner que le présent. Il sera *legein ti kata tinos,* dire quelque chose sur quelque chose. Comme proposition, il sera scindé de la *phusis* ou il se croira scindé de la *phusis.* Il se voudra indépendant. Le quelque chose dont il est dit sera sous-jacent à la proposition. Il deviendra sous des noms divers *hupokeimenon, subjectum, substantia.* Le *logos* comme *legomenon* deviendra *ratio.* L'être se manifestera alors comme ce préalable – *Vorliegen* – qui est le fondement, le *Grund.* Toute métaphysique sera une philosophie de la subjectité et l'être constituera la chose de la pensée. Celle-ci sera renvoyée à la première chose et à la première cause, à l'*Ur-sache,* à la *causa sui,* à *l'absolu.*

C'est ainsi que dans l'énoncé, œuvre du *nous,* le sous-jacent a pu être présenté de différentes manières: comme ayant telle ou telle qualité – *poion,* telle ou telle quantité – *poson,* telle ou telle relation – *pros ti.* Dans cette perspective, les déterminations de l'être, les modes d'être – car plus tard les «modalités» de l'être, qu'il soit réel, possible ou nécessaire s'adjoinrent à cette table – ont été tirés du *logos,* de la proposition et furent donc œuvre de la Raison. Les déterminations de l'être s'imposèrent comme l'œuvre de la Raison. Parce qu'elles exprimaient la façon d'aborder ce qui s'offre, on les appela catégories, de *katègorein,* aborder quelque chose comme quelque chose; ou plus exactement *ta schèmata tes kategorias,* les formes dans lesquelles chaque fois, l'aborder de quelque chose pose ce qu'il aborde. Ainsi abordé, l'étant a toujours été tel ou tel.[1] La doctrine de l'être et des déterminations de l'étant comme tel est devenue la doctrine des catégories et de leur ordre. Le but de toute ontologie s'est mué en une théorie des catégories.

Pour toute la pensée occidentale, l'essence de l'étant comme tel, son *Wesen,* pris au sens verbal de se manifester et régner, est donc apparu sous le ciel de la pensée. La perception de l'étant

[1] *N1*, p. 529.

comme tel s'est développée à l'intérieur de la pensée qui, pour son compte, s'exprime dans l'énoncé, dans le *logos*. Comme toute pensée, même commune, s'enracine dans une des formes de la métaphysique, la vie quotidienne aussi bien que la métaphysique ont reposé sur la confiance en la raison et en ses catégories. C'est en elles que se révèle l'étant comme tel. C'était dire que le vrai et la vérité sont saisis dans la Raison. Puisque l'explication et la définition de la Raison était «la logique», la métaphysique occidentale tout entière a été logique. Hegel le met magistralement en lumière avec sa dialectique.

Disons de suite que puisque les catégories peuvent être méditées et discutées dans les différentes relations qu'elles ont à leur tour les unes avec les autres, elles n'ont pas manqué de l'être dès l'origine. La dialectique, née avec Zénon, et qui s'est appelée ainsi depuis Platon, consiste en cette discussion et ce parcours des catégories. On voit facilement et du même coup que toute dialectique est, par essence, logique. [1] C'estdans ces perspectives qu'Aristote a exprimé avec vigueur que le *logos* est toujours synthèse et diarèse, à la fois jugement positif et jugement négatif, liant et séparant simultanément et indissolublement, à l'intérieur de la totalité de l'étant. Nous avons noté que le Stagirite avait constaté le fait mais n'avait pas vu le problème; que le point de départ phénoménologique de sa description s'était brisé et qu'il n'avait fait qu'une théorie du jugement.

Ce qui est en question, c'est la «détermination», telle qu'elle est conçue en métaphysique: attribuer des prédicats à un sujet, poser des accidents à un suppôt. Toute chose finie, formulera plus tard Kant, en particulier dans la Déduction transcendantale, a un nombre de définitions qui lui appartiennent. Elle les a à partir d'une réserve générale de tous les prédicats possibles. Une chose finie est en elle-même déterminée par la relation dans laquelle elle se tient avec toutes les autres, avec l'ensemble de tous les prédicats possibles de toutes les choses possibles, avec l'*omnitudo realitatis* ... [2]. Cette perspective est liée à l'architecture du monde conçu comme Totalité en acte que couronne l'étant le plus haut, celui qui est appelé Dieu. Ce qui est ainsi *actualitas*, *Wirklichkeit*, surgit du «néant».

[1] *WD*, p. 101.
[2] En particulier B. 603 et 604.

Aristote n'avait-il pas pourtant la réponse entre les mains? Le déterminant du fini est toujours *negatio*, toujours à la fois présence et absence au sein de la Totalité. Puisqu'il avait fort bien souligné que la *morphè* est aussi *stèresis*, le Stagirite ne voyait-il pas que le *logos* est lui-même astreint à cette condition? Quand Hegel intervient sur ce point, pas plus qu'Aristote, il n'atteint vraiment le rien, car il le pense lui aussi à partir de l'apparu et de la vérité de l'étant. Il portera même à l'absolu l'apparition.

2. *L'apport de l'idéalisme allemand*

C'est en effet ce problème que retrouve l'idéalisme allemand. Bien que comme Kant et Leibniz, il ait fait les plus grands efforts pour dépasser la logique traditionnelle, Hegel en présentera le sommet [1]. Il achève et accomplit la métaphysique en méditant, pour la dernière fois et avec une singulière grandeur, les catégories, c'est-à-dire les perspectives particulières dans lesquelles la raison pense l'étant comme tel. L'œuvre porte bien son nom: *Science de la Logique*, c'est-à-dire le se-savoir de la raison comme pensée de l'être. A la lumière de l'Idée absolue, elle envisage ces catégories qui sont les conditions de tout apparaître. Avec Hegel, comme avec Fichte, Schelling, Novalis et Hölderlin, est retrouvé le mouvement qui embrasse la Totalité. La dialectique est saisie avec plus de rigueur qu'elle ne l'avait été jusqu' alors.

On peut dire, en effet, qu'avec cette génération, un évènement s'est produit dans l'histoire de la pensée occidentale. Une nouvelle dimension lui est ouverte, celle de la dialectique qui est maintenant conscience de soi. Leibniz et Kant l'avaient préparée. Elle est atteinte explicitement à travers la formulation du principe d'identité qui depuis toujours constitue la loi suprême, au-delà de l'apparente stérilité du A = A.

C'est un sort étrange que celui de ces principes qui prétendent régir la pensée humaine et de ces lois qui semblent aux modernes constituer la Raison, intangibles et éternels comme elle. Nous avons déjà vu que le principe de raison suffisante n'a été formulé *comme tel* qu'au dix-septième siècle, avec Leibniz [2]. Ce n'est

[1] *EM*, p. 143, trad. p. 201; *SZ*, p. 342.
[2] *SG*, première leçon.

qu'au dix-neuvième siècle, après plus de deux mille ans d'incubation [1], que s'exprime le principe d'identité.

3. Prise de conscience du principe d'identité

«L'essence synthétique de l'identité ne trouve son chez soi, n'est domiciliée, qu'avec l'idéalisme allemand», écrit Heidegger dans *Identité et Différence* [1]. La logique transcendantale avait atteint l'objectivité de l'objet, en concevant expressément et sciemment ce que Descartes avait posé comme un début d'interrogation à l'horizon de l'*ego cogito*. La logique spéculative assume et ressaisit le mouvement circulaire qui vient de se manifester dans la conscience et la constitue. Ce qui se produit alors, c'est que la pensée peut se penser elle-même complètement, c'est-à-dire revenir totalement à elle-même. Telle est l'unité du Concept, dit Hegel: unité de la mesure et du mesuré dans la même conscience.

Avec l'idéalisme spéculatif et avec lui seulement, il se confirme que la pensée métaphysique, depuis qu'elle a perdu le sens de l'*a-lètheia* originelle, de l'ouverture d'un Ouvert, depuis qu'au contraire la vérité est *homoiosis*, *adaequatio*, a toujours été *réflexion:* elle peut et doit maintenant s'apparaître à elle-même, se réfléchir totalement en elle-même. Pourquoi et comment la pensée est réflexion, cela n'apparaît totalement qu'avec la dialectique hégélienne. Dans la logique et la proposition spéculative, la dialectique, le principe d'identité, la médiation n'expriment qu'une seule et même chose: celle qu'il nous reste à mettre plus nettement en lumière.

A travers sa formulation moderne, le principe d'identité est avant tout, principe d'*unité*. Toute philosophie s'est interrogée sur l'unité de l'étant. Platon avait bien vu que le principe d'identité est synthétique: dans le *Sophiste*, 254 d, il parle de *stasis* et de *kinèsis*, de repos et de changement. Il fait dire à l'Etranger: chaque chose est *à* elle-même la même. Dans l'identité, chacune des deux choses, repos et changement, est une autre bien que chaque chose demeure identique à elle-même. Platon ne dit pas seulement que chaque chose elle-même est la même, mais qu'elle est *à* elle-même la même, c'est-à-dire qu'elle est *rendue* à elle-même. Il y a dans l'identité cette relation de l'*avec*, donc un rap-

[1] *ID*, p. 15.

port, une liaison, l'union en une unité. Mais cette unité n'est pas inerte. «Il y a donc dans la forme de la proposition qui exprime l'identité, écrit Hegel dans la *Science de la Logique,* plus que l'identité simple et abstraite. Elle contient le pur mouvement de la réflexion à la faveur duquel *l'Autre se présente comme une apparence vouée à la disparition*» [1]. On ne peut penser l'identité sans penser la médiation, le mouvement, l'apparition à la conscience qui pour Hegel est le devenir.

La médiation du même avec lui-même n'a pas été mise en lumière dès l'origine. C'est ce qu'accomplit l'idéalisme allemand. Hegel la caractérise comme la forme de la pensée se pensant elle-même, l'égalité avec soi-même se mouvant, l'identité de l'identité et de la non-identité, l'unité du Concept. Elle était impliquée sous cette forme de retour à soi dès que Leibniz avait donné une réponse nouvelle à l'antique question de l'unité en la voyant dans l'identité du Moi en face de ses multiples représentations. Kant à son tour avait montré que le je du «je pense» – et toute pensée est un «je pense» – ne doit faire qu'un avec lui-même. Tout ce qui est représenté, dans quelque pensée que ce soit, est, en tant que tel, rapporté en retour à un «je pense». Si ne régnait pas universellement dans notre pensée cette même relation de retour au même «je pense», nous n'arriverions jamais à penser quoique ce soit. La formule de Fichte: Je = Je a fixé le fait que le Je ne doit faire qu'un avec lui-même. La *Wissenschaftslehre* de 1794 montre que c'est la proposition «Je suis Je» qui est l'affirmation de l'acte – *Tathandlung* – du Je, c'est-à-dire du sujet. Par le sujet seul est posée l'autre proposition a = A. Que le Je = Je, note Heidegger [2], soit plus étendu que la proposition formellement générale A = A, voilà un état de choses dont le moins qu'on puisse dire est ce que ce qu'il touche n'a pas été jusqu'ici mis en lumière, c'est-à-dire pour la pensée, n'a pas été amené à l'éminente dignité d'une question.

Si le Je affirme ainsi dans l'idéalisme allemand sa prééminence, c'est qu'il est parvenu à se constituer comme l'ensemble des conditions de possibilité de l'étant. Ce faisant, il tient la place de l'être dans son acception métaphysique. Chez Platon, en effet, c'était l'être comme Idée des idées qui représentait ces conditions

[1] Tome II, trad. Jankélévitch, p. 36.
[2] *Principes de la Pensée,* p. 31.

de possibilité de l'étant. C'est pourquoi on le disait *Agathon*. L'être de tout étant est *agathoeides*. A partir du moment où, avec Descartes, l'*idea* devient *perceptio*, il était inévitable que soit transféré à la conscience ce trait de l'être. Mais il faut remarquer que cette conception de l'être est ambiguë comme la métaphysique elle-même. L'être se présente à la fois comme pure présence et possibilité de l'étant. Comment sur cette pente n'aurait-il pas tendu à se rendre par lui-même possible ? Du même coup, était perdue la présence. Le même drame se joue dans la conscience. Au lieu d'être témoin du *proteron*, de l'a priorité de l'être comme *phusis*, elle se réduit, tout étant qu'elle est, à être condition de possibilité des étants.

C'est ce que rappelle le principe qui, d'après Kant lui-même, est le cœur de sa philosophie: les conditions de possibilité de l'expérience sont aussi les conditions de possibilité des objets de l'expérience [1]. Ces conditions de possibilité sont ce que Kant appelle, à la suite d'Aristote, catégories. Les catégories correspondent à la représentabilité de la représentation de l'objet et de l'objet lui-même. Le principe ultime de la philosophie kantienne se ramène alors à ceci: *l'être est représentabilité*. Les conditions de possibilité de l'expérience sont aussi, en même temps, *zugleich*, souligne Heidegger commentant Kant, les conditions de possibilité des objets de l'expérience. L'accent est mis alors par lui sur la temporalité originelle en laquelle s'enracine le jaillissement commun de l'esprit et des choses. Mais Kant finalement, après avoir redécouvert plus que quiconque en métaphysique la temporalité, la perd en ne voyant pas le lien du temps et du je pense. La présence est oubliée au profit de la condition de possibilité.

L'être est représentabilité. C'est déjà en son noyau la proposition spéculative de Hegel: l'être est pensée. La vérité, comme représentabilité de l'objet, a son fondement dans la subjectivité. C'est en tant qu'être raisonnable, c'est-à-dire doué de cette représentabilité, que l'homme *est*. Le *logos* était depuis l'origine unifiant. Avec l'auteur des Critiques, la *Logique*, qui n'est elle-même que le développement du logos, s'est imposée comme la manifestation de l'être et le fondement de la vérité [2]. Et dans cette

[1] A. 158, B. 197.
[2] *N2*, p. 229.

dialectique, l'Autre est une apparence vouée à la disparition.

On comprend que dans la *Science de la Logique* Hegel ait loué Kant: «C'est une des idées les plus profondes et les plus justes de la *Critique de la Raison pure* que celle d'après laquelle l'unité qui est l'essence du concept serait l'unité primitivement synthétique de l'aperception, l'unité du *je pense* ou de la conscience de soi» [1]. C'est à partir de là que Hegel fonde le principe d'identité. Il n'en est pas de meilleure illustration que sa pensée de Dieu.

4. Avènement de la pensée spéculative et onto-théologie

Dans la Préface de la *Phénoménologie,* Hegel voulant expliquer la proposition spéculative prend cet exemple: Dieu est l'être [2]. Il ne faut pas voir là une formule ordinaire, celle qui va du semblable au semblable. Ce serait en rester à l'interprétation de la pensée matérielle, comme si nous disions seulement, sans réfléchir et en étant livrés aux objets: l'arbre est vert, il y a du brouillard. Accomplir le travail du concept, au contraire, c'est atteindre l'harmonie cachée entre le sujet, le verbe et le prédicat, ce qui constitue le sens du jugement. Dans la vie courante, nous n'y songeons pas. Ici, il faut accéder à l'identité et, du même coup, à la différence qu'ils impliquent. Le prédicat, c'est-à-dire l'être, prend alors une signification substantielle. Il épuise la nature du sujet, dit Hegel, le sujet se fond en lui. L'être n'est pas rapporté à Dieu comme une qualité au suppôt, Dieu réside dans cet être. L'être est la manifestation de Dieu. C'est pourquoi, on peut retourner la proposition et dire aussi bien: l'être est Dieu. Le *est* reçoit ici un sens transitif. Dans la plénitude de son apparition, comme *omnitudo realitatis,* l'être permet à Dieu d'être Dieu.

Les traits caractéristiques de la théologie hégélienne sont mis à nu: c'est dans le devenir de la conscience que se manifeste l'Absolu qui nous cherche.

Sans doute Hegel avait-il au début une position plus nuancée. Saisir le mouvement de l'*être est pensée,* c'était, du fait que la proposition spéculative atteint pour lui l'être même, parvenir à une perspective jusqu'alors jamais ouverte et annoncer un dépassement du dualisme métaphysique. Malheureusement, Hegel

[1] Tome II, trad. Jankélévitch, p. 252.
[2] Trad. Hyppolite, p. 54.

n'a surmonté cette différence que par un nivellement. Certes, il a retrouvé ce qui constitue la conscience, la distinction et la comparaison entre savoir et vérité, ce qui en elle est divisé et ne peut pourtant jamais se scinder. Mais à ne les distinguer que *très généralement*, il a laissé échapper ce qu'il avait de singulier dans ce savoir et dans cette vérité. Il y a en quelque sorte violence du principe d'identité. Hegel s'attache dans la médiation de la conscience à la *présentation* de l'absolu plutôt qu'à l'*événement* de la conscience. Du même coup, il n'affronte pas la temporalité authentique. L'expérience est la présentation qui devient constante. C'est la puissance de l'absolu qui règne en elle et pousse la conscience à sa vraie existence. La conscience n'est plus que l'absolu se-concevoir de l'absolu, dans l'absolu saisissement de soi-même.

Il s'y manifeste suivant la forme même de la conscience, c'est-à-dire en cette apogée de l'idéalisme allemand, comme *Logique*. La *Phénoménologie de l'Esprit*, la science du savoir apparaissant décrivait la Parousie de l'Absolu. A la fin, elle n'est plus que «la première partie» de la science. La science véritable est la *Logique* qui présente l'absoluité dans sa parousie vers elle-même. Le développement de l'Esprit absolu et la genèse de la Logique ne font qu'un. Dieu est Logique.

Comme c'est dans la conscience en devenir que l'absoluité se manifeste, hors de cette conscience, l'absolu n'aurait point d'expression. Il a besoin de l'étant que nous sommes pour devenir son être. La théologie hégélienne est essentiellement une onto-théo-logique.

Elle l'est même à un autre titre puisque le mouvement de la conscience correspondant au devenir des choses, l'Esprit absolu s'identifie à l'*omnitudo realitatis*. Bien que l'Absolu ne fasse que se saisir lui-même absolument, c'est paradoxalement le monde qui est pensé. C'est ce qui apparaît, c'est l'apparu qui épuise ce qui était à apparaître. C'est l'entier royaume de la vérité qui se manifeste dans son extrême pouvoir de récollection. On ne peut plus dire à aucun titre que la présence du présent enveloppe quelque absence. Toute la présence est dans le présent. Le *Grund* est dépourvu de tout *Abgrund*. C'est une philosophie du jour absolu. Il restera aux penseurs qui viendront, à refaire à la Nuit sa part.

Ainsi le Dieu de Hegel n'est-il pas simplement le Dieu de la métaphysique. Il achève celle-ci en s'affirmant, dans sa prétention à se penser tout entier lui-même, comme celui qui la pense métaphysiquement, ce qui, à coup sûr, est pour Lui la plus irrémédiable façon de s'ignorer.

CHAPITRE X

NIETZSCHE

Le problème de la subjectivité ou plus exactement, dans la forme qu'il prend alors, celui du mouvement de la raison a été notre fil conducteur dans l'approche de l'idéalisme allemand. Nous garderons ce même guide de l'énigme du mouvement qui est énigme de l'être [1] dans l'esquisse de Nietzsche que nous abordons maintenant. Nous avons sur ce point en Nietzsche un témoin privilégié car l'unique pensée de ce penseur est celle du retour éternel du semblable. Elle demeure pour Zarathoustra *Gesicht* – figure et regard – et *Rätsel* – énigme – mots schellingiens (Schelling a marqué le double sens de *Gesicht*), mots nietzschéens, mots heideggeriens. Creuser cette énigme, chercher à travers l'œuvre du philosophe de Sils-Maria le rapport secret de l'homme et de l'être, c'est-à-dire l'unité du surhomme et du retour éternel, sera notre première tâche. Elle nous permettra de pénétrer plus avant dans la compréhension de l'onto-théologie, dans la compréhension aussi de ce dépassement de la métaphysique qu'annonce Heidegger et que Nietzsche, quoiqu'il en veuille, ne réalise pas, restant finalement «le plus effréné des platoniciens». A partir de cette obscure découverte qui ne sera pas maîtrisée par Nietzsche, à partir de l'unité pressentie de l'être, du temps, du devenir et de la vérité – unité dont il est difficile de parler car elle porte tout – nous retrouvons l'essence du nihilisme dont nous avons marqué l'apparition dès Platon et Aristote. La métaphysique qui s'est alors constituée dans la recherche de l'étant en tant qu'étant – *on hi on* – oublie justement ce qui le fait «tel». La vérité tombe sous le joug de l'idée. Du même coup est perdu l'instant originel, le *to auto* de Parménide, cette unité qui «distribue» aussi bien l'apparaître de l'être que l'essence de l'homme.

[1] *SZ*, p. 372.

Ainsi s'éclaire l'exclamation jetée en pleine euphorie du dix-neuvième siècle, quand la foi au progrès était devenue la religion des peuples civilisés: «Le désert croît. Malheur à qui cache le désert»! [1] Ce désert est le terrain inexploré où se produisent tous les mouvements de pensée de notre époque. Cent ans auparavant, Nietzsche en a été le prophète. Son œuvre, qui est une œuvre de transition, ne cesse pas d'être vraie, même si l'on omet de la penser ou si on l'interprète à contre-sens [2].

«Ils parlent tous de moi, mais personne ne pense à moi», écrivait-il. Pour rencontrer cet homme aux «jardins secrets», l'un des plus timides et silencieux qui fût et qui souffrait le martyre de devoir crier, il nous faut d'abord le chercher. Démarche difficile, car ces écrits obscurs rassemblent en les transformant tous les motifs de la pensée occidentale. Mais écoutons-le. Il eut l'effroyable lucidité de son itinéraire, des contradictions de son «automne mûrissant» et aussi de l'état de «pure promesse» de sa vie. Il sut que sa pensée la plus fondamentale, celle du retour éternel du semblable, demeure une énigme. Pourtant, il vit clairement que quelque chose dans l'histoire de l'homme occidental touche à sa fin. Plus que quiconque avant lui, il lut ce destin et découvrit le danger qui guette l'homme de la métaphysique à l'heure historique où celui-ci devient maître de la terre [3]. Cet homme que nous connaissons trop bien, est-il capable de maîtriser les forces et les instruments de puissance que libère la technique moderne? Nietzsche se le demande et répond: non.

C'est pourquoi, si après avoir cherché ce penseur nous le trouvons quelque peu, nous voyons qu'il est plus difficile encore de le perdre comme il le dit lui-même dans un billet adressée à un ami danois, Georges Brandt, le 4 janvier 1889, ce jour où à Turin il s'écroula dans la rue et devint fou. La pensée de Nietzsche ne peut se prendre au rabais, être laissée de côté comme dépassée et réfutée. Ce n'est pas une pensée religieuse comme le fut avec grandeur celle de Kierkegaard; Nietzsche fut un métaphysicien rigoureux [4]. C'est pourquoi en face de lui toute apologétique est

[1] Quatrième partie de *Ainsi parlait Zarathoustra*, ce livre «pour tous et personne», cahier de notes, XIV, p. 229. Ecrite en 1884–1885, elle ne fut imprimée que pour un étroit cercle d'amis.

[2] *WD, passim.*

[3] *WD*, p. 24.

[4] *HW*, p. 230.

vaine. Ses phrases sur le retour éternel du semblable sont à prendre comme des phrases d'Aristote. Des phrases d'ailleurs proches d'Aristote puisqu'elles nous parlent du temps dans la ligne qu'a ouverte le Stagirite, et sans doute pour les comprendre vraiment faudrait-il, comme le conseille Heidegger, «différer leur lecture et méditer pendant dix ou quinze ans l'auteur de la Physique» [1]. Bornons-nous ici à dresser rapidement la silhouette de Nietzsche en suivant ce que nous en dit Heidegger et afin seulement de préparer un dialogue avec le *promeneur* solitaire de Nice ou de Portofino.

1. Nietzsche ne se comprend qu'au terme de la métaphysique

Schelling nous introduit à lui par trois phrases mises en évidence dans les *Recherches sur l'essence de la liberté humaine* [2]. «Il n'y a, en dernière et très haute instance nul autre être que le vouloir. Le vouloir est l'*Ursein* et à ce vouloir seul conviennent tous les prédicats de l'*Ursein:* profondeur immense, éternité, indépendance du temps, affirmation de soi. La philosophie toute entière n'aspire qu'à trouver cette très haute expression». Schelling attribue au vouloir les prédicats que la pensée métaphysique donne depuis toujours à l'être et il les y trouve dans leur forme accomplie. C'est que, depuis Leibniz, l'existence, dont le principe est la perfection, est exigence d'essence [3]. Elle est volonté. Celle-ci n'est pas considérée alors comme une faculté de l'âme humaine. Elle constitue l'être de l'étant. Ces mots de Schelling nous découvrent la relation qui existe entre le *Ainsi parlait Zarathoustra* de 1884, l'œuvre de Schelling de 1809, la *Phénoménologie de l'Esprit* de 1807 et la *Monadologie* de 1714. Leibniz et Hegel nous conduisent à l'anthropologie de Nietzsche. Par eux nous voyons comment, aux yeux de son auteur, cette anthropologie constitue une expérience dont la signification est historique. Elle ne se comprend qu'aux termes de la métaphysique. Elle en est la «logique intérieure», nous dit encore Nietzsche lui-même. Ce n'est pas qu'à l'origine l'homme ait situé son être autrement qu'aujourd'hui, mais il ne savait pas où il le situait. Intervenant à son tour dans la dialectique traditionnelle de l'être et de l'étant,

[1] *WD*, p. 70.
[2] Tome VII, p. 350, cf. *WD*, p. 35 et *VA*, p. 113.
[3] *N2*, p. 474.

Nietzsche va définir un nouveau domaine où l'étant va trouver un nouveau fondement dans un nouvel être. L'être-homme – *Menschsein* – est élevé à une nouvelle dimension d'évènement – *Geschehen* –. Une histoire arrive, plus haute que toute l'histoire jusqu'alors. Mais parce que l'auteur de *Richard Wagner* ne «pense» pas le nouveau savoir qu'il apporte; parce qu'il reste sur le même terrain que ce qu'il veut combattre, cette histoire n'est que la consommation de la métaphysique et non son dépassement. Pour qu'il en soit autrement, il aurait fallu qu'il puisse «penser» son œuvre propre d'une pensée originelle, en-deçà de toute philosophie. L'essai de Nietzsche rend seulement douloureusement évident le mot d'Aristote: «Comme les oiseaux de nuit se comportent en face de la lumière brillante du jour, ainsi aussi nous rapportons-nous à ce qui dans sa présence est le plus éblouissant» [1].

Depuis Leibniz, le vouloir était l'être de l'étant dans un ensemble, vouloir de la raison chez Kant, de l'Esprit chez Hegel, de l'amour chez Schelling. Pour toutes les philosophies de la subjectivité, la puissance de tout étant réside dans la volonté de se poser soi-même. Qu'à la fin de sa vie, ou plus exactement dès 1809, Schelling place en Dieu cette volonté, la liberté humaine participant à celle-ci comme l'imparfait au parfait et que de la sorte il ait donné lieu à plus d'une ambiguïté, ne l'empêche pas de demeurer dans ces cadres métaphysiques. Et après lui la volonté reste souveraine. Elle l'est en particulier chez Schopenhauer qui écrit: «le monde est ma représentation» – résumant la philosophie moderne – et qui intitule son œuvre maîtresse, publiée en 1818: *Le monde comme volonté et représentation.* Le jeune Nietzsche arrivant en 1885 du gymnase de Pforta à l'Université de Leipzig, après un passage de deux semestres à Bonn, sera fortement marqué par cet ouvrage. Le Schopenhauer philosophe qui nie le monde ne cessera de le faire réagir.

Avec Leibniz, pour la première fois, l'aspiration – *streben* – de l'esprit, le *nisus*, c'est déjà la volonté. Elle devient le mode d'existence de l'être de l'étant. Il convenait en effet d'expliquer le mouvement par lequel l'esprit passait de perception en perception. Jusqu'ici nul n'y avait pris garde. N'était-ce pas que le monde, justement divisé en créé et en incréé, donnait prétexte à une onto-

[1] *Métaphysique*, 1er chapitre du deuxième livre, 993 b. 8–10.

théologie? Pour que la subjectivité se dégage pleinement, il fallait qu'elle soit délivrée d'une subordination paresseuse qui, en attribuant à un autre qu'elle sa vertu intérieure, réduisait celle-ci à un mot. La notion chrétienne de Création, non pas fidèlement conduite, mais pervertie par le penchant congénital des hommes à la facilité, a été historiquement à l'origine, chez un trop grand nombre, d'une plus grande méconnaissance de l'être du créé. Nous avons vu s'opérer lentement chez Schelling, dans son système d'identité, un approfondissement de la subjectivité qui met en question comme «trop extérieur», «purement nominal», un certain rapport médiéval de Dieu au monde et à la raison. Les preuves cosmologiques, la notion d'un Dieu *artifex*, si elles nous ouvrent un monde de choses, risquent de nous donner peu de clarté sur la vie propre de la pensée humaine où se reconnaît pourtant traditionnellement dans l'homme «l'image de Dieu». Nietzsche va y réfléchir à son tour.

Lorsque la subjectivité, à travers Descartes, Leibniz et leur descendance, arrive à lui, elle s'affirme pour ce qu'elle était dès l'origine, c'est-à-dire le mystère de «l'étant». Mais cet étant en l'occurrence, c'est l'homme: c'est de lui dont on part et non plus du plus haut étant, de Dieu. La subjectivité, entendue au sens métaphysique moderne, se définit par rapport à la relation sujet-objet. Elle est l'être de l'étant sous cette forme de «subjectivité», comme elle l'a été à d'autres époques sous celle de *phusis*, de *logos*, d'*hen*, d'*idea*, d'*energeia*, de substantialité, d'objectivité [1]. Dans la notion classique de l'homme, animal raisonnable, Hegel a poussé à l'absolu la raison: Nietzsche va maintenant y pousser la vie.

Schelling n'avait pas complètement maîtrisé ses intuitions et resta incompris. La postérité de Hegel, au contraire, fut nombreuse, entraînant une réaction chez ses disciples les plus éminents. Nietzsche prenant position contre lui franchit le dernier pas sur le sol même de ce qu'il attaque: *la volonté de puissance se sachant elle-même et se voulant va constituer maintenant la réalité du réel.* Dans la volonté de puissance, la puissance désignera pour la volonté la manière essentielle dont elle se veut. La volonté ne cesse de revenir sur elle-même pour se rassembler sur ce qu'elle a voulu. C'est ainsi qu'elle posera l'ensemble de ses conditions, ne les de-

[1] *ID*, p. 64.

vant à personne d'autre qu'elle-même. Ces conditions seront les valeurs. La volonté devient positionnelle de valeurs en raison de son essence métaphysique. Et pour peu que nous réfléchissions que son devenir – *werden* –, c'est elle-même, nous voyons qu'elle renferme alors en elle toute la relation de l'être et du temps.

Dans un passage du *Gai savoir,* l'homme fou parlant du meurtre de Dieu, c'est-à-dire du renversement du monde suprasensible, dira qu'il n'y a jamais eu d'action plus grande. Qui naîtra après nous, ne pourra qu'appartenir à cause de ce fait à une plus haute histoire que toute histoire jusqu'alors. La caractéristique de cette histoire, c'est que la volonté de puissance est expérimentée dans la conscience humaine comme la réalité du réel. C'est à partir de cette conscience que la volonté de puissance s'affirme absolue. Avec Nietzsche, avec ce vouloir du *Menschsein* à partir de la volonté de puissance, l'humanité va se définir par une nouvelle forme essentielle de l'homme. La subjectivité humaine va développer ses possibilités et parvenir à la plénitude. A travers ce que Nietzsche nomme le «pessimisme des forts», s'accomplit l'insurrection de l'humanité moderne dans la souveraineté absolue de la subjectivité.

2. *Le surhomme*

Cette plénitude de la subjectivité, Nietzsche lui donne un nom qu'avait déjà employé Goethe, nom difficile à comprendre et trop souvent incompris, celui de surhomme, César avec l'âme du Christ, de même que dans un des derniers poèmes d'Hölderlin, le Christ, «qui est de plus une autre nature», est appelé frère d'Héraclès et de Dyonisios. Chez Rilke aussi, l'ange des élégies est en communication avec le déploiement originel de l'essence de la subjectivité: en lui, la transformation du visible en invisible, que nous devons accomplir pas à pas, est réalisée. Quant à Zarathoustra, il n'est pas encore le surhomme, il n'est qu'en marche vers lui. Il ne s'agit pas d'atteindre une super-dimension de l'homme. Au contraire, nous dit Nietzsche, le surhomme est plus pauvre, plus simple, plus doux, plus rigoureux, plus tranquille; plus humble, plus lent dans ses résolutions et économe de ses paroles. Il ne se distingue pas quantitativement mais qualitativement de l'homme qui l'a précédé, sans pour autant accomplir une véritable rupture avec ce dernier, car il s'inscrit parfaitement dans le destin de la pensée occidentale. Il permet même d'apercevoir non plus une des phases de l'histoire de la métaphysique, mais l'essence de la métaphysique [1]. Nietzsche, avec lui, ne renverse finalement rien: il achève. L'homme antérieur, nous dit-il, s'était trop ignoré. Son essence lui échappait. Il n'avait pas su s'élever au-dessus d'elle et la dominer [2]. Il lui faut aujourd'hui répondre à cette exigence qui s'impose à lui, à ce combat pour la domination de la terre auquel il est appelé.

«L'homme est l'animal qui n'est pas encore établi», poursuit Nietzsche. Cette phrase semble étrange. Elle exprime pourtant ce que depuis toujours l'Occident a pensé de l'homme. Ce dernier, en effet, a été obstinément conçu dans la ligne classique comme l'*animal rationale*. La signification latine ne correspond déjà plus à ce que pensaient les Grecs dans le *zôon logon echon*. C'est ce que s'efforce de retrouver Nietzsche. L'animal raisonnable ne sait pas ce qu'il est. La manière dont la *ratio* s'ajoute à un vivant, donné par avance, est toujours demeurée obscure. C'est pourquoi si longtemps l'anthropologie moderne et la psychanalyse, qui exploitent les œuvres de Nietzsche, n'ont pas reconnu leur véritable portée. L'homme est un composé, nous dit-on, à l'étage inférieur d'animalité et à l'étage supérieur de rationalité, mais ni l'essence de l'animalité, ni celle de la rationalité ne sont pensées. Les deux domaines, analyse Nietzsche, béent séparément l'un à côté de l'autre. La métaphysique traditionnelle définit aussi l'homme comme l'animal qui peut se re-présenter, poser devant soi, et auquel appartient le pouvoir de dire. Le concept de l'homme en tant que personne repose sur cette définition dont les dimensions échappent aussi bien que l'origine. C'est pourtant encore sur elle que, par voie de conséquence, a été bâtie la théologie moderne de la personne. Ainsi s'est terriblement rétrécie la manière dont nous avons imaginé le pouvoir tant de la raison divine que de la raison humaine.

Zarathoustra n'est pas encore le surhomme, mais ce qui devient le surhomme. Il est l'homme qui va au-delà de ce qui a été jusqu'alors. Il est «un pont, un passage, une corde tendue entre l'animal et le surhomme, une corde sur un abîme». [3] Quel dépassement ac-

[1] *HW*, p. 215, trad. p. 192.
[2] *WD*, p. 24.
[3] Nietzsche, *Ainsi parlait Zarathoustra*, VI, 16–18.

complit-il donc? D'où vient-il? Où va-t-il? La réponse à la première question ne se trouve que dans la réponse aux deux autres [1]. Elle seule nous indique le passage et montre où conduit le dépassement.

Après sa retraite de dix années, Zarathoustra un matin a quitté sa montagne. Descendant vers la ville perdue au milieu des forêts, il a rencontré en chemin le vieil ermite qui ne sait pas que «Dieu est mort». Arrivé sur le marché rempli d'une foule bruyante qui attend un danseur de corde, il va s'efforcer de lui apprendre le surhomme comme sens de la terre. «Malheur, dit-il, le temps est venu où l'homme ne jette plus au-delà de lui-même la flèche de son désir ardent. Il ne fait plus siffler la corde de l'arc. Le temps vient où l'homme n'accouchera plus d'aucune étoile, le temps du plus méprisable des hommes qui ne peut plus que se mépriser lui-même». Déjà dans le *Gai savoir,* (écrit en 1882), l'homme fou s'était écrié: «Comment avons-nous pu délier la terre de son soleil? Comment avons-nous pu boire la mer? Qui nous a donné l'éponge pour éponger l'horizon»? Comme dialogue solitaire de Zarathoustra avec le soleil, ces mots atteignent le cœur de la métaphysique occidentale ou plus exactement de la philosophie de Platon – Nietzsche l'avait travaillé comme philologue – qui en est involontairement la source. Tous ne disent qu'une seule chose, celle qu'exprime sous une autre forme le cri: «Dieu est mort», et son commentaire: «nous l'avons tué. Ce sont les hommes qui ont fait cela même si aujourd'hui ils n'en savent plus rien». C'est en 1886 qu'ajoutant aux quatre premiers livres du *Gai savoir* un cinquième, Nietzsche écrivit dans l'aphorisme 343 intitulé «Qu'en est-il de notre sérénité»? «Le plus grand des nouveaux évènements, que Dieu soit mort, que la foi au Dieu chrétien soit devenu incroyable, commence déjà à jeter ses premières ombres sur l'Europe».

3. «Dieu est mort»

«Dieu est mort» n'est pas ici une profession d'athéisme. Il ne signifie pas qu'il n'y ait pas de Dieu mais au contraire, que «Dieu» a été tué et Nietzsche, ce petit-fils de pasteurs, aussi bien du côté de son père que du côté de sa mère, «né comme une plante tout près du champ de Dieu – cimetière, *Gottesacker* – et comme

[1] *VA*, p. 107, trad. p. 124, et *WD*, p. 27.

homme dans un presbytère» [1], s'en étonne. Comment Dieu a-t-il pu être tué par des hommes? C'est pourquoi l'homme fou insiste: «Nous sommes tous ses meurtriers, vous et moi, comment avons-nous fait cela?». Heidegger ajoute: «L'homme fou, sans équivoque dès les premières phrases de ce passage et plus clairement encore dans les derniers mots, cherche Dieu en criant vers lui. Peut-être là a-t-il crié réellement *de profundis?* Et l'oreille de notre pensée? N'entend-elle pas sans cesse ce cri? Elle n'y prêtera pas attention aussi longtemps qu'elle ne commencera pas à penser. La pensée ne commence que lorsque nous avons expérimenté que la «raison», tant glorifiée depuis des siècles, est le plus opiniâtre adversaire de la pensée ...» [2].

Ce que les hommes ont fait lorsqu'ils ont délié la terre du soleil, l'histoire de ce qui s'appelle philosophie et plus spécialement l'histoire européenne des trois derniers siècles nous le dit. En parlant des rapports de la terre et du soleil, Nietzsche ne pense pas à Copernic mais à l'allégorie de la caverne [3], en tant que la primauté est donnée à la vision, à la conformité de ce qui est vu à son modèle, à la vérité comme adéquation – *homoiosis*. «Entrons, dit Platon, par la dialectique, dans le monde intelligible *qui s'oppose à l'autre* comme les réalités qu'illumine le soleil aux ombres de la caverne» [4]. Cette idée du Bien domine la dialectique dans la *République*. Si elle s'efface dans les Dialogues intermédiaires, elle reprend dans le *Philèbe*, en même temps que les mathématiques, un rôle de premier plan. L'*agathon*, le soleil et son royaume de lumière, forment l'*Umkreis*, le cercle où apparaît l'étant. Ils créent et délimitent l'espace visuel où se montrera ce qui apparaît de l'étant, son *eidos*. Ils constituent ainsi l'horizon, c'est-à-dire le monde suprasensible, identifié à l'étant qui seul est véritablement et entoure tout comme la mer. Mais, nous dit l'homme fou, la terre, le séjour des hommes, la vallée de larmes d'ici-bas opposée à la béatitude de l'au-delà, la terre est maintenant déliée du soleil. Le monde des Idées et de l'Idéal, celui où règne l'Etant-en-soi, n'est plus le monde lumineux qui sert de mesure aux humains. Tout l'espace visuel est épongé. La mer est

[1] *WD*, note d'un cahier de Nietzsche à 19 ans au gymnase de Pforta, découvert en 1935 dans les Archives Nietzsche à Weimar.

[2] *HW*, p. 26, trad. p. 219.

[3] Cf. chapitre II: Platon.

[4] *République* 514a–516b.

bue par l'homme car ce dernier s'est dressé dans l'insurrection de l'*ego cogito,* puis de la volonté leibnizienne et l'horizon n'éclaire plus par lui-même.

Dans une note écrite en 1827 [1], Nietzsche, a constaté sous une autre forme ce fait que l'horizon n'éclaire plus et que le désert croît. Il l'appelle alors «nihilisme». «Que signifie le nihilisme? ... Que les valeurs les plus hautes se dévalorisent ...». La phrase est soulignée et commentée: «Il manque le but, la réponse au sujet du pourquoi ...». Cette réponse, Nietzsche ne la donnera pas clairement car il reste lui-même pris à l'intérieur de la métaphysique. Il voit pourtant que le nihilisme n'est pas un évènement négatif. C'est un évènement historique. Les valeurs les plus hautes se dévalorisent, c'est-à-dire Dieu, le monde suprasensible en tant que monde véritable et déterminant, les idéaux et les idées, ce qui définit tout étant et la vie humaine en particulier, ce qui les fonde et leur donne un sens, rien de tout cela n'a de valeur: «Le Vrai, c'est-à-dire l'étant réel, le Bon, c'est-à-dire ce à quoi tout aspire, le Beau, c'est-à-dire l'ordre et l'unité de l'étant dans son ensemble, plus rien ne se trouve *à l'intérieur* du monde réel» [2]. Pourquoi alors conserver ce monde idéal, surajouté et inopérant? Il faut le rejeter et le remplacer par un autre. Nietzsche va demander une transvalorisation des valeurs, ce qui ne sera pas dépasser cette philosophie, mais l'accomplir.

4. La notion de valeur

La notion de valeur permet de pénétrer l'essence du nihilisme et de voir, du même coup, la grandeur et les limites de Nietzsche. C'est lui qui rendit le mot populaire et permit au néo-kantisme de créer cette «philosophie des valeurs» qui ne cesse depuis lors de proliférer. Dans la théologie chrétienne elle-même, Dieu, le *summum ens qua summum bonum,* est défini comme la valeur la plus haute. «Ce fut, dit Heidegger, le dernier coup contre Dieu et contre le monde supra-sensible» [3] et ce coup ne vint pas de ceux qui se tiennent à l'extérieur de la foi chrétienne, de ceux qui ne croient pas en Dieu, mais «des croyants et de certains théologiens qui parlent du plus étant de tout étant sans penser à l'être lui-

[1] *Volonté de puissance,* A 2.
[2] *HW,* p. 205, trad. p. 183.
[3] *HW,* p. 239, trad. p. 213.

même et sans s'apercevoir que cette façon de penser et de parler est un blasphème lorsqu'elle se mêle à la théologie de la foi» [1].

Qu'est-ce que la valeur pour Nietzsche? Sa première définition le situe dans la tradition métaphysique. Nous la trouvons dans une note de la *Volonté de puissance* de 1887–1888: «le point de vue de la valeur est le point de vue des conditions de maintien et de montée à l'égard des créations complexes de la vie en leur durée relative à l'intérieur du devenir». La valeur n'existe pas en elle-même de telle sorte qu'elle pourrait ensuite être prise comme point de vue. La valeur, et ceci est le propre de Nietzsche, est chaque fois posée du fait de voir et pour lui-même le fait de voir est point de vue. On voit dans la mesure où on a vu et on a vu dans la mesure où l'on a placé devant soi ce qu'on voyait et l'a posé. C'est dans cet acte unique, qui pose en représentant, qu'est fixé le point d'où nous verrons et agirons. Point de vue, coup d'œil, espace visuel, tous ces mots indiquent que l'acte de voir est pris au sens que les Grecs avaient d'abord déterminé en affirmant que nous en restons à l'*eidos*. Mais vingt siècles de métaphysique font que Nietzsche situe l'*eidos* comme jamais avant lui. Devenu *perceptio* avec Descartes, il avait ouvert tout le domaine de la «conscience». Puis l'acte de se re-présenter a été expressément fondé chez Leibniz sur l'*appetitus*. Tout étant doit se proposer et se re-présenter dans la mesure où à l'être de l'étant appartient le *nisus*, la poussée à sortir qui fait surgir quelque chose dans l'apparaître. Ainsi l'essence de tout étant se prend et se pose comme point de vue.

Cet étant pose lui-même les conditions de lui-même et comme il est dans son essence *percipiens et appetens*, elles se définissent comme des conditions de maintien et de montée. Ce sont les conditions mêmes de la vie telle qu'elle apparaît. Le rapport de ces conditions détermine sa durée relative: le stable doit perdre sa stabilité pour permettre à la vie en progressant de se maintenir. Mais, nous dit Nietzsche, c'est «à l'intérieur du devenir» que ce mouvement s'incrit. Ce devenir n'est pas ici confondu avec un simple écoulement de phénomènes ou un quelconque changement de situation. Il correspond, suivant la meilleure interprétation de la *Monadologie* aux «changements naturels». Avec Nietzsche, la volonté de puissance découvre clairement que ce devenir, c'est

[1] *id.*

elle-même [1]. Elle s'apparaît en pleine lumière comme fondement du réel et c'est ainsi qu'elle est le vrai. Elle s'est alors connue comme *principe de toute position de valeurs* et s'est constituée l'être de l'étant. Mais par un paradoxe qui montre jusqu'où Nietzsche nous entraîne, ce principe même qui pose les valeurs, il faudra que les valeurs l'assurent car il n'y a plus rien qui à son tour le fonde et pourtant le besoin d'assurance demeure.

Quand, en effet, la volonté de puissance intervient, la certitude cartésienne ne suffit plus. Puisque le maintien d'elle-même et son affermissement s'imposent à la volonté de puissance comme une valeur nécessaire et une valeur suffisante, elle provoque dans tout étant la nécessité de s'assurer. Nul ne saurait représenter sans *avoir à tenir* sa représentation pour vraie. La certitude correspond désormais à l'assurance de ce tenir-pour-vrai. Dès lors, au jugement de Nietzsche, la certitude, qui est le principe de la métaphysique moderne, est fondée pour la première fois clairement sur la volonté de puissance. Elle s'identifie alors à la vérité et devient *wahrhaft*. Comme vérité, c'est la valeur qui la consacre et la consacre nécessaire. D'où la phrase de Nietzsche: «La question de la valeur est plus fondamentale que la question de la certitude. Pour que celle-ci soit traitée avec sérieux, il faut supposer qu'on a répondu à la question de la valeur» [2].

La volonté, pour tenir le pas gagné, décrit autour d'elle un cercle auquel elle puisse sans cesse s'accrocher dans un mouvement de retour où elle trouve sa sécurité. *Ce cercle va confondre ses limites avec les limites de ce qui est présent*, la présence du présent en dépend. Ainsi avec cet étant qui est posé par Nietzsche comme stable, nous rentrons dans la catégorie de ce qui demeure. Nietzsche reste, là encore, fidèle à la tradition métaphysique. Mais un pas de plus est fait que chez Descartes. La vérité, ici, n'est plus une certitude en rapport avec ce qui est représenté. Elle est bien moins encore accord de la pensée avec son objet ou dévoilement de l'étant. A travers tous ces avatars historiques, elle en est arrivée à n'être plus que valeur, mais parce qu'elle correspond au maintien de la volonté de puissance, valeur nécessaire.

Pourtant, là est son paradoxe, la volonté en tant que volonté ne veut pas avant tout du stable. Elle prétend se dépasser elle-

[1] *HW*, p. 212, trad. p. 189.
[2] *Volonté de puissance*, A 588, 1887–1888.

même au-dehors, c'est-à-dire s'ouvrir aux possibilités de l'injonction qu'elle se donne. Elle veut plus de puissance. Le permanent en tant que permanent ne lui suffit donc jamais pour atteindre ce dont elle a avant tout besoin, aller au-delà d'elle-même. C'est pourquoi Nietzsche écrit: «la vérité ne vaut pas comme mesure des valeurs, encore moins comme la plus haute valeur» [1]. Ce qui chez lui est ouverture des possibilités, c'est l'essence de l'art. Partout où il y a perspective il y a art et «l'art est le plus grand stimulant de la vie» [2]. L'art et la vérité seront donc les deux valeurs constitutives de la volonté de puissance. Elles ne seront que deux périphrases, dit Heidegger pour désigner la «technique» au sens d'une immobilisation, d'une solidification du réel, que conduiraient la planification et le calcul. La technique ici vise tous les domaines de l'étant: la nature objectivée, la culture artificiellement recherchée, la politique préfabriquée et l'idéal construit en superstructure. La technique est comprise en ce sens profond qui l'assimile à la métaphysique accomplie ou planétaire [3].

5. *Le concept de justification*

Notons en passant l'importance qu'a chez Nietzsche le concept de justice, cette *Rechtigkeit* dont il fait l'unité essentielle de la volonté de puissance. Elle aussi est en relation avec la certitude que poursuivait Descartes et avec la *perfection* de Leibniz. Avant qu'elle ne s'accomplisse dans le vouloir, elle comportait depuis lors, comme première détermination essentielle, que le sujet représentant s'assure de lui-même et donc aussi sans cesse de ce qui est représenté, non certes dans son contenu mais dans sa forme; en tant que re-présenté. C'est ainsi que la certitude – *Gewissheit* – prenait le caractère d'assurance – *Sicherheit* –. Qu'avions-nous là sinon un rejeton du concept traditionnel de vérité? Il s'agissait toujours d'*orthotes,* mais ce qui est droit ne l'était déjà plus en raison de son adéquation à quelque «présent» qu'aussi bien la métaphysique n'a jamais réellement pensé dans ce jeu de présence et d'absence qui le constitue. La rectitude consiste maintenant en une orientation intérieure du sujet selon une règle que

[1] *Volonté de puissance,* A 853, 1887–1888.
[2] *Volonté de puissance,* A 851, 1888.
[3] *VA*, pp. 80–82, trad. pp. 91–95.

lui impose la prétention à savoir de la *res cogitans* elle-même. Cette prétention est fondée sur une certitude, très précisément sur la certitude que tout sujet présentant et ce qui est présenté peuvent être amenés et rassemblés dans la clarté et la distinction de l'idée mathématique. L'*ens* est l'*ens co-agitatum perceptionis*, c'est-à-dire l'étant tel que, sans le vouloir, il surgit à la perception [1].

Dès qu'avec Nietzsche la volonté se sait comme être de l'étant, tout acte de représentation est *droit* s'il *fait droit* à cette prétention à la certitude et c'est elle qui ouvre de nouvelles possibilités au vouloir. Cet accomplissement singulier s'appelle justification. C'est la poursuite de la justice et la justice même. Telle est la caractéristique de l'humanisme. C'est bien cette nécessité pour le sujet, là où il est sujet, de se confirmer ainsi dans son apparence qu'attestent les temps modernes dans leur application à considérer l'homme en plein étant et très spécialement en face du plus haut Etant, en face de Dieu: «La Justification au sens de la Réforme et le concept de Nietzsche de justice comme vérité ne font qu'un» [2]. L'homme a voulu devenir conscient de son salut et s'est demandé s'il pouvait l'être. Leibniz lui aussi marchait dans cette voie en définissant la *justitia* comme un *ordo*, comme une *perfectio circa mentes* [3]. Et Kant ne cherchait pas autre chose en posant la *quaestio juris* de la déduction transcendantale. Mais Nietzsche est le témoin conscient d'une expérience, celle de la justice à partir de la justification de la certitude. Chez lui, non seulement on peut dire que la pensée des valeurs est plus fondamentale que celle de la conscience chez Descartes. Il faut encore ajouter qu'il en est ainsi dans la mesure où la conscience ne peut valoir que comme ce qui est juste.

Ce qui nous est révélé dans l'événement que relate l'homme fou ou dans celui dont parle Zarathoustra, que «Dieu soit mort», ou que «l'horizon n'éclaire plus par lui-même», c'est au fond dit Heidegger, l'événement même de la métaphysique. Le nihilisme dont Nietzsche se fait l'interprète est le destin de la métaphysique [4]. Par l'oubli de la vérité, du dévoilement originel de

[1] *HW*, p. 225, trad. p. 201.
[2] *VA*, p. 85, trad. p. 98.
[3] *Vingt-quatre thèses sur la métaphysique*, thèse 20.
[4] *HW*, p. 244, trad. p. 217.

chaque instant, la métaphysique est le lieu historique, l'époque de l'histoire de l'être où le monde supra-sensible, les idées, Dieu, la loi morale, l'autorité de la raison, le progrès, le bonheur du plus grand nombre, la culture et la civilisation sont, de par le destin, devenus rien. Tout devient également «valeur», mais dans cette estimation, ce qui est valorisé n'est plus que l'objet de l'appréciation de l'homme. Toute valorisation coupée de l'être est subjectivisation mais cette subjectivisation est vaine [1]. C'est pourquoi tant d'organisation sociale, tant d'efforts moraux et culturels, toutes ces «Bourses de la culture» [2], ces multiples commissions et sous-commissions et ces discussions sans fin sur les causes et les effets de la crise de civilisation ne parviennent pas jusqu'à ce qui est vraiment. Tout n'est que ravaudage. La réflexion est toujours trop courte et asthmatique.

6. *La subjectivité et le temps*

Rechercher le chemin qui nous a conduit là ramène au problème de la subjectivité que nous avons pris pour guide et aussi bien, car ils n'en font qu'un, à celui du temps. A chaque époque nous retrouvons quelque manifestation du même «oubli». Nous avons vu que Kant dans la déduction transcendantale qui est l'opération de participation originelle, a mis l'accent sur le côté objectif de cette déduction et rejeté la subjectivité du sujet, ou, du moins, n'a pas assez explicité le côté subjectif du fondement de la métaphysique. En définissant cette déduction subjective, il a sans doute indiqué qu'elle doit remonter jusqu'à la force d'imagination «sur laquelle repose la raison elle-même». Mais il est finalement resté en deçà de ce qu'il annonçait. «Il avait donné une définition réelle de la vérité transcendantale c'est-à-dire il avait défini sa possibilité intérieure à travers l'unité du temps, de la force d'imagination et du «je pense» [3]. Mais il a négligé la dimension du «monde» et ainsi n'a pas vu le lien entre le «je pense» et le temps. La subjectivité du sujet est pour lui structurée et caractérisée logiquement comme dans l'anthropologie et la psychologie traditionnelles. Elle va le rester fondamentalement chez Nietzsche et c'est pourquoi le lien entre le surhomme et le

[1] *HB*, p. 35, trad. p. 125.
[2] *WD*, p. 69.
[3] *WG*, p. 16.

retour éternel du semblable demeurera dans l'ombre chez ce dernier. Il fait de la volonté de puissance l'*essentia* de l'étant comme tel et du retour éternel, de la manière dont elle ne cesse de revenir à elle-même, son *exsistentia*. Mais à partir de quel destin cette distinction à l'intérieur de l'être de l'*esse essentiae* et de l'*esse exsistentiae?* Pourquoi cette première et cette seconde *ousia* [1]? Nietzsche est trop métaphysicien pour y répondre. Il n'a même pas posé la question.

Ce qui constituait l'essentiel de la recherche de Descartes, le *firmum et mensurum quid stabilire* nous pose la même interrogation. Ce stable en tant qu'il est en face de nous, *Gegenstand*, qu'il s'oppose à nous, suffit à l'auteur des *Méditations* comme à ses prédécesseurs, pour expliquer ce qui est un *présent* de manière assurée, l'*hupokeimenon*, ce qui se tient sous toutes choses. Il l'appelle «le sujet». Ainsi donc chez lui, le stable, ce qui demeure, le *während*, le vrai – *währen*, durer et *Wahrheit*, vérité – est identifié avec ce qui est certain. L'*ego cogito* est la première certitude et aussi la première vérité puisqu'il nous livre le présent stable. «Ici, nous sommes chez nous, dit Hegel. Le principe de la pensée, la solidité sur laquelle tout s'appuie, c'est la pensée sortant de soi» [2]. Nous retrouvons l'influence du platonisme. L'essentiel n'est pas en effet d'avoir mis d'un côté les idées et de l'autre les choses sensibles. C'est d'avoir fait des dernières ce qui est passif et des premières ce qui est actif, d'avoir finalement donné au seul *nous* le mouvement et la vie, puisque la lumière chez lui a un profond rapport au mouvement. C'est uniquement au *nous* qu'est attaché le pouvoir de commencer par soi-même.

Ainsi donc, opposer comme le fera la philosophie post-hegélienne «sujet et substance», c'est créer, nous l'avons vu au sujet d'Aristote, une dualité qui chez Descartes et longtemps encore après lui n'existe pas. Cette opposition serait d'ailleurs impossible si elle ne supposait implicitement l'*hupokeimenon* qui constitue leur unité originelle. Enfoncés que nous sommes depuis des siècles dans la substantialisation, dans cette conception immobile de l'*ousia*, nous avons beaucoup de peine à demeurer en dehors d'elle où pourtant seulement se trouvent la pensée authen-

[1] *HW*, p. 324, trad. p. 286.
[2] Hegel, *Oeuvres complètes*, XV, p. 328.

tique et l'essence de l'homme qu'elle constitue. Nous oublions que chez Aristote *ousia* et *kinèsis* étaient continuellement en tension et que cette tension constituait la véritable dimension du Stagirite. La chose comme *ergon* était sans cesse ramenée sur l'être comme *energeia*, les *phusei onta* sur la *phusis* au grand sens du mot dont le chatoiement éclaire la pensée antique. Mais elles y étaient ramenées de manière ambiguë car la différence abyssale du monde et des choses n'était pas suffisamment marquée. L'accent était trop mis sur la pure présence, sur l'être présent. L'absence risquait d'être oubliée. Si Héraclite disait: «la *phusis* aime à se cacher», Aristote, note M. Fink dans son livre sur le mouvement, croyait trop que la Nature aime à se montrer.

De là provient dans la perspective moderne que, même lorsque nous critiquons «l'âme-substance» ou «la chosification de la conscience», nous en restons au règne du donné, de l'*exsistentia*, au sens classique. Même si l'on parvient à imaginer le «soi» autrement que comme une chose corporelle, il est difficile de le penser autrement que comme un étant [1]. C'est ainsi finalement qu'Aristote s'est représenté l'étant intérieur au monde. Comme un objet fabriqué, il l'a ramené à ses trois ou quatre causes. Il cherche à l'expliquer dans un regressus qu'il marque avec force ne pouvoir être infini. Il le définit à partir de l'ici et du maintenant, puisque le mouvement, qui demeure pour lui le problème central et qu'il attribue en général à la cause efficiente, demeure conçu comme la succession de l'antécédent et du conséquent. D'où la définition classique du temps selon l'avant et l'après, *arithmos kinèseôs kata to proteron kai husteron*. Le mouvement est conçu à l'intérieur d'un espace et d'un temps déjà donnés. Il est saisi comme la mesure du temps et de l'espace. Le mouvement originel est perdu, qui dans le *logos-aiôn* ouvrait l'espace et le temps. Ce mouvement originel n'est autre que la dispensation de présence qui nous est faite dans le jaillissement de l'instant, dans ce «jet» qui nous suscite. Le «maintenant» n'est que ce qui maintient l'ouverture et est toujours autre. Ceux qu'on appelle à tort les présocratiques, avant que naisse l'ontologie, quand demeurait intact un sens très vif de l'*Abgrund* primordial, connaissaient de manière aiguë la différence essentielle qui existe entre le jaillissement des choses et ce qu'elles sont lorsqu'elles

[1] *SZ*, p. 117 et pp. 316–323.

sont faites. Platon avait su conserver le sentiment de la séparation, *chôrismos* qui existe entre, d'une part les idées et la *chôra*, l'Ur-matière de la totalité du monde, la Terre, la Grande Mère, et de l'autre, les choses. Les choses pour lui naissent du mariage de l'idée lumineuse et de la nuit obscure qui ont en elles une parousie mais sans se confondre avec elle. Aristote en un sens va se détourner avec passion de ce *chôrismos* platonicien. L'*archè*, l'*Abgrund*, ne seront plus le mystère de l'étant. Ils vont devenir chez lui l'*Ursache*, le *Grund*, la cause et le fondement, c'est-à-dire la structure de l'étant. Le Stagirite donnera de plus en plus un rôle décisif à l'étendue, à l'intervalle – *diastèma* –, suscitant ou renforçant le parallélisme de l'espace et du temps qui ne cessera plus. De nos jours seulement, la physiologie elle-même le mettra en question. V. von Weizsaecker a montré qu'en fait si toutes les fonctions mathématiques et psychiques supposaient jusqu'ici une existence dans l'espace, si aucune loi de l'énergie, aucune loi mécanique ou chimique ne peuvent s'appliquer à de l'inétendu, la non-spatialité de la sensation, mise aujourd'hui en lumière, arrache à cet espace la moitié du vivant [1]. Une crise du concept d'espace s'esquisse qui est aussi une crise de la causalité physique. De même, en ethnologie, la pensée objective n'a pas de prise, pas plus qu'elle n'en a dans la peinture moderne où le rythme remplace l'image et les lignes, dans la musique où l'instant rythmique remplace le temps sériel, où avec Schönberg, la dodécaphonie rejette la fonction particularisante du ton donné... L'espace-temps n'est plus amarré, ce qu'avaient d'ailleurs su préserver la peinture romane, ou le bruissement de vie silencieuse de Vermeer, ou encore la peinture chinoise millénaire, avec les oscillations de la queue du dragon représentant à la fois le visible et l'invisible, la présence, et l'absence.

Pourtant la causalité physique aura été souveraine pendant des siècles, depuis qu'Aristote a fait du *diastèma* le concept dirigeant. Car finalement, un texte de la *Physique* en témoigne, le jaillisement va se confondre avec ce qui jaillit. Il apparaîtra lui-même une chose jaillie. «Ce dont le commencement est commencement tient avec le commencement». [2] Lorsque ses disciples chercheront l'étant comme tel, ils confondront les deux sphères,

[1] Victor von Weizsaecker, *Le cycle de la structure*, Paris, Desclée de Brouwer, 1958.
[2] Aristote, *Physique*, 185 a 4.

le jaillissement et le jailli, même si paradoxalement, la doctrine de l'analogie sauve en même temps leur différence. Pourtant en dernier ressort, la métaphysique s'en tiendra au discernement, au contour ferme des choses, à leur installation permanente dans une forme stable, à leur solidité, à la façon dont on peut les dire et les nommer. Elle pensera l'étant intérieur au monde. Elle sera «logique», sous le règne du principe de contradiction qui n'est qu'une illustration à sa façon de cette primauté de l'«ici» et du «maintenant».

C'est à partir de cette solidification qu'a été conçu le temps, même lorsqu'elle semble dissoute dans la durée d'un Bergson que Thibaudet disait avoir fait craquer les vannes du réel. Un penseur aussi sagace que G. Bachelard a fort bien montré qu'en fait l'auteur de la *Pensée et du Mouvant* en est demeuré au statique et non à la cinématique. De même, Husserl dont les cours sur la phénoménologie de la conscience interne du temps ont ouvert la voie à une atteinte beaucoup plus originelle, semble parfois revenir en arrière. Si en effet la phénoménologie est, comme il l'a dit, la donation originaire par lui-même de l'objet dont on parle, elle fixe à l'avance le temps au schème sujet-objet. Or, n'est-ce pas fausser le problème puisque justement la constitution d'un sujet et d'un objet requiert déjà le temps?

Il n'en reste pas moins qu'Aristote avait fait d'énormes efforts pour concilier la fermeté et la mobilité de l'étant et pour expliquer ce «maintenant» qui, tout en constituant chez lui la clé de tout, demeure une énigme. Le temps en effet est conçu à partir du maintenant. Mais qu'en est-il du maintenant passé, du «ne plus» et du maintenant futur, du «pas encore»? Ne sont-ils pas eux aussi? La présence est, à chaque instant, ouverte dans les deux directions sur l'absence et cette absence du Tout n'est pas rien. La structure essentielle du temps est d'être un présent lié à un passé et à un futur. D'ailleurs qu'est le maintenant? Qu'est cette arête transparente, cette ligne mobile entre deux absences? En interrogeant le temps sur «*ce qu'*il est», en cherchant son être dans la présence du présent, par cette seule interrogation une voie a été tracée qui ne permettra plus pendant longtemps de chercher ailleurs. L'étant est, le mouvement n'est pas, dira-t-on désormais. Une partie de la philosophie présocratique, tout spécialement Zénon à travers ses paradoxes, s'est efforcée d'expulser le mouvement de l'être. Et c'est ainsi que dans l'ontologie ce qui est essentiel et en constitue le sol a été oublié. Car si nous considérons le «présent», nous ne trouvons pas le repos mais le mouvement. «*Der Anblick des Gegenwärtigen gibt nicht das Ruhende sondern die Bewegung*» [1]. Le tisserand qui fait sa toile fait toujours ce qui n'est pas, écrivait Rivarol. Heidegger, commentant ce mot équivoque à la demande d'Ernst Jünger, montre que la navette n'est jamais que dans le passage, qu'elle va sans cesse du «pas encore» au «déjà là» et qu'ainsi ce passage est la présence du non-étant. Toujours occupé du non-étant, le tisserand fait l'étant. Habituellement au contraire, depuis le livre IV, 10, 14 de la *Physique* d'Aristote qui réunit d'une part le mouvement et le repos – ce dernier comme cas-limite du même et d'autre part, le temps, nous pensons le présent comme ce qui demeure. C'est sous cet unique éclairage que seront sans cesse saisis les «maintenant». Nietzsche avec son retour éternel a une intuition qui risque de faire éclater cette position simplificatrice. Il restera finalement prisonnier des cadres traditionnels.

7. *Le retour éternel du semblable*

Pourtant, le retour éternel du semblable nous ramène au problème du temps qui s'était, une première fois, manifesté au début de la philosophie occidentale dans la *parousia* grecque. Si Nietzsche lui-même ne pose pas clairement les questions qui en découlent, s'il ne permet pas de sortir de l'impasse, du moins sa réflexion ne cesse-t-elle de s'en préoccuper. Faire appel comme on le fait souvent pour expliquer cette vieille pensée du retour éternel à la représentation cyclique des Grecs ou à Héraclite, c'est ne rien dire tant qu'on ne précise pas le contenu de ces images. Une phrase de Nietzsche nous permet d'avancer. Elle donne comme tâche au surhomme de *vaincre le ressentiment contre le temps et son: il était.* Ces mots se trouvent à la fin de *Ainsi parlait Zarathoustra,* dans un passage intitulé: de la rédemption: «l'esprit de ressentiment, mes amis, était jusqu'alors la meilleure réflexion .. Là où était le mal, doit toujours être la punition .. Car que l'homme soit délivré du ressentiment, c'est pour moi le pont vers le plus haut espoir, c'est un arc-en-ciel

[1] Lettre de Heidegger insérée dans le livre d'Ernst Jünger, *Rivarol,* Francfort 1956, V. Klostermann, pp. 196–198.

après de longues tempêtes ...». Ainsi le surhomme est l'esprit libre de ressentiment. Cette liberté constitue son bonheur. Mais ce bonheur, comment le vit-il? C'est là où la difficulté recommence. L'homme des derniers temps croit avoir trouvé le bonheur. «Nous avons trouvé le bonheur disent les hommes des derniers temps et ils clignotent ...» Clignoter, commente Heidegger[1], signifie ici la façon dont l'homme se rend présent à ce qui est. Il y a donc une sorte de condition humiliée de l'homme à l'intérieur de son bonheur. C'est comme si ce bonheur ne pouvait être tenu que de manière infirme. Cette infirmité frappe la représentation. Nous sommes dans une philosophie où la volonté nous fixe «les points de vue». Cette volonté a dit Schelling, et Nietzsche pense de même, est *Ursein*. Elle se veut elle-même éternellement comme retour éternel du semblable et le ressentiment exprime sa répugnance contre le temps qui s'en va. Le malheur, c'est qu'elle dépasse le ressentiment en le payant d'une confusion nouvelle. La représentation lui sert abusivement à vaincre l'évanescence des choses en essayant de les tenir présentes et c'est ainsi que se réintroduit chez Nietzsche, sans même qu'il s'en aperçoive, une philosophie immobiliste du maintenant. Cette attitude qui lui fait opposer Dyonisios au Crucifié est en contradiction avec sa démarche fondamentale. Ce qu'il paie de la sorte, c'est sa fidélité à une tradition métaphysique pour qui le devenir est opposé à la pensée. Telle n'était pourtant pas son ambition que nous livre la fin du *Gai savoir*, intitulée: le poids le plus lourd[2] – et *incipit tragoedia*. Et surtout la note 617 de la *Volonté de puissance* qui est la «récapitulation» de sa réflexion: «Que tout revienne est l'ultime approche d'un monde du devenir au monde de l'être. Sommet de la contemplation». Cette unité du temps, du devenir et de la pensée est ce que Heidegger s'efforcera de ressaisir.

[1] *WD*. p. 31.
[2] n° 341

CONCLUSION

> ... L'appel du sentier est maintenant tout à fait clair. Est-ce l'âme qui parle? Est-ce le monde? Est-ce Dieu [1] ?

Les pages qui précèdent se sont efforcées d'évoquer quelques étapes de la pensée telles que les voit Martin Heidegger. Si la métaphysique, tout en représentant à ses yeux la plus grande des réalisations qui aient jamais eu lieu, aboutit à la crise de civilisation que nous vivons aujourd'hui, c'est pour n'avoir pas su parler *ensemble* de Dieu, de l'homme et du monde de telle sorte que Dieu soit Dieu, l'homme homme et le monde monde.

Problème de Dieu, problème de l'homme

Sans doute demandera-t-on aux termes de cet itinéraire en quoi et comment Heidegger prépare-t-il un nouvel accès de l'homme à Dieu. Un trait ressort nettement de ses «reprises»: seules les conceptions qui préservent l'authenticité de l'homme et du monde sont capables de maintenir la transcendance de Dieu. Dans notre condition terrestre, le problème de Dieu revient au problème de l'homme. Attester que Dieu est un Autre et que cependant nous ne pouvons le connaître que par rapport à nous impose aux philosophes tout à la fois de parler et de se taire. C'est à la mesure de ce discours et de ce silence que se reconnaît la qualité la plus rare d'un penseur. C'est parce que, durant nos recherches, nous avons cru en reconnaître le signe chez l'auteur de *Sein und Zeit* qu'il nous est utile maintenant de dégager les lignes positives de sa démarche.

Du Dieu de la métaphysique au Dieu divin

Le reproche qui lui a été longtemps et communément adressé, c'est précisément de se taire sur Dieu. Pourtant l'auteur du

[1] *Der Feldweg*, p. 7.

suggestif: *Qu'est-ce que penser*[1]*?* explique fréquemment sa position. Dans toute son œuvre, il a marqué comment «Dieu est entré dans la philosophie»[2], c'est-à-dire d'une manière qui fait que Dieu n'est plus Dieu.

Ce n'est pas en vertu d'un quelconque athéisme que le caractère onto-théologique de la métaphysique est devenu contestable pour la pensée, mais à partir d'une *nouvelle expérience de la pensée*. Du même coup, Heidegger a précisé les raisons du silence dont on l'accuse. Celui qui a vécu cette expérience et qui, de ce fait, a découvert comment la métaphysique, telle que nous l'avons définie, s'est efforcée de structurer la théologie – que celle-ci ait été héritée de la foi chrétienne ou qu'elle ait constitué le bien propre de la philosophie – celui-là, dit Heidegger, préfère aujourd'hui se taire sur Dieu[3]. Toute la question est de savoir ce que, au-delà de ce refus, il désigne dans son silence.

C'est en un sens très précis et nouveau qu'il ne cesse de batailler contre les doctrines qui ramènent Dieu à l'*Ursache*, à la cause ou à la chose suprême, ou même à la *causa sui*. Par ses attaques se révèle d'abord la volonté obstinée d'abattre ce qui lui paraît une idole[4] et de faire de la place: «la *causa sui*, tel est le nom qui convient à Dieu dans la philosophie»[5]. «Ce qu'il faut poser et qu'on a coutume d'appeler Dieu, dit Leibniz, *uno vocabulo solet appelari Deus*[6], c'est l'*ultima ratio rerum* (l'*ens necessarium*). Cette raison, qui réside dans la «nature» des choses et pour laquelle elles inclinent à exister plutôt qu'à ne pas exister, *doit* se trouver en quelque étant réel ou dans sa cause». Ainsi l'étant dans la totalité de son être, jusqu'à la *prima causa*, jusqu'à Dieu, est régi par le *principium rationis*. Dieu tombe sous le principe de raison suffisante. L'équilibre précaire entre ontologie et théologie, qu'avait jusqu'alors conservé la métaphysique, est rompu au profit de l'ontologie. Spinoza n'avait-il pas déjà écrit à la fin du livre I de l'*Ethique:* «*hic Dei naturam ejusque proprietates explicui* ...».

«La pensée sans Dieu, poursuit Heidegger, celle qui doit

[1] *WD*, p. 80. La vraie question, dit-il, est *Was heisst uns Denken*, qu'est-ce qui nous appelle à penser – jeu de mots sur *heisst* qui signifie à la foi appelle et s'appelle.
[2] *ID*, p. 52.
[3] *ID*, p. 51.
[4] *ID*, p. 70.
[5] *ID*, p. 68.
[6] Ed. Gehr. VII, p. 289; cf *SG*, trad. p. 87.

abandonner le Dieu de la philosophie, est peut-être plus proche du Dieu divin, du Dieu devant lequel on peut tomber à genoux. Cela veut seulement dire: elle est plus libre pour lui que ne pouvait la garder l'onto-théologie».

L'œuvre tentée par Martin Heidegger se veut seulement préparante [1]. Elle esquisse un pas simple et discret qui fait d'abord pressentir à quel point l'homme *manque* sa propre pensée. Telle est l'expérience à laquelle nous sommes appelés. Elle ne conduit pas à une impasse, bien qu'elle s'avoue humblement, en tant que pensée de l'être, une chose très sujette à l'erreur et en outre très pauvre [2]. Savoir du non-savoir, elle ouvre une dimension et laisse être une «présence» qui selon la tradition la plus religieuse est «absence». Elle exige une longue préparation [3] et insiste sur les délais aux termes desquels l'humanité loin du bavardage de tous les chevaliers de la dialectique pourra atteindre un silence intérieur, un silence fruit et source de toute parole.

L'homme habite dans la proximité du Dieu

Pour y parvenir, il fallait d'abord chercher un concept suffisant de l'existence humaine qui permette de se demander ce qu'il en est du rapport de celle-ci à Dieu. Dans la perspective de la *Lettre sur l'Humanisme*, l'homme habite, en tant qu'il est homme, dans la proximité du Dieu [4]. Le rapport s'ouvre immédiatement dans le *Dasein* car le *Da* est proximité de l'être comme tel [5]. C'est dans cette proximité ou nulle part que doit se décider si le dieu ou les dieux se refusent, comment ils se refusent, si et comment la nuit demeure, si le jour du sacré se lève, si dans cette aube du sacré une apparition du dieu ou des dieux peut à nouveau commencer et comment [6].

Le même texte caractérise notre époque par l'étranglement de la dimension du sacré [2]. Cette fermeture est peut-être l'unique malheur. Après Hölderlin, Heidegger parle sans ambages de ce temps de misère où les dieux se sont enfuis et non seulement les dieux et le dieu, mais l'éclat même de la divinité s'est éteint dans

[1] *HW*, p. 194.
[2] *VA*, trad. p. 221.
[3] *HB*, trad. p. 95.
[4] *id.* p. 141.
[5] *id.* p. 93.
[6] *HB*, trad. p. 95.
[7] *id.* p. 133.

l'histoire du monde. Les *Chemins qui ne mènent nulle part* [1] analysent ce trait moderne qu'est la perte des dieux, la dédivinisation, *Entgötterung:* «l'expression ne vise pas une simple mise de côté des dieux, *Beseitigung*, l'athéisme grossier. Le dépouillement des dieux est le processus à double face selon lequel, d'une part, l'idée générale du monde – *Weltbild* – s'est déchristianisée dans la mesure où le fondement du monde a été conçu comme l'Infini (Descartes), l'Inconditionné (Kant), l'Absolu (Hegel) et d'autre part, où le Christianisme – *Christentum* – a donné une autre interprétation de sa Christianité – *Christlichkeit* – et s'est ainsi accommodé aux temps nouveaux. La dédivinisation est l'état d'indétermination au sujet du dieu et des dieux. Elle n'exclut pas la religiosité, bien au contraire. «Comme en elle règne la subjectivité, le rapport aux dieux se transforme en un *vécu* religieux, dans une foi moraliste et pratique. Une conception de la Providence en résulte qui n'est que l'antithèse de la volonté de puissance» [2].

C'est pour Heidegger le symptôme d'un oubli dont l'autre nom est la perte du sens conjoint de l'être et de l'homme.

Perte du sens de l'être

L'oubli de l'être se traduit en métaphysique par le fait que celle-ci, en entendant l'être comme le concept le plus général, infinissable et évident [3], n'a ni patrie ni sens [4]. Le sens que nous avons à retrouver est le sens nécessaire de ce qui arrive, c'est-à-dire de l'être de l'étant. Pour l'avoir considéré comme apparu et non point dans son apparition, la métaphysique ne se pose pas la question. Afin de s'interroger sur la manière dont l'être signifie, il ne faudrait pas commencer par s'en tenir à un sens inexpliqué de cet être dont on attend qu'il «exprime» la signification. Le sens de l'être demeure inexpliqué parce qu'on le tient pour évident. Descartes lui-même a reçu du Moyen-Age un sens de l'être fixé dans l'idée de substantialité [5]. Il ne l'a pas mis en doute, restant dans l'élaboration ontologique de cette question très en arrière de la Scolastique. Il n'a pas non plus discuté le caractère

[1] *HW*, trad. p. 70.
[2] *N2*, p. 379.
[3] *SZ*, pp. 3 et 4.
[4] *N2*, p. 26.
[5] *SZ*, p. 93.

de «généralité» de cette signification. Pour lui, Dieu «est» et le monde «est». Même si l'emploi du terme n'est pas univoque, l'être est censé être compréhensible de lui-même dans les deux cas.

Dans la perspective où nous nous plaçons, parler de l'être, c'est parler de l'homme et de Dieu. L'être ne se donne que dans le *Da*. Il ne se donne jamais que dans la forme définie historiquement de son voilement. Il n'*apparaît* que dans l'étant. Il s'y termine et s'y anéantit suscitant notre «compréhension», ce qui devient notre «pensée». Il s'aliène ainsi dans la temporalité et l'historicité du Dasein qu'il constitue. L'entrée de l'être dans la pensée de l'homme, c'est, en toute rigueur, l'entrée de l'être dans l'histoire.

Avec l'*Agathon,* Platon avait touché au rapport qui unit le sens de l'être, l'homme et Dieu. La relation entre vérité, compréhension et être était envisagée et interprètée par l'*Agathon,* l'Idée des Idées, le Bien. Atteindre cette correspondance dans le fameux: pour l'amour de ... impliquait le problème mais ne le développait pas et Platon ensuite avait tourné court.

Dans son interprétation, déterminée comme Idée, l'être comportait la référence à ce qui est exemplaire et donne la mesure, *epekeina tes ousias,* l'au-delà de l'être. Le devoir intervient comme opposé à l'être dès que celui-ci se détermine comme Idée [1]. Une double tradition s'établit par la suite: les Idées sont tantôt fixées dans un *huperouranios topos,* tantôt innées ainsi que le suggère l'anamnèse des Dialogues. Elles deviendront tour à tour le plus objectif de l'objet ou le plus subjectif du sujet. L'oscillation est perpétuelle au cours des âges entre ces deux pôles insuffisamment expliqués [2]. La transcendance est ou bien immédiateté, au-delà de nous, vers un domaine du «toujours étant»; ou, au contraire, elle est en nous, dans notre perception immédiate à travers la Raison, le *Noein*. Dans cette ligne, «l'idéal transcendantal» et «l'*intuitus originarius*» iront de pair et se développeront parallèlement sans qu'on sache sur quel sol s'opère chez Kant le travail de la Raison pratique et de la Raison théorique.

L'étonnement dont devait sortir la phénoménologie se manifeste pourtant pour la première fois avec le philosophe de Königsberg, qui marque ainsi une étape capitale. Personne avant lui ne s'était

[1] *EM*, trad. p. 211.
[2] *WG*, p. 38.

demandé quels étaient les concepts intuitifs et la façon dont l'exhibitio est a priori. Il a fallu attendre la déduction transcendantale des catégories dans la *Critique de la Raison Pure* pour qu'apparaisse un point essentiel: dans la tentative de référer le sens à la forme, il s'agit ni plus ni moins que de la *légitimation* de l'être de l'étant [1]. On ne saurait trop insister cur cette nécessité surgie au cœur d'une pensée que déconcertaient ses démarches antérieures. La déduction transcendantale est déduction de l'immédiateté: elle veut établir *de jure* une relation réel-idéal qui existe toujours *de facto*.

A coup sûr, dit Heidegger, il serait trop grossier de prétendre qu'avec Kant, dans un monde sécularisé, l'homme supplante Dieu comme auteur de l'être de l'étant. En fait, c'est bien la condition de l'homme qui est en jeu. Mais Kant la manque finalement en manquant la voie «subjective» de sa déduction. Après avoir reconnu ce dont la philosophie jusqu'à lui ne savait rien, le *comment* des relations qui rendent possibles à priori les jugements synthétiques et le rôle qu'y joue l'homme, il n'a pas vu que les catégories s'appliquent également à la subjectivité plutôt que d'être simplement appliquées par elle. Chez lui, les formes de la subjectivité aperceptive de l'*ego cogito* demeurent ce en quoi tout se passe. Tout est remis à «l'intérieur», dans la Raison. L'être reste pour Kant position; la présence dépend de la Raison Pure. Selon le schéma traditionnel, elle est définition du définissable. Le système est celui de la Raison Pure. La *ratio* fournit la raison suffisante de la manière dont ce qui apparaît peut apparaître.

A côté de la définition courante du jugement: représentation d'un rapport entre deux concepts dans lequel est attribué ou refusé à un sujet un prédicat – formule qui ne le satisfait point – [2], sans doute Kant en donne-t-il une autre. A la pensée qui se perd dans ses antinomies, il joint l'intuition qui est la présence de l'objet et avec laquelle cesse le jeu. Mais la pensée n'est pas touchée en son essence et demeure définie traditionnellement. Ainsi lui échappe l'accord interne de la «forme» et de la «matière» de la connaissance [3]. Dans la présentation du schématisme

[1] *SF*, p. 17. La mise en italiques est de Heidegger.
[2] Déduction transcendantale, section 2, § 19.
[3] *HW*, p. 19, trad. p. 22.

transcendantal, il dépend encore de l'aristotélisme traditionnel. C'est pourquoi, bien qu'il interprète radicalement d'une part le temps et de l'autre la pensée, il ne voit pas l'identité originelle des deux [1]. Ce n'est pas une simple coincidence si dans cette situation de l'homme, Dieu demeure un «objet» inconnaissable, même si comme idée de liberté son idée fait en nous partie des *scibilia.*

Il faut attendre *Sein und Zeit* pour qu'apparaisse clairement, dans une nouvelle acception du mot *Dasein,* comment l'homme passe l'homme. C'est la simple conséquence de ce que la transcendance se fait historicité dans l'homme. La finitude de la connaissance humaine qui n'était décrite chez Kant que *négativement,* en ce qu'elle n'avait aucune vue intuitive et immédiate du concept [2], devient ouverture à l'être dans le rien. Mais le rien n'est pas ici la négation de l'étant. Il est l'être lui-même qui permet à l'étant d'apparaître. La transcendance n'arrive que comme temps, dans le *Dasein* de l'homme tenu dans le rien, car l'homme est l'espace de jeu de l'être. Ici la vérité, c'est-à-dire le rapport réel-idéal, est atteinte de manière inhabituelle. Plus exactement, par l'ouverture de l'homme à l'être dans l'instant est mis en cause le principe métaphysique de la séparation du «réel» et de «l'idéal».

La métaphysique a toujours été, comme son nom l'indique, une philosophie des deux mondes. Si par ricochet, le christianisme a selon Nietzsche couru le danger de devenir un platonisme pour le peuple, c'est pour n'avoir point pris garde à la dispensation de présence d'où surgit toute apparition et donc toute pensée. Une phrase d'Hölderlin, tirée des *Remarques sur Sophocle,* l'évoque à sa manière: Dieu pour nous n'est rien d'autre que le temps. Mais pour que prenne sens ce raccourci d'un poète, il nous faut supposer qu'à travers le *logos,* le temps est atteint dans une dimension jusqu'alors ignorée.

Pour avoir oublié la dispensation de présence – Geschick –, il y a eu coupure métaphysique de l'esprit – logos – et des choses – phusis

Dans la fulguration héraclitéenne, le *logos* primitif était avant tout ce en quoi se produit la présence des choses présentes [3].

[1] *SZ,* p. 26.
[2] *KM,* p. 91, trad. p. 154.
[3] *VA,* trad. p. 275.

«Les choses présentes, l'éclair les gouverne *en les conduisant à la présence*» [1]. Mais cet instant fut court et l'histoire n'en connut plus de semblable. Née, comme nous l'avons notamment rappelé à la fin de l'étude sur Aristote, dans l'ambiguité constituée par la question même qu'elle soulevait: qu'est-ce que l'étant?, la métaphysique oublie dès l'abord ce qui le rend tel. C'est «l'être», ce qu'elle appelle l'être, qui l'empêche de chercher plus loin. L'obstacle est l'être qu'elle prend toujours comme allant de soi en tant qu'essence, existence et être-vrai [2]. L'être est traité comme évident et se suffisant à lui-même. Il est pour elle le premier connu et le plus connaissable, l'intelligible. Corrélativement, il est placé devant «l'esprit», lui aussi scindé du surgissement universel et indépendant. L'identité vivante et circulaire de l'esprit et des choses, leur appartenance structurale qu'exprimait le *to auto* parménidien est perdue. Est perdu cet endroit, pour parler comme Cézanne, où notre cerveau et l'univers se rejoignent dans un ensemble et une simultanéité qui constituent le mystère primitif.

La difficulté provient de rassembler l'esprit et les choses, mais c'est un faux-problème qui s'épanouit dans le «je lie» kantien [3]. Il faut inventer un art caché au creux de la raison humaine. Loin de traduire la *présence rassemblée* de chaque instant, le «Un est tout» d'Héraclite, *Hen Panta* [4], et l'horizon d'absence sur lequel se déploie la présence, le logos est seulement conçu comme un *pouvoir* qui rend l'homme capable de connaissances plus hautes que celles de l'animal. Il prendra même la forme du *legomenon* et deviendra *ce que* l'homme dit. C'est que le mouvement est alors mis dans l'esprit. La substantialisation de la «substance» marche de pair avec l'énergétisation de «l'esprit».

C'est dans ce contexte que se dégagent la Raison métaphysique et la Logique qui en résulte. Théorie du logos déraciné, celle-ci considère le *legein*, au sens de rassembler, comme le propre de la pensée. Du même coup, ce n'est plus qu'un *legein ti kata tinos*, c'est-à-dire l'énoncé de quelque chose sur quelque chose. La vérité finit par être comprise selon la relation sujet-prédicat.

Le *logos* est coupé de la *phusis*. Mais alors est perdue ce qu'on

[1] B 64; *VA*, trad. p. 269.
[2] *N2*, p. 402.
[3] Int. à la *Critique de la Raison pure*.
[4] B 50; *VA*, trad. p. 249.

a appelé l'auto-donation de l'objet que retrouvent Kant et surtout la phénoménologie et qui, en fait, fait sortir du traditionnel schème sujet-objet. L'unité de la pensée et de l'objet en métaphysique est référée aux catégories qui ne sont plus à leur tour que le fait de l'esprit, au lieu qu'il s'agit de savoir si elles ne surgissent pas dans l'unification nouvelle à chaque instant de ce que nous appelons «l'esprit» et les «choses». Le problème ne peut être posé tant que règne la détermination catégoriale telle qu'elle est connue en métaphysique.

Pour Heidegger, les catégories sont expérience car elles sont les représentations d'unité qui jaillissent dans l'action même de ce que nous nommons raison. *Sein und Zeit* les appelait les existentiaux. Elles sont la façon dont nous nous rapportons à tout ce qui est, à commencer par nous-mêmes, en le comprenant. Les catégories servent ainsi de règles de liaison judicative. C'est dire qu'elles définissent le multiple que nous rencontrons par les objets [1]. A travers le temps, qui est ici affection de soi par soi, elles expriment la détermination de la transcendance finie, puisque la compréhension de l'être dans le *dasein* projette spontanément l'être vers le temps [2]. Pour arriver à cette conclusion, il aura été nécessaire d'envisager en lui-même et comme tel, dans le logos, le rapport entre l'étant, l'être et la pensée.

Subjugué par la Logique, l'étant comme tel a manqué tout ce qui le rattache à son apparition et l'être, qui en donne le sens comme passage, n'a plus constitué que la chose de la pensée. Nous avons vu les différents noms que cette chose prenait au cours des âges: *hupokeimenon, substance, sujet.* Sous ces diverses appelations, le concept et le même: l'être est envisagé comme fondement, *Grund* [3]. C'est là où est le drame car ce fondement apparaît comme constamment évident. Il est ce qui, une fois pour toutes, est responsable de ..., ce qui rend bon à ..., ce qui rend possible ... Nous retrouvons, orientée d'une certaine manière, l'influence de l'Agathon. Le Bien rend compte de ... mais par suite de la détermination platonicienne de l'être comme *idea* et de la transformation de la vérité-dévoilement, *alètheia,* en vérité-adéquation, *homoiosis,* le rôle déterminant dans la manifestation

[1] *FD*, p. 183.
[2] *KM*, trad. p. 298.
[3] *ID*, p. 57.

de l'être est maintenant dévolu à une notion nouvelle, la cause, *aitia*. Cette prééminence des causes s'est étendue si vite que déjà sous Aristote l'emploi l'un pour l'autre d'*aitia* et d'*archè* – principe – semble aller de soi [1]. Le fondement s'offre alors comme principe et cause [2]. L'*energeia* d'Aristote, marquée par l'*idea* s'identifiera plus tard à l'*actualitas* et à la «réalité». Bien qu'on en parle peu et seulement occasionnellement, bien qu'elle semble une chose allant de soi [3], l'existence, tout au long de la métaphysique, sera déterminée dans une perspective causale.

Comment, dès lors, ne pas chercher le fondement des fondements, le principe des principes et la cause des causes? C'est ainsi que Dieu est venu dans la métaphysique, première cause et première chose, *Ur-sache* comme le disent tragiquement les Allemands. Il serait plus exact de marquer que Dieu est venu au secours d'une physique. Nous aimons rappeler ici, comme l'avait fait Maurice Merleau-Ponty dans sa leçon inaugurale au Collège de France, le mot de M. Jacques Maritain: Le saint est l'athée intégral à l'égard d'un Dieu fabricateur du monde.

Le Logos exprime la dispensation de présence, unifiée et orientée

Autant le *logos* en métaphysique a fini par fonder l'onto-théologie et du même coup, préparer la «mort de Dieu», autant ici, il renouvelle tout accès à Dieu ou plutôt toute venue de Dieu en nous. Il nous dit, de façon nouvelle, cette manifestation qui nous suscite à travers le monde. Il exprime ainsi l'essence de l'homme. L'unité et la différence des deux pentes de l'onto-théologie ne sont plus laissées dans l'ombre: le lien entre elles s'établit au cœur de l'homme, par cette ouverture du *Da* qu'est l'instant. C'est ce que nous rappelait *Sein und Zeit*, la logique du *logos* est enracinée dans le *dasein* [4]. Du même coup, s'éclairent l'une par l'autre les deux définitions traditionnelles jusqu'alors simplement juxtaposées: *animal rationale* et *faciamus hominem ad imaginem nostram et similitudinem* [5].

Il est long, dit Heidegger, le chemin le plus nécessaire à notre pensée; il conduit vers ce simple qu'il faut penser sous le nom de

[1] *N2*, p. 414.
[2] Aristote, *Métaphysique*, début du livre XII.
[3] *VA*, trad. p. 87.
[4] *SZ*, p. 160.
[5] *SZ*, p. 48

logos [1]. Le *logos* est à entendre à travers le «tout est un» d'Héraclite. L'*Hen Panta* est un signe privilégié nous donnant à entendre ce qu'est le *logos*. Il n'identifie pas le logos à ce qu'il énonce, autrement dit à l'étant. Il ne dit pas davantage le sens que donne à saisir le logos: il ne se réduit pas à l'intelligibilité de l'étant, à sa présence qui fait que nous le comprenons et que la métaphysique appelle son être. Le logos n'est ni seulement de «l'être», ni seulement de «l'étant». L'*Hen Panta* révèle *de quelle façon* le logos se déploie et se manifeste: il exprime le mouvement par lequel, dans l'homme, l'étant et son être sont portés l'un vers l'autre, assignés l'un à l'autre. Ainsi se constitue le monde. Ainsi, dans l'œuvre de l'homme qui est réponse à un appel sont mis en jeu la terre et le ciel, les dieux et les hommes.

Le *Tout* de la formule d'Héraclite n'est pas à interpréter ainsi que l'a fait une partie de la métaphysique, comme le tout des choses présentes, c'est à dire dans la confusion du «cosmologique» et de «l'ontologique». Parce qu'elle s'en tenait là, la métaphysique, depuis Parménide, désignait l'étant dans son ensemble, la multiplicité de ce qui est, non plus par le pluriel, mais par un neutre singulier: *ta eonta, ta polla, ta panta*. Avec les Eléates, Mélissos en particulier, le tout a été pensé comme la présence inébranlable des choses présentes, comme son «être» sous le gouvernement de la chose suprême, l'Un [2].

Cette interprétation de l'Un-Tout méconnaît l'impasse qu'elle constitue. Le Tout et la partie, l'Un et le multiple demeurent énigmes. Zénon met celles-ci en lumière, ce dont Hegel, dans son Cours sur sur l'Histoire de la philosophie lui tiendra gré. Platon dans le *Parménide* et le *Sophiste* veut dépasser, par la dialectique, l'œuvre destructrice de Zénon. Avec la *dianoia*, le logos grec devient le discours que l'âme poursuit avec elle-même. Tout étant n'est ce qu'il est qu'en ce qu'il n'est pas un autre. Mais c'est l'esprit qui pose la négation. Le non-être n'est réintroduit au cœur de l'être que dans la seule perspective du discours philosophique. La fuite dans les *logoi* est accomplie. Désormais, discursivité et intuition s'opposeront et le logos, chez Platon et chez Aristote, sera déjà un mixte de définitions.

[1] *VA*, trad. p. 249.
[2] *VA*, trad. p. 272.

Le logos, manière d'être donnée de l'immédiateté

La formule d'Héraclite est à entendre en un tout autre sens. Elle dit d'abord que le logos se manifeste comme *unification* car il exprime la présence rassemblée. Cet Un de présence, nous l'avons appelé, dans l'introduction, le monde, l'unité toujours nouvelle et vivante des catégories, l'ouverture de tous les rapports qui permet la rencontre de l'étant et de l'homme, Le logos-monde du discours est la façon dont la compréhension, dans laquelle nous sommes toujours déjà, s'approprie ce qu'elle comprend – *sich ereignet. Sein und Zeit* l'analysait comme l'ensemble des renvois à ... Dans l'épiphanie de la question, dans son *Wesen*, se révèle qu'elle a un sens. Le fleuve n'est jamais sans rives. Ainsi le logos rassemble-t-il la triple structure de l'existence: enracinement dans le passé, anticipation sans laquelle nous ne comprendrions jamais rien et découverte du présent. L'unification est sans cesse à refaire. Elle est projet et tâche à accomplir, mais elle ouvre notre liberté.

Qu'est-ce donc en conséquence que le logos de l'homme? Notre *legein* est chaque fois *homolegein* [3]. En d'autres termes, notre dire est chaque fois correspondance à ce qui se donne à penser. Ce qu'accomplit l'*homolegein* précisément, c'est la différenciation du premier rassemblement indistinct appelé à manifester ce qu'on appelera l'être, l'étant et l'homme.

Il n'y a pas, dans l'homme, de correspondance au *legein*, au rassemblement primitif, sans effort de différenciation. Aristote a défini le legein comme *apophainesthai* [2]. Le mouvement par lequel l'homme est accordé au *legein* le fait d'abord surgir à ses propres yeux. Il s'apparaît comme l'étant qu'il est, par contraste avec l'étant qui lui apparaît alors et devient son «objet». L'homme se distingue ainsi du *dasein* auquel il appartient et qui ne lui appartient pas. C'est dans le *da*, dans l'ouverture qu'est toujours déjà donnée l'unité primitive du *legein* de telle sorte que l'homme ne puisse jamais ni remonter au-delà, ni se situer ailleurs. Hegel a manqué cet enracinement, lui qui pourtant avait si bien su parler de l'effort du concept, *die Anstrengung des Begriffs*.

Si l'homme pense, c'est que le *da* s'ouvre en lui comme le lieu de la transcendance qui s'identifie au mouvement de sa pensée.

[1] *VA*, trad. p. 260.
[2] *SZ*, § 7 B.

L'homme ne peut revenir derrière ce mouvement d'être qu'est son mouvement de pensée. La pensée s'offre, non plus comme un dialogue de l'âme avec elle-même, mais comme le pli, *Zwiefalt* où apparaît, dans leur rencontre même, la différence de l'être et de l'étant.

C'est ainsi que si le *legein* est *phainesthai*, révélation et donc approche de toutes choses puisqu'il constitue la manière dont chaque fois l'immédiateté est donnée, il est indissolublement *apophainesthai*, c'est à dire distanciation. Il donne la profondeur authentique de la manifestation de la vérité. La transcendance est aussi bien ce qui nous prescrit d'aller vers ... que ce qui nous enjoint de faire retour sur ... [1]. Le mouvement qui nous renvoie aux quatre directions de la terre et du ciel, des dieux et des hommes, nous renvoie à nous-mêmes. S'ouvrir à la présence de l'autre, c'est aussi recevoir la présence de l'autre et des autres temps et les affronter dans leur absence [2]. L'échange est perpétuel. De toutes parts, le logos tisse l'évènement même de la rencontre.

Le logos est dia-logos

Il apparaît ainsi éminemment et à des multiples titres comme dialogue. La vérité, dont il est le nom, est *dialogos*, dialogue et chemin [3]. Dans le *logos*, l'homme ne regarde pas seulement la terre et le ciel. La terre et le ciel ont regard à lui. Si la pensée ne s'attache qu'à elle-même, c'est-à-dire à la manifestation lumineuse, à la présence du monde, son logos n'est que *Lichtung*, clairière et clarté. Elle fait de l'être l'intelligible, la chose de la pensée et nous tombons dans l'impasse de la métaphysique.

Mais si elle n'oublie pas l'*avènement de cette présence*, son logos implique la part d'obscurité de la Terre, la *Nichtung*, l'anéantissement, l'absence. Il atteste également ce qui se cache à instant, c'est-à-dire la dispensation de la présence, la manière dont elle est donnée et orientée. A ce stade, le *logos* s'identifie à la *phusis* dont il recueille le mouvement de lumière et de dissimulation.

[1] *SZ*, pp. 328–329.
[2] *KM*, trad. p. 171.
[3] Cf. notre autre travail sur *Mythos-Logos*. Cf. spécialement la naissance de la phénoménologie à travers la sixième *Recherche Logique* et les *Conférences sur la conscience interne du temps* de Husserl.

Dans cette perspective, il est indissolublement dévoilement et évocation de mystère.

Le logos est histoire

Cette acception plénière le fait histoire. Il n'y a jamais histoire que du logos. Parce que le logos marque non seulement l'unité de l'être et de l'étant, mais aussi leur différenciation, il ouvre le registre de la temporalité. Cette temporalité, il l'exprime de deux manières: en ce qu'il dit et en ce qu'il ne dit pas. En ce qu'il dit, il s'incarne dans les œuvres des hommes. En ce qu'il ne dit pas, il renvoie à l'avènement de la présence. Une double considération s'en suit nécessairement: le logos s'imposera comme *Grund*, c'est-à-dire comme ce qui fonde l'expression de chaque instant dans la forme manifeste qu'elle a prise. Par ailleure, comme l'être dont il est le non, dans l'absence qu'il atteste, il renvoie aux dieux et aux hommes.

Parce qu'il est *Grund*, il explique toutes les constructions métaphysiques qui pendant des siècles ont régné et celles-ci, du fait qu'il est *Grund*, possèdent une part indiscutable de vérité. Comme tant d'autres doctrines, elles ne sont fausses qu'en s'absolutisant, que dans ce qu'elles oublient: que ce *Grund* est *Abgrund*, abîme, *Nichtung* originelle, anéantissemnent de l'être qui se donne à penser. Ce don même du logos à chaque instant est la dimension vivante du divin. En situant dans le *da* de l'homme le surgissement du logos, dans son identité et sa différence, Heidegger restitue l'unité de l'ontologie et de la théologie que la métaphysique, se contentant de les entredéfinir, avait oubliée.

On doit à coup sûr se demander maintenant à quelle définition de l'homme pareille esquisse peut bien se rapporter. Deux textes, avons-nous dit, sont traditionnels: *animal rationale* et *faciamus hominem ad imaginem et similitudinem nostram.* L'homme pense et parle et l'homme est divin. Il n'est question de nier ni l'un ni l'autre point de vue. C'est leur unité que nous cherchons. Où est-elle?

Elle s'accomplit dans l'ouverture du *Da,* c'est-à-dire dans la dispensation de présence qu'exprime chaque fois le logos. Au fond, il y a dispensation de logos. Heidegger précise qu'il faudrait, à la formule métaphysique: *Anthrôpos* = *zôon logon echon,* l'homme = être vivant qui a la parole, substituer cette autre:

phusis = logos anthrôpon echôn, le jaillissement donne chaque fois la parole qui a l'homme [1]. Non certes que nous hypostasions le logos. La dispensation, ce qui nous dispose à . . . est avant tout orientation. En bref, elle a un sens. Elle nous ouvre de manière singulière, qui ne se répètera jamais, à nous-mêmes, aux autres, aux choses et à Dieu. Elle constitue l'instant situé qui est notre enracinement. Le monde, *cosmos,* n'est alors qu'un autre nom du *logos-aiôn.* Ils expriment l'un et l'autre cette chose encore in-ouïe: la dispensation de l'être [2], c'est-à-dire le fait que les catégories, la manière dont nous abordons l'étant, ne sont ni de la pensée, comme l'a cru la métaphysique, ni de l'étant comme le croit le sens commun, mais du logos. Mieux, elles sont logos.

L'accès à Dieu

Comment cette dimension de la pensée, cette nouvelle transcendance nous donne-t-elle accès à Dieu? Ce n'est sûrement pas d'elle qu'il faut attendre que Dieu soit atteint comme l'être en soi pour la bonne raison que l'être ne se révèle que comme rencontre. Du même coup, l'être n'est pas Dieu. Il n'est que chemin, vers nous-mêmes, vers le monde et vers Dieu. Un texte d'*Essais et conférences* l'évoque clairement [3].

Il y est demandé en quoi peut bien consister la précellence sur toutes choses présentes des dieux et des hommes, cette sorte de mise hors limite qui s'opère avec eux d'un domaine de tous les domaines. A coup sûr, ceux qui l'habitent y demeurent dans une condition inégale. Alors que les dieux sont essentiellement ceux qui regardent au dedans et que c'est du dedans qu'ils sont dans l'éclaircie – *Lichtung* – des choses présentes, les mortels doivent s'en approcher: elles s'offrent à eux, étendues là devant eux; ils doivent y prêter attention.

Il n'en reste pas moins que les dieux et les hommes ne sont pas seulement éclairés par une lumière, fût-elle suprasensible, de sorte qu'ils ne puissent jaimais devant elle se cacher dans l'obscurité. Ils sont éclairés dans leur manifestation (*Wesen,* ce que la métaphysique traduit par essence). Ils deviennent lumière. Leur appropriation – *Ereignis* – de la *Lichtung* est telle qu'ils

[1] *EM*, p. 134, trad. p. 189.
[2] *SG*, dernière page.
[3] *VA*, trad. p. 336.

sont tout entiers lumière. Ils n'ont plus d'abri contre la clarté. C'est elle qui les cache, c'est elle qui fait leur secret, qui les accorde et les livre au logos de l'*homolegein*.

Ce texte puissant et généreux doit définitivement détromper ceux qui s'imagineraient cette pensée tournée vers des ténèbres qui ne seraient pas les ténèbres de la lumière. C'est à partir de là qu'il faut entendre une réponse qui dépasse d'un bond inéluctable la question formulée par des siècles de métaphysique: comment remonter de l'homme à Dieu? Toutes les voies habituelles ne sont-elles pas fermées et tous les recours perdus pour ceux qui cherchent un itinéraire méthodique?

C'est l'immédiateté, dit Heidegger, qui une fois de plus est médiatrice [1]. Loin d'être dans le domaine de l'Eros, de la recherche de Dieu par l'homme, nous nous trouvons dans celui de l'Agape, où l'homme a toujours déjà été trouvé par Dieu. Cette irruption fulgurante à l'intérieur de l'identité n'arrive d'ailleurs qu'à faire éclater la différence et, pour tout l'homme, est à ce titre éminemment religieuse au sens biblique du mot. C'est ce qu'exprime à sa manière et sans contestation le texte que voici: «En quoi réside cette précellence des dieux et des hommes? A ceci assurément, qu'à la différence des choses présentes, ils ne peuvent jamais rester cachés dans leur rapport à la clarté – *Lichtung*». Mais voici la question décisive: pourquoi ne le peuvent-ils pas? «*Parce que leur rapport à la clarté n'est rien d'autre que la clarté elle-même, cette Lichtung qui ressemble et retient en elle les dieux et les hommes*» [2]. Telle est la rencontre en toutes choses des uns et des autres. C'est le triomphe de l'*imago Dei* [3].

Paris – Wald über Messkirch (Hohenzollern) 1956–1962.

[1] *HD*, trad. p. 79.
[2] *VA*, trad. p. 336.
[3] Paul, 2 Cor. 3, 18: Et nous tous, le visage découvert, reflétant comme en un miroir la gloire du Seigneur, nous sommes transformés en la même image, de gloire en gloire..

LISTE DES SIGLES UTILISES

Nous croyons inutile de donner ici une bibliographie complète des œuvres de Heidegger. Nous renvoyons le lecteur sur ce point à l'ouvrage de William J. Richardson: *Heidegger / Through Phenomenology to Thought,* Phaenomenologica 13, pp. 675–680.

Nous nous bornons ici à la liste des sigles par lesquels nous désignons les travaux de Heidegger cités par nous.

SZ	*Sein und Zeit,* Erste Hälfte, in: *Jahrbuch für Philosophie und phänomenologische Forschung* VIII, (1927), Halle, 1927; 2ème édition révisée, 1929; 7ème édition, Tübingen, 1953.
WG	*Vom Wesen des Grundes,* in: *Jahrbuch für Philosophie und phänomenologische Forschung,* IX, (Festschrift Husserl), Halle, 1929; 2ème édition, 1931; 3ème édition avec avant-propos, Francfort-sur-le-Main, Klostermann, 1949, 50 p.
KM	*Kant und das Problem der Metaphysik,* Bonn, 1929; 2ème édition avec une nouvelle préface, Francfort, Klostermann, 1949, 222p. Traduction et introduction par A. de Waelhens et W. Biemel, Paris, Gallimard, 1953, 308 p.
WM	*Was ist Metaphysik?,* Bonn, 1929; 4ème édition avec postface, Francfort, Klostermann, 1943; 5ème édition avec introduction et postface révisée, Francfort, Klostermann, 1949, 47 p.
PW	*Platons Lehre von der Wahrheit,* in: *Geistige Überlieferung* 2 (1942); Berne, Francke, 1947, 119 p. (avec: Über den Humanismus).
WW	*Vom Wesen der Wahrheit,* Francfort, Klostermann,

	1943; 2ème édition avec note finale développée, 1949; 3ème édition, 1954, 27p. Traduction et commentaire par A. de Waelhens et W. Biemel, Louvain, Nauwelaerts, 1947.
HB	*Brief über Humanismus*, in *Platons Lehre von der Wahrheit*, Berne, 1947, 47p. Traduction par R. Munier, Paris, Aubier, 1957, 185p., suivi d'une nouvelle lettre à Jean Beaufret.
FW	*Der Feldweg*, Francfort, Klostermann, 1949, 7p.
HW	*Holzwege*, Francfort, Klostermann, 1950, 345p. (composé de: L'origine de l'œuvre d'art, 1935. Le temps de l'image du monde, 1938. Le concept d'expérience chez Hegel, 1942–1943. Le mot de Nietzsche: «Dieu est mort», 1936–1943. Pourquoi des poètes? 1946. La parole d'Anaximandre, 1946). *Chemins qui ne mènent nulle part.* Traduction par W. Brokmeier, éditée par François Fédier, Paris, Gallimard, 1962, 313p.
HD	*Erläuterungen zu Hölderlins Dichtung*, Francfort, Klostermann, 1951, (composé de Heimkunft. An die Verwandten. Retour, 1943. Hölderlin et l'essence de la poésie, 1936. Comme en un jour de fête, 1939. Souvenir, 1943). *Approche de Hölderlin*, «traduction par H. Corbin, M. Deguy, F. Fédier et J. Launay, Paris, Gallimard, 1962, 194p.
EM	*Einführung in die Metaphysik*, Tübingen, Niemeyer, 1953, 157p. *Introduction à la métaphysique*, traduction par G. Kahn, Paris, Gallimard et P.U.F., 1958.
WD	*Was heisst Denken?*, Tübingen, Niemeyer, 1954, 175p. *Qu'appelle-t-on penser?*, traduction par A. Becker et G. Granel, Paris, P.U.F, 1959.
VA	*Vorträge und Aufsätze*, Pfullingen, Neske, 1954, 284p. *Essais et Conférences*, traduction par A. Préau, préface de J. Beaufret, Paris, Gallimard, 1958, 349p.
AED	*Aus der Erfahrung des Denkens*, Pfullingen, Neske, 1954, 27p.
SF	*Zur Seinsfrage*, Francfort, Klostermann, 1956, 44p.

WP	*Was ist das, die Philosophie?* Pfullingen, Neske, 1956, 46p.
	Qu'est-ce que la philosophie?, traduction par K. Axelos et Jean Beaufret, Paris, Gallimard, 1957, 54p.
SG	*Der Satz vom Grund*, Pfullingen, Neske, 1957, 211p.
	Le principe de raison, traduction par A. Préau, préface de Jean Beaufret, Paris, Gallimard, 1962, 270p.
ID	*Identität und Differenz*, Pfullingen, Neske, 1957, 76p.
P	«Vom Wesen und Begriff der Phusis», (Aristoteles, Physik B 1), in: *II pensiero*, Milano, Institut d'éditions cisalpines, mai-août 1958.
G	*Gelassenheit*, Pfullingen, Neske, 1959, 733p.
US	*Unterwegs zur Sprache*, Pfullingen, Neske, 1959, 269p.
N1 et *N2*	*Nietzsche*, Pfullingen, Neske, 1961, I, 661p; II, 493p.
FD	*Die Frage nach dem Ding*. Zu Kants Lehre von den transzendentalen Grundsätzen, Tübingen, Niemeyer, 1962, 189p.
KS	*Kants These über das Sein*, Francfort, Klostermann, 1962, 36p.

TABLE DES AUTEURS CITES PAR HEIDEGGER

- Anaxagore WG 22
- Anaximandre HW 296, 343
- Arnauld SG 194
- Aristote SG 30, 110s, 120, 126, 135s
  „ EM 12, 31, 46, 61, 72, 95, 130, 137, 143
  „ HW 75, 80, 95, 220, 230, 297, 339, 342
  „ KM 16, 18, 57, 119, 199, 200ss
  „ SZ 2, 3, 10, 14, 18, 25, 26, 32, 33, 39, 40, 93, 138, 140 159, 170, 171, 208, 212, 219, 225, 226, 244, 341, 421, 427, 432ss
  „ N1 67, 77, 95, 500, 602
  „ N2 15, 237, 414, 416
  „ FnD 26, 30, 34s, 62s, 77, 116
  „ HB 20, 34, 39, 46
  „ WG 7, 46
  „ VA 39, 50, 53, 76
  „ WD 18, 38, 40, 41, 47, 71, 119, 128, 134, 174
  „ WP 17, 24, 25, 27, 28, 38, 46
  „ US 203, 244
- Arnim (Bettina von) SG 151
- Augustin (St) HW 338
  „ SZ 43, 139, 171, 190, 427
  „ WG 23, 33
  „ WD 40, 41, 56
- Avicenne SZ 214

- Bacon (Roger) HW 75
- Baer (von) SZ 58
- Baumgarten KM 15
  „ WG 25
- Bergson KM 215
  „ SZ 18, 26, 47. 432s
- Berkeley VA 236, 237
- Bolzano SZ 218
- Brentano SZ 215
  „ US 91
- Burnet HW 313

- Cajetan SZ 93
- Calvin SZ 49, 249
- Cassirer KM 17, 26
  „ SZ 51
- Cicéron SG 166

– Claudius (Matthias)	EM	76
– Clément d'Alexandrie	VA	257, 260
– Couturat	SG	14, 33
„	WG	10
– Crusius	WG	7
– Dante	HD	31
– Descartes	SG	29
„	EM	149
„	HW	40, 80, 91s, 95s. 118s. 220, 282
„	KM	120
„	N2	330, 147s, 164, 426, 196, 424, 432
„	PW	45
„	SZ	22, 24, 25, 40, 45, 66, 89s, 204, 211, 433
„	HB	20
„	VA	86
„	WP	40, 41
„	WM	7
„	N2	33s, 147s, 174s, 164, 426, 196, 424, 432
– Diels	HW	97, 296, 313, 328
„	SZ	212, 219
– Dilthey	KM	215
„	US	96, 129
„	SZ	46, 47, 205, 209, 210, 249, 377, 385, 397
– Duns Scot	SZ	3
– Dürer (A)	HW	58
– Diogène Laërce	VA	257
– Erdmann (Joh. Ed.)	SG	81, 165
– Eschyle	HW	71
– Euclide	SG	33, 43
– Fichte	SG	150
„	EM	151
„	HW	93
„	ID	16
„	KM	127
„	WD	36
„	WP	26
– Fraenkel (E)	EM	40
– Galilée	VA	58
– Georg (Stefan)	SG	109
„	US	162, 183, 193, 220
– Gide (A)	WP	9, 35
– Goethe	SG	24, 88, 141, 151, 201s
„	EM	68
„	HD	31
„	SZ	197
„	HB	11
„	VA	38, 39, 51, 62, 95, 107
– Hamman	SG	24
„	US	13
– Hamsun (Knut)	EM	20
– Hartmann (Nicolaï)	SG	146
„	KM	16
„	SZ	206, 208, 433

– Hebel (J. P.)	SG	130
„	VA	38
– Hegel	SG	38, 68, 81, 130, 145, 150, 152, 162, 165
„	EM	14, 92, 93, 96, 97, 137, 143, 144
„	HD	85
„	HW	66, 93, 105, 192, 233, 298
„	ID	16, 37, 73
„	EM	204
„	SZ	3, 22, 235, 405, 428s
„	HB	23, 27, 47
„	VA	76, 77, 81, 99, 183, 235, 236
„	WD	9, 34, 36, 40, 129 145, 146
„	WP	17, 26, 42
„	WM	22, 36
„	SF	25, 34
„	N1	100, 350, 436, 451, 469, 480, 530, 584, 599, 31
„	N2	147, 197, 236, 297s, 463
– Heisenberg (W. von)	VA	31, 51
„	SF	22
– Hellingrath (Norbert von)	HD	31, 50, 119, 132
– Héraclite	SG	113, 122, 187s
„	EM	47, 74, 79, 87, 96, 97, 104, 110, 127, 130, 146
„	HW	32, 258, 312, 340, 342
„	SZ	219
„	HB	39, 40, 41
„	WG	22
„	VA	125, 207s, 236, 257s
„	WD	19, 45, 71
„	WP	21, 24, 28
„	N1	30, 406, 465, 504, 599
– Herder	SG	24
„	SZ	197, 198, 249
„	US	13
– Herz (Marcus)	KM	45, 208
– Hölderlin	SG	81, 141, 172
„	EM	81, 96, 157
„	HW	26, 65, 88, 248, 295
„	HB	23, 25, 26, 43
„	VA	36, 136, 187s
„	WD	6, 8, 9, 52, 67, 117, 169
„	WP	45
„	SF	42
„	N1	507
„	US	94, 182, 205, 219, 266
– Homère	HD	31
„	EM	95
„	HW	316
„	VA	274
„	WD	170
– Humboldt	SZ	119, 166
„	US	14, 246
– Husserl	SG	84
„	SZ	38, 47; 50, 77, 166, 218, 244, 361, 363
„	UH	27
„	US	90
– Hyppolite	VA	257, 275
– Isocrate	EM	148

- Jacobi KM 127
- Jaspers SZ 249, 301, 338
- Jean (St) EM 97
  „ WG 23, 24
  „ US 15
- Jünger (Ernst) SG 158
  „ VA 72
  „ SF 7, 11
  „ N1 194

- Kant SG 24, 123, 125s, 131s, 136, 147, 150, 154, 165
  „ EM 31, 92, 144, 151, 154
  „ HW 93, 118, 226
  „ ID 15, 38, 43
  „ SZ 10, 22s, 30, 31, 40, 51, 94, 101, 145, 203, 204, 208, 214, 271, 293, 318, 320, 321, 358, 428
  „ HB 20, 41
  „ WG 8, 14, 16, 19, 26, 33
  „ WW 24, 25
  „ VA 51, 75, 76, 81, 85, 86, 89, 136, 175, 235
  „ WD 9, 36, 40, 56, 72, 123, 124, 127, 145
  „ WP 17
  „ SF 16, 17, 22, 23
  „ N1 126, 237, 277, 324, 496, 514, 564, 584, 68
  „ N2 298, 433, 468: US 116, 132
- Kierkegaard HW 230
  „ SZ 190, 235, 338
  „ WD 129
- Kleist SZ 249

- Lask SZ 218
- Leibniz SG 14, 29, 33, 43, 52, 53, 63s, 79, 123, 165, 169, 186, 192s, 205
  „ EM 46, 92
  „ HW 93, 226, 233
  „ ID 15, 68
  „ KM 17
  „ HB 17
  „ WG 7, 9, 12, 15, 17, 25
  „ VA 126
  „ WD 35, 36, 40, 56
  „ WM 20
  „ SF 39
  „ N1 68, 45, 324, 569
  „ N2 237, 439, 474, 442
- Lessing SG 148
- Lotze (H) HW 94
  „ SZ 99, 155
- Luther SZ 10, 190
  „ WD 82
  „ US 203

- Marx HB 11, 23, 27
  „ WP 42
- Mendelsohn (Moïse) KM 177
- Meyer (C. F.) HW 26
- Mozart SG 117s
- Mörike SG 102

- Natorp SZ 208
- Newton VA 58, 62
- Nietzsche SG 43
  - „ EM 3, 10, 27, 28, 30, 96, 153, 155
  - „ HW 80, 94, 142, 193, 247, 264, 296, 306
  - „ PW 45
  - „ SZ 264
  - „ HB 23, 25, 33
  - „ VA 79s, 81, 82, 101s, 273
  - „ WD 19, 47, 56, 73, 75, 129, 174
  - „ WP 42
  - „ SF 7, 9, 10, 13, 16, 43
  - „ US 45, 173, 178
- Novalis SG 30
  - „ SZ 249

- Origène VA 257

- Parménide SG 127, 150
  - „ EM 73, 84ss, 96, 104, 112, 122, 127, 133, 140, 146
  - „ HW 83, 324, 340, 342
  - „ ID 18, 19, 21, 31, 72
  - „ SZ 14, 25, 100, 171, 212, 222, 223
  - „ HB 22, 23
  - „ WG 22
  - „ VA 53, 140, 141, 231s
  - „ WD 7, 19, 45, 71, 105, 108, 150, 163, 175
  - „ WP 24, 25, 29
- Pascal HW 198, 282
  - „ SZ 4, 139
- Paul (St) SZ 249
  - „ WG 23
  - „ WM 18
- Pindare EM 77, 86
  - „ US 24
- Planck (M.) VA 58
- Platon SG 35, 113
  - „ EM 13, 31, 44, 50, 72, 130, 137, 139, 141, 151
  - „ HW 75, 84, .4s, 162, 204, 297, 342
  - „ ID 14
  - „ PW 5, 23, 31
  - „ SZ 1, 2, 3, 6, 10, 25, 32, 34, 39, 244, 423
  - „ HB 34, 39
  - „ WG 14, 37, 38
  - „ VA 25, 27, 38, 43, 47, 52, 81, 126
  - „ WD 19, 56, 69, 71, 112, 119, 123, 134, 135, 174
  - „ WP 16, 24, 28, 37, 38
  - „ WM 38
  - „ SF 15, 16, 21
  - „ N1 180, 224, 381, 429, 581, 586
  - „ N2 403, 409
  - „ US 45, 201
- Plotin WD 40
- Plutarque HW 197
  - „ VA 257
- Protagoras HW 95s

- Ranke SZ 400

– Reinhardt (K.)	EM	82
,,	SZ	223
,,	VA	275
– Rilke (Rainer-Maria)	HD	114
,,	HW	252, 295
– Robinet (A.)	SG	81
– Sapho	EM	76
– Sartre	HB	17, 18, 27
– Scheler (Max)	EM	7
,,	SZ	47, 48, 116, 139, 206, 208, 210 291, 321
– Schelling	SG	43, 150
,,	HD	85
,,	HW	93, 233
,,	ID	16
,,	KM	127
,,	WG	8
,,	VA	77, 81, 113
,,	WD	36, 40, 42, 47, 77
,,	WP	26, 42
,,	SF	39
,,	N1	44, 69, 182, 496, 584
,,	N2	77, 471s
– Schiller	HB	11
– Schleiermacher	US	97
– Schopenhauer	EM	48
,,	WG	8
,,	VA	79
,,	WD	15, 36
– Sextus Empiricus	VA	257
– Shakespeare	HD	31
,,	HW	71
– Silesius (Angelus)	SG	68s, 118s
– Simmel	KM	215
,,	SZ	249, 375, 418
– Simplicius	HW	293, 313
– Socrate	VA	38, 138
,,	WD	52, 56
,,	WP	24
– Sophocle	SG	172
,,	EM	81, 82, 112, 135
,,	HD	25, 31
,,	HW	29
,,	HB	39
,,	WM	47
– Spinoza	SG	64
,,	ID	43
– Spengler	WW	25
,,	N1	360
– Spranger	SZ	394
– Stoa	SZ	139, 199
– Suarez	SZ	22
,,	N2	418
– Théophraste	HW	298s
,,	VA	257
– Thomas (St)	EM	14
,,	PW	44

Thomas (St) SZ 3, 14, 93, 214
„ WG 23, 25
„ WD 56
„ N1 68
„ N2 416
– Thucydide SZ 39
„ HW 308
– Tolstoï SZ 254
– Trakl (Georg) WD 96
„ US 17, 37, 82

– Van Gogh EM 27
„ HW 9
– Vinci (Léonard) SF 38
– Virgile HD 31

– Wackernagel EM 52
– Winckelmann HB 11
– Wolff (C.) SG 31
„ KM 16, 17
– Wundt KM 16

– Yorck von Wartenburg SZ 397s

– Zwingle SZ 49